JOHN GRISHAM

Américain, John Grisham est né en 1955 dans l'Arkansas. Il exerce pendant dix ans la profession d'avocat, tout en écrivant des romans à ses heures perdues. Il publie en 1989 son premier roman, *Non coupable,* mais c'est en 1991, avec *La firme,* qu'il rencontre le succès. Depuis, *L'affaire Pélican* (1992), *Le couloir de la mort* (1994), *L'idéaliste* (1995), *Le maître du jeu* (1996) et *L'associé* (1999) ont contribué à en faire la figure de proue du " legal thriller ". Mettant à profit son expérience du barreau, il nous dévoile les rouages du monde judiciaire, et aborde par ce biais les problèmes de fond de la société américaine. Aux États-Unis, où il représente un véritable phénomène éditorial, la vente de ses livres se compte en millions d'exemplaires et ses droits d'adaptation font l'objet d'enchères faramineuses auprès des producteurs de cinéma *(La firme, L'affaire Pélican).*
Marié, père de deux enfants, John Grisham est l'un des auteurs les plus lus dans le monde.

LA LOI DU PLUS FAIBLE

JOHN GRISHAM

LA LOI
DU PLUS FAIBLE

ROBERT LAFFONT

Titre original :
THE STREET LAWYER

Édition originale : Doubleday, New York

Traduit de l'américain par
Patrick BERTHON

© Belfry Holdings, Inc., 1998
© Laffont, 1995, pour la traduction française.
ISBN 2-266-14542-8

1.

L'homme aux chaussures de caoutchouc est entré derrière moi dans la cabine d'ascenseur, mais je ne l'ai pas vu tout de suite. C'est l'odeur qui a attiré mon attention : un mélange âcre de tabac, de vinasse et de crasse. Nous étions seuls dans la cabine. Quand je me suis enfin décidé à le regarder à la dérobée, j'ai vu ses chaussures, noires, souillées de boue, beaucoup trop grandes. Sous le trench-coat effrangé et graisseux qui lui tombait aux genoux, des couches superposées de haillons formaient un bourrelet autour de la taille, le faisant paraître massif, presque obèse. Cette corpulence n'était pourtant pas due à des excès de nourriture ; en hiver, les sans-abri de Washington semblent porter tous les vêtements qu'ils possèdent.

Il était noir et plus tout jeune ; la barbe et les cheveux grisonnants donnaient l'impression de n'avoir été ni lavés ni coupés depuis des années. Derrière d'épaisses lunettes noires, il regardait droit devant lui sans m'accorder la moindre attention, rendant presque déplacée la manière dont je l'inspectais.

Cet homme n'était pas à sa place. Ni dans cet ascenseur ni dans ce bâtiment de huit étages occupés par des avocats facturant des honoraires qui, au bout de sept ans, me paraissaient encore scandaleux.

Encore un SDF qui cherchait à se protéger du froid ; c'était monnaie courante dans le centre de Washington. Mais normalement le service de sécurité était là pour refouler la racaille.

L'ascenseur s'est arrêté au sixième ; je ne me souvenais pas avoir vu l'homme appuyer sur un bouton d'étage. Il me suivait ; je me suis dépêché de sortir. J'ai fait quelques pas dans le luxueux hall de marbre de Drake & Sweeney avant de regarder fugitivement par-dessus mon épaule, le temps de l'apercevoir à la porte de la cabine, le regard fixé droit devant lui.

Mme Devier, une de nos énergiques réceptionnistes, m'a accueilli avec la moue de dédain qui lui était coutumière.

– Surveillez l'ascenseur, glissai-je à mi-voix.

– Pourquoi ?

– Un clodo. Il faudra peut-être appeler la sécurité.

– Ces gens ! soupira-t-elle avec son accent français affecté.

– Je vous conseille aussi de trouver un désodorisant.

J'ai poursuivi mon chemin en retirant mon manteau. J'avais déjà oublié l'homme aux chaussures de caoutchouc ; une suite ininterrompue de réunions avec des gens importants occupait mon après-midi. En tournant l'angle du couloir, je m'apprêtais à dire quelque chose à Polly, ma secrétaire, quand a retenti le premier coup de feu.

Mme Devier se tenait derrière son bureau, pétrifiée, les yeux écarquillés, rivés sur le canon interminable d'un pistolet tenu par l'homme de l'ascenseur. Comme j'étais le premier à venir en aide à la réceptionniste, il a courtoisement braqué l'arme sur moi ; je me suis aussitôt immobilisé.

– Ne tirez pas, fis-je, les mains levées.

J'avais vu assez de films pour savoir exactement ce qu'il convenait de faire dans cette situation.

– La ferme, répliqua-t-il avec beaucoup de calme.

Dans mon dos, des voix me parvinrent. « Il a une arme ! » cria quelqu'un. Les voix s'estompèrent à mesure que mes collègues s'éloignaient pour gagner la porte du fond : sans doute détalaient-ils comme des lapins.

Sur la gauche, tout près de moi, se trouvait une lourde porte de bois donnant dans une vaste salle de réunion occupée à ce moment-là par huit avocats de notre service contentieux. Des vautours qui consacraient leur temps à pressurer le monde. Le plus vicieux était une petite teigne du nom de Rafter. Quand il a ouvert violemment la porte en criant : « Qu'est-ce que c'est que ce raffut ? » le canon du pistolet a pivoté vers sa poitrine. L'homme aux chaussures de caoutchouc avait trouvé précisément ce qu'il cherchait.

« Posez cette arme ! » ordonna Rafter dans l'embrasure de la porte. Une fraction de seconde plus tard, une deuxième détonation s'est répercutée dans le couloir ; une balle vint se ficher dans le plafond, bien au-dessus de la tête de Rafter, le réduisant au rang de simple mortel. Retournant l'arme dans ma direction, l'inconnu a incliné la tête ; j'ai suivi Rafter dans la salle de réunion. En jetant un dernier regard par-dessus mon épaule, j'ai vu Mme Devier à son bureau, terrorisée, tremblant comme une feuille, son casque téléphonique autour du cou, ses talons hauts contre la corbeille à papier.

L'homme aux chaussures de caoutchouc a claqué la porte derrière moi ; il déplaçait lentement son arme à bout de bras pour permettre à toute l'assemblée de l'admirer. Elle semblait bien fonctionner ; l'odeur de la poudre l'emportait sur celle de son possesseur.

Le centre de la pièce était occupé par une longue table couverte de documents et de papiers qui, quelques secondes plus tôt, paraissaient de la plus haute importance. Une rangée de fenêtres dominait un parking; deux portes donnaient dans le couloir.

– Tout le monde contre le mur, ordonna l'homme en agitant le pistolet pour bien se faire comprendre. Fermez les portes à clé, ajouta-t-il en plaçant l'arme tout près de ma tête.

Sans un mot, les huit avocats du service contentieux se sont collés contre le mur; sans un mot, j'ai donné un tour de clé aux deux portes en quêtant du regard l'approbation de l'inconnu.

Je ne pouvais chasser de mon esprit des images de tuerie dans un bureau de poste – un employé mécontent revient avec un arsenal après le déjeuner et trucide quinze de ses collègues –, de massacres à l'école, de bains de sang dans des fast-foods.

Les victimes étaient des enfants innocents, des citoyens sans histoire. Nous, nous étions des avocats!

Par une suite de grognements et de mouvements du canon de son arme, l'homme a fait s'aligner mes huit confrères contre le mur. Une fois satisfait, il s'est retourné vers moi. Que voulait-il? Allait-il poser des questions? Si oui, il aurait toutes les réponses qu'il désirait. Ses yeux étaient cachés par les lunettes noires, mais il pouvait voir les miens; son pistolet était braqué sur eux.

Il a enlevé son trench-coat crasseux, l'a plié comme un vêtement neuf et l'a posé au centre de la table. L'odeur qui m'avait incommodé dans l'ascenseur revenait par bouffées, mais je n'y attachais plus d'importance. Il s'est avancé au bout de la table pour retirer lentement la couche suivante: un gros gilet gris.

Le tricot paraissait épais pour une bonne raison: en dessous, attachée autour de la taille, apparut une rangée de bâtons rouges qui, pour le profane que j'étais, ressemblaient bougrement à de la dynamite. Des fils de couleur reliés aux deux extrémités des bâtons pendaient comme des spaghettis; le tout était assujetti par un adhésif argenté.

Ma première impulsion fut de bondir vers la porte en agitant les bras en tous sens, de tenter ma chance dans l'espoir qu'il rate un premier coup tandis que je tripoterais la serrure, un second quand je me jetterais dans le couloir. Mais mes genoux tremblaient, le sang s'était glacé dans mes veines. Les cris étouffés et les gémissements qui s'élevaient des rangs des captifs alignés contre le mur semblaient perturber le preneur d'otages. « Veuillez garder le silence », a-t-il dit du ton patient d'un professeur. Son calme était déconcertant. Il a redressé un des spaghettis courant autour de sa taille, sorti d'une poche de son ample pantalon un rouleau de corde de nylon jaune et un couteau à cran d'arrêt.

Pour faire bonne mesure, il a agité son arme devant les visages horrifiés qui lui faisaient face.

— Je ne veux faire de mal à personne, assura-t-il.

C'était agréable à entendre mais difficile à prendre au sérieux. Il y avait douze bâtons, assez, je n'en doutais pas, pour une mort instantanée et indolore.

Le canon du pistolet est revenu se fixer sur moi.

— Attachez-les.

Rafter en avait sa claque; il fit un tout petit pas en avant.

— Si vous nous disiez exactement ce que vous voulez, mon vieux?

La troisième balle siffla au-dessus de sa tête pour aller se loger dans le plafond; on eût dit un coup de canon. Dans le couloir, une femme poussa un cri perçant. Rafter s'était laissé tomber à genoux; tandis qu'il se redressait, un vigoureux coup de coude d'Umstead dans la poitrine le repoussa contre le mur.

– La ferme ! gronda Umstead, les mâchoires serrées.

– Ne m'appelez pas mon vieux, ordonna posément l'inconnu.

– Comment voulez-vous que nous vous appelions ? demandai-je, sentant que j'allais devenir le porte-parole du groupe.

J'avais posé la question avec délicatesse et une déférence qu'il a semblé apprécier.

– Appelez-moi Monsieur.

« Monsieur » convenait parfaitement à tout le monde.

Le téléphone a sonné ; l'espace d'un instant, j'ai cru qu'il allait faire exploser l'appareil d'une balle. Mais il m'a fait signe de le prendre ; je l'ai placé devant lui, sur la table. Il a saisi le combiné de la main gauche, l'autre tenant le pistolet pointé sur Rafter. Si on nous avait demandé de désigner la première victime, le choix se serait porté sur ce collègue. À huit voix contre une.

« Allô ! »

Monsieur a écouté quelques secondes avant de raccrocher. Il a reculé lentement pour s'asseoir au bout de la table. « Prenez la corde », fit-il en plantant ses yeux dans les miens. Il voulait que mes huits confrères soient liés par les poignets. J'ai coupé des bouts de corde, les ai noués en m'efforçant de ne pas regarder au visage ceux dont je hâtais la fin. Je sentais le pistolet dans mon dos. Il les voulait solidement liés ; j'ai fait mine de serrer de toutes mes forces en donnant autant de mou que possible.

Rafter a marmonné quelque chose entre ses dents ; je me suis retenu de le gifler. Umstead a réussi à plier suffisamment les poignets pour que ses liens soient près de tomber. Le visage de Malamud était couvert de sueur, sa respiration précipitée. Il était le plus âgé du lot, le seul associé ; sa première crise cardiaque remontait à deux ans.

Je n'ai pu m'empêcher de regarder Barry Nuzzo, mon seul ami parmi les otages. Nous avions le même âge, trente-deux ans. Nous étions entrés la même année dans le cabinet juridique ; il avait fait son droit à Princeton, moi à Yale. Nos épouses venaient toutes deux de Providence. Son mariage était une réussite : trois enfants en quatre ans ; le mien avait atteint le dernier stade d'une inexorable détérioration.

Nos regards se sont croisés ; nous pensions tous deux à ses enfants. J'avais de la chance de ne pas en avoir.

Une première sirène a retenti ; Monsieur m'a aussitôt ordonné de tirer les stores des cinq fenêtres. Je me suis exécuté méthodiquement, en fouillant du regard le parking, comme si le fait d'être vu pouvait me sauver. Il y avait une seule voiture de patrouille, vide, les phares allumés ; les policiers se trouvaient déjà dans le bâtiment.

Et nous étions neuf petits Blancs avec Monsieur.

Le cabinet Drake & Sweeney employait huit cents avocats de par le monde ; la moitié travaillait à Washington, dans le bâtiment où Monsieur était en train de semer la terreur. Il m'a donné l'ordre de téléphoner au « patron » pour l'informer qu'il était armé et avait douze bâtons de dynamite attachés autour de la taille. J'ai appelé Rudolph, l'associé responsable du service antitrust, pour lui transmettre le message.

– Vous allez bien, Mike ? demanda-t-il, la voix amplifiée par le haut-parleur réglé au maximum de sa puissance.

– Très bien. Faites tout ce qu'il voudra, je vous en prie.

– Que veut-il ?

– Je ne sais pas encore.

Monsieur a agité son arme pour me signifier de mettre un terme à la conversation.

Suivant la direction indiquée par le canon du pistolet, je me suis approché de la table, à deux mètres de Monsieur qui avait pris la fâcheuse habitude de tripoter distraitement les fils tortillés sur sa poitrine.

Il a baissé la tête et pris délicatement un fil rouge entre deux doigts.

– Vous voyez ce rouge, si je tire un bon coup, tout est fini.

La mise en garde terminée, les lunettes noires se sont tournées vers moi. Je me suis senti obligé de dire quelque chose.

– Pourquoi feriez-vous cela ? demandai-je, désireux d'établir un dialogue.

– Je n'y tiens pas, mais pourquoi pas ?

Son élocution me frappa – un débit lent, régulier, où chaque syllabe était détachée. Cet homme était aujourd'hui un sans-abri, mais il n'avait pas toujours vécu dans la rue.

– Pourquoi voudriez-vous nous tuer ?

– Je n'ai pas l'intention de discuter avec vous.

Pas d'autre question, Votre Honneur.

En bon avocat dont chaque minute était comptabilisée, j'ai regardé ma montre afin de pouvoir reconstituer l'enchaînement des faits si, par bonheur, nous sortions vivants de cette pièce. Il était 13 h 20. Monsieur voulait que tout se passe dans le calme ; il fallut supporter un interminable silence de quatorze minutes qui nous mit les nerfs à vif.

Je refusais de croire que nous allions mourir. Notre ravisseur ne semblait avoir aucune raison de nous tuer ; j'étais certain qu'aucun de nous ne l'avait jamais vu. En repensant à notre rencontre dans l'ascenseur, je me suis souvenu qu'il ne paraissait pas avoir de destination particulière. Ce n'était qu'un cinglé en quête d'otages dont l'exécution, par les temps qui couraient, eût été presque normale.

14

C'était précisément le genre de massacre absurde dont la presse, l'espace de vingt-quatre heures, faisait ses choux gras. Les gens secoueraient la tête dans un premier temps, puis les blagues sur les avocats morts commenceraient à circuler.

J'imaginais les gros titres et les commentaires des présentateurs tout en refusant de croire que cela se produirait.

Soudain, j'ai entendu des voix étouffées, des sirènes de police dans la rue ; une radio grésillait dans le couloir.

– Qu'avez-vous mangé à midi ? me demanda Monsieur, brisant le silence.

– Un poulet grillé, répondis-je après une infime hésitation, trop surpris pour songer à mentir.

– Seul ?

– Non, j'ai déjeuné avec un ami.

Un vieux copain de fac de Philadelphie, en l'occurrence.

– Combien avez-vous dépensé pour les deux repas ?

– Trente dollars.

La réponse n'a pas semblé lui plaire.

– Trente dollars, répéta-t-il. Pour deux personnes.

Il a secoué la tête et s'est tourné vers les autres. Pourvu qu'ils ne disent pas la vérité, s'il leur posait la même question. Il y avait quelques gros mangeurs dans le lot ; trente dollars n'auraient pas suffi à payer leurs amuse-gueule.

– Savez-vous ce que j'ai mangé ? poursuivit-il.

– Non.

– De la soupe et des biscuits dans un foyer. Un bol de soupe gratuit que j'étais content de recevoir. On peut nourrir cent de mes amis avec trente dollars, le savez-vous ?

J'ai acquiescé gravement de la tête, comme si je venais de prendre conscience du poids de ma faute.

– Rassemblez les portefeuilles, les espèces, les montres et les bijoux, ordonna-t-il en agitant son arme.

– Puis-je demander pourquoi ?

– Non.

J'ai posé mon portefeuille, ma montre et ma monnaie sur la table, puis entrepris de vider les poches de mes confrères.

– Pour les nécessiteux, déclara Monsieur.

Tout le monde respira.

Il m'a ensuite demandé de placer le butin dans un attaché-case et de rappeler le « patron ». Rudolph a décroché à la première sonnerie ; j'imaginais le chef de l'unité d'intervention piaffant dans son bureau.

– C'est encore Mike. Le haut-parleur est branché.

– Tout va bien ?

– Très bien. Ce monsieur voudrait que j'ouvre la porte la plus proche de la réception et que je pose un attaché-case noir dans le couloir. Après quoi je refermerai la porte. Avez-vous compris ?

– Oui.

Le canon du pistolet contre la nuque, j'ai entrouvert la porte et poussé l'attaché-case dans le couloir, sans entrevoir le moindre signe d'une présence humaine.

Peu de choses peuvent priver un avocat d'un gros cabinet des délices de la facturation d'honoraires. Le sommeil en est une, même si, pour la plupart, nous dormions peu. Les repas au contraire favorisent la facturation, en particulier les déjeuners réglés par le client. Tandis que les minutes s'égrenaient, je me suis demandé comment mes quatre cents confrères attendant le dénouement de la prise d'otages allaient se débrouiller pour facturer leur temps. Je les ai imaginés assis dans leur voiture bien au chaud, un téléphone cellulaire à l'oreille pour faire payer à quelqu'un le temps perdu. Au bout du compte, l'affaire ne coûterait probablement pas un centime au cabinet.

Certains de ces rapaces se fichaient éperdument de savoir comment cela se terminerait. Ils n'avaient qu'une idée en tête : qu'on en finisse, et vite.

L'espace d'un instant, Monsieur a paru s'assoupir. Son menton s'était abaissé, sa respiration avait ralenti. Rafter a poussé un petit grognement pour attirer mon attention ; il a tourné la tête sur le côté, comme pour m'inciter à passer à l'action. Monsieur tenait son arme de la main droite ; même s'il somnolait vraiment, il avait l'autre main serrée sur le fil rouge qui nous terrifiait.

Rafter voulait que j'entre dans la peau du héros. Il était certes le plus impitoyable et le plus efficace de son service, mais il n'avait pas encore le statut d'associé. Nous n'étions pas à l'armée ; je n'avais pas d'ordres à recevoir de lui.

— Combien avez-vous gagné l'année dernière ? demanda brusquement Monsieur.

La question me prit de nouveau au dépourvu.

— Eh bien... euh... voyons...

— Ne mentez pas.

— Cent vingt mille dollars.

— Combien en avez-vous donné ? poursuivit-il, le sourcil froncé.

— Donné ?

— À des associations caritatives.

— Je ne sais pas exactement. Ma femme s'occupe des factures et de toutes les dépenses.

Mes huit confrères ont semblé changer de position d'un même mouvement.

Ma réponse ne plaisait pas à Monsieur ; il n'avait pas l'intention de s'en laisser conter.

— Qui remplit vos formulaires d'imposition ?

— La déclaration d'impôts ?

— C'est ça.

– Notre service fiscal, au deuxième étage.

– Dans ce bâtiment ?

– Oui.

– Appelez-les. Demandez les déclarations de revenus de tous ceux qui sont ici.

Du coin de l'œil, j'en ai vu deux ou trois qui avaient envie de dire : « Abattez-moi, qu'on en finisse ! » Mon hésitation dut être trop longue.

– Faites ce que j'ai dit ! s'écria Monsieur en agitant son arme.

J'ai composé le numéro du poste de Rudolph qui hésita à son tour, m'obligeant à hausser la voix.

– Faxez-les-nous ! Uniquement celles de l'année dernière !

Pendant les quinze minutes qui ont suivi, tout le monde a gardé le regard fixé sur le télécopieur, redoutant que Monsieur ne commence à nous exécuter l'un après l'autre si les formulaires n'arrivaient pas rapidement.

2.

Je me suis installé dans le fauteuil indiqué par le canon du pistolet pour rassembler les fax. Les autres étaient debout depuis près de deux heures, le dos au mur, les poignets liés, incapables de bouger ou presque ; ils commençaient à se tasser, à s'affaisser pitoyablement.

Et ça ne risquait pas d'aller en s'arrangeant.

– Vous d'abord, me lança Monsieur. Comment vous appelez-vous ?

– Michael Brock, répondis-je courtoisement.

– Combien avez-vous gagné l'an dernier ?

– Je l'ai déjà dit. Cent vingt mille dollars, avant impôt.

– Combien en avez-vous donné ?

J'étais certain de pouvoir tricher. Sans être un spécialiste du droit fiscal, je me sentais capable d'éluder ses questions. J'ai pris mon temps pour feuilleter ma déclaration de revenus. En tant que chirurgien résident de deuxième année, Claire avait gagné trente et un mille dollars ; les revenus du ménage avaient belle allure. Mais nous avions payé cinquante-trois mille dollars en impôts directs et en taxes de toute nature. Après le remboursement des prêts étudiant, le loyer de deux mille quatre cents dollars de notre confortable appartement à Georgetown, les mensualités des deux voitures et une foule de dépenses inhérentes à notre mode de vie, notre épargne ne s'était élevée qu'à vingt-deux mille dollars.

Monsieur attendait avec une patience qui commençait à me troubler. J'imaginais les hommes de l'unité d'intervention en train de ramper dans les conduits d'aération, de grimper dans les arbres, de prendre position sur le toit des immeubles voisins, d'étudier les plans du bâtiment – tout ce qu'on les voit faire à la télévision – pour être en mesure de lui coller une balle dans le crâne. Il semblait ne pas s'en soucier; il avait accepté son destin et était prêt à mourir. Il n'en allait pas de même pour nous.

Il ne cessait de tripoter le fil rouge, ce qui provoquait de brusques accélérations de mon pouls.

– J'ai donné mille dollars à l'université de Yale et deux mille à United Way qui répartit les dons dans toute la ville. Je suis sûr qu'une partie a servi à secourir les pauvres.

Je ne pensais pas que l'argent versé à Yale ait servi à nourrir des étudiants dans le besoin.

– Combien avez-vous donné à ceux qui souffrent de la faim ?

– J'ai payé cinquante-trois mille dollars d'impôts dont une grande partie, je suppose, est allée à l'aide sociale, aux frais médicaux pour les personnes âgées, aux enfants sans ressources.

– Vous l'avez fait volontairement, dans un esprit de générosité ?

– Je ne m'en suis pas plaint, répondis-je avec la mauvaise foi de la plupart de mes concitoyens.

– Avez-vous connu la faim ?

Il aimait les réponses simples; l'ironie tomberait à plat.

– Non, jamais.

– Avez-vous déjà dormi sous la neige ?

– Non.

– Vous gagnez beaucoup d'argent, mais vous êtes trop avare pour me donner quelques pièces sur le trottoir. Tous pareils : vous passez sans voir celui qui tend la main. Vous dépensez plus pour un café que moi pour un repas. Pourquoi n'aidez-vous pas les pauvres, les malades, les sans-logis, vous qui avez tout ?

J'ai tourné la tête vers la brochette de rapaces alignés contre le mur ; un triste spectacle. Tous regardaient leurs pieds, à l'exception de Rafter, l'œil noir, qui pensait ce que nous pensions tous à la vue d'un sans-abri : si je lui donne quelque chose, il ira aussitôt acheter une bouteille ou bien il continuera à faire la manche ou encore il passera le reste de ses jours sur le trottoir.

Le silence est retombé. Le bourdonnement d'un hélicoptère approchait de nous : sans doute la force d'intervention était-elle en train de préparer un assaut. Conformément aux instructions de Monsieur, les téléphones restaient décrochés ; toute communication était impossible. Il n'avait aucune envie de parler ni de négocier avec qui que ce fût. Son public était dans la salle de réunion.

– Lequel de ces types gagne le plus ? me demanda-t-il.

Malamud était le seul associé ; j'ai cherché sa feuille dans la liasse.

– Ce doit être moi, articula-t-il.

– Votre nom ?

– Nate Malamud.

J'ai parcouru la déclaration de revenus, une occasion exceptionnelle de découvrir les détails les plus secrets de la réussite financière d'un associé ; cela ne me procura pourtant aucun plaisir.

– Combien ? demanda Monsieur.

Les joies qu'offre une déclaration fiscale ! Vous avez le choix, que préférez-vous ? Revenu brut ? Net ? Imposable ? Montant du salaire ou revenu des placements ?

Le salaire de Malamud était de cinquante mille dollars par mois ; sa prime annuelle, l'objet de nos rêves, s'élevait à cinq cent dix mille dollars. Le dernier exercice avait été excellent, tout le monde le savait. Il faisait partie des nombreux associés qui avaient gagné plus d'un million.

Je ne voulais pas prendre de risques. D'autres revenus figuraient sur la dernière feuille : loyers, dividendes, une petite affaire. Si notre ravisseur lisait la déclaration, il aurait certainement de la peine à s'y retrouver.

– Un million cent mille, annonçai-je, passant deux cent mille sous silence.

Monsieur a pris le temps de réfléchir.

– Vous avez gagné un million de dollars, dit-il à Malamud qui n'en éprouvait pas la moindre honte.

– Oui.

– Combien avez-vous donné aux pauvres, aux sans-abri ?

– Je ne m'en souviens pas précisément. Nous faisons, ma femme et moi, des dons importants aux œuvres. Il y en a un, de cinq mille dollars si je ne me trompe, pour la Fondation de l'agglomération de Washington qui, vous le savez, distribue de l'argent aux nécessiteux. Nous donnons beaucoup et nous en sommes heureux.

– Je n'en doute pas, riposta Monsieur d'un ton sarcastique.

Il s'en tiendrait aux faits, sans nous laisser la possibilité de prouver notre générosité. Il m'a ordonné de faire la liste des neuf noms et de porter en regard de chacun les revenus de l'année précédente ainsi que les dons aux œuvres de bienfaisance.

Fallait-il faire vite ou valait-il mieux aller lentement ? Allait-il massacrer tout le monde si les chiffres ne lui plaisaient pas ? J'ai décidé de prendre mon temps. Il apparut d'emblée que les nantis que nous étions n'avaient distribué qu'une toute petite partie de leurs énormes revenus. En alignant les chiffres, je me dis que plus la situation traînait en longueur, plus l'intervention des secours devenait problématique.

Monsieur n'avait pas menacé d'exécuter un otage toutes les heures ; il n'exigeait pas la libération de camarades emprisonnés. Il ne semblait rien vouloir de particulier.

J'ai lentement passé en revue chaque déclaration, en commençant par Malamud et en terminant par Colburn, un collaborateur employé depuis trois ans qui n'avait touché que quatre-vingt-six mille dollars. J'ai découvert avec horreur que mon copain Barry Nuzzo avait gagné onze mille dollars de plus que moi ; je me suis promis de lui en toucher un mot.

— En arrondissant, nous arrivons à trois millions, annonçai-je à notre ravisseur qui semblait de nouveau assoupi, les doigts serrés sur le fil rouge.

— Combien pour les pauvres ? demanda-t-il en secouant lentement la tête.

— Le total des contributions s'élève à cent quatre-vingt mille.

— Ce n'est pas ce que je demande. Ne mettez pas les pauvres dans le même sac que l'orchestre symphonique, la synagogue ou vos petits clubs chics où vous vendez du vin et des autographes aux enchères pour reverser quelques dollars aux boy-scouts. Je parle de nourriture. Pour ceux qui n'ont rien à se mettre sous la dent et qui vivent dans la même ville que vous. Pour des bébés qui ne mangent pas à leur faim. Sous vos yeux, dans cette ville où vous amassez des millions, il y a des bébés qui pleurent la nuit, car ils ont le ventre vide. Combien pour la nourriture ?

Il me regardait. J'avais les yeux sur les documents ; je ne pouvais pas mentir.

— On sert la soupe populaire dans toute la ville, poursuivit-il. Il y a des locaux où les indigents et les sans-abri trouvent quelque chose à manger. Avez-vous donné de l'argent à la soupe populaire ?

– Pas directement, répondis-je. Mais une partie des dons...

– Silence !

Il a recommencé à agiter dans ma direction le canon menaçant de son arme.

– Et les centres d'hébergement ? Les endroits où nous dormons quand le mercure descend au-dessous de zéro. Combien y en a-t-il sur vos papiers ?

– Aucun, murmurai-je, incapable d'inventer une réponse.

Il s'est dressé d'un bond, nous faisant sursauter, en repoussant son siège du pied.

– Et les dispensaires ? Ces établissements où des médecins, de braves gens qui gagnaient bien leur vie, consacrent leur temps aux soins des malades. Gratuitement. Le gouvernement participait au paiement du loyer, à l'achat des médicaments et des fournitures ; aujourd'hui, il n'y a plus d'argent. Combien donnez-vous aux dispensaires ?

Rafter fixait les yeux sur moi comme s'il m'appartenait de faire quelque chose. Peut-être aurait-il voulu que je plonge le nez dans les papiers et que je m'écrie : « Bon sang ! Regardez ! Nous avons donné un demi-million aux dispensaires et à la soupe populaire ! »

C'est ce que Rafter aurait fait ; pas moi. Je ne voulais pas recevoir une balle entre les yeux ; notre ravisseur était plus malin qu'il ne le paraissait.

Il s'est avancé vers la fenêtre pour regarder à travers les lamelles du store.

– Des flics partout, murmura-t-il d'une voix à peine audible. Et plein d'ambulances.

Il s'est détourné, longeant lentement la table vers les otages qui ne perdaient pas un seul de ses gestes, un œil toujours rivé sur les explosifs. Puis, toujours lentement, il a levé son arme pour la braquer sur le nez de Colburn, à quatre-vingts centimètres du visage.

– Combien avez-vous donné aux dispensaires?

– Rien, répondit Colburn en fermant les yeux, les larmes au bord des paupières.

Je retenais mon souffle, le cœur battant.

– Combien à la soupe populaire?

– Rien.

– Combien aux centres d'hébergement?

– Rien.

Au lieu d'abattre Colburn, il a fait pivoter le canon de son pistolet vers la tête de Nuzzo, lui a posé les trois mêmes questions et obtenu la même réponse. Il les a interrogés l'un après l'autre; la réponse était toujours la même. À notre grande consternation, il n'abattit pas Rafter.

– Trois millions de dollars, lâcha-t-il d'un air dégoûté, et pas un sou pour les malades et les affamés. C'est lamentable!

Nous nous sentions piteux. J'ai compris qu'il n'allait pas nous tuer.

Comment un clodo pouvait-il se procurer de la dynamite? Et qui lui avait montré comment l'utiliser?

À la tombée du jour, il déclara avoir faim. Il me demanda d'appeler mon patron pour commander de la soupe, celle de la mission méthodiste de L Street; ils mettaient plus de légumes dans le bouillon et le pain n'était pas aussi rassis qu'ailleurs.

– La soupe populaire fait des plats à emporter? lança Rudolph d'une voix incrédule qui se répercuta dans la pièce, amplifiée par le haut-parleur.

– Faites ce qu'il demande, Rudolph! Et apportez-en pour dix!

Monsieur m'a fait signe de raccrocher et de remettre la ligne en attente.

Je me suis représenté les collègues escortés par des motards leur ouvrant la voie dans les embouteillages de l'heure de pointe, puis faisant irruption dans la paisible mission où les indigents courbés sur leur bol de bouillon se demandaient ce qui se passait, et commandant dix soupes, avec du rab de pain.

Monsieur repartit à la fenêtre quand l'hélicoptère repassa au-dessus du bâtiment. Il écarta le store, recula d'un pas et réfléchit à la situation en tirant sur sa barbe. Quel genre d'assaut préparaient-ils avec l'appui de l'hélicoptère ? L'appareil devait peut-être servir à évacuer les blessés.

Umstead se trémoussait depuis une heure, au grand dam de Rafter et Malamud, à qui il était attaché par les poignets. Finalement, il n'y tint plus.

– Excusez-moi, monsieur, mais il faut vraiment que j'y aille... au petit coin.

– Le petit coin, fit Monsieur sans cesser de tripoter sa barbe. Qu'est-ce que c'est ?

– Il faut que j'y aille, répéta Umstead, embarrassé comme un collégien. Je ne peux plus me retenir.

Monsieur a regardé autour de lui; ses yeux se sont posés sur un vase en porcelaine placé au centre d'une table basse. D'un mouvement de son arme, il m'a fait signe de délier les mains d'Umstead.

– Vous pouvez aller au petit coin.

Umstead a retiré les fleurs coupées du récipient et nous a tourné le dos pour uriner tandis que nous regardions le plancher. Puis notre ravisseur nous a ordonné de transporter la table près des fenêtres. Longue de six mètres, elle était en noyer massif, comme la plupart des meubles chez Drake & Sweeney. Umstead à un bout, moi à l'autre, nous l'avons déplacée en ahanant de deux petits mètres avant que Monsieur nous dise d'arrêter. Il m'a fait attacher Malamud à Rafter, laissant les mains libres à Umstead ; je n'ai pas compris pourquoi.

Ensuite, il a obligé ensuite les sept otages aux mains entravées à s'asseoir sur la table, le dos au mur. Personne n'a osé demander pourquoi ; il devait vouloir se faire un rempart de leur corps. J'apprendrais plus tard que des tireurs d'élite de la police étaient postés sur un immeuble voisin ; Monsieur les avait peut-être vus.

Après avoir passé cinq heures debout, Rafter et consorts n'étaient pas mécontents de se détendre les jambes. Monsieur s'installa au bout de la table et nous donna l'ordre, à Umstead et à moi, de prendre place dans un fauteuil. L'attente continua.

La rue doit être une bonne école de patience. Il paraissait satisfait de rester assis de longs moments en silence, les yeux cachés par ses lunettes noires, la tête rigoureusement immobile.

– Qui est responsable des expulsions ? fit-il entre ses dents, sans s'adresser à personne en particulier.

Il a attendu deux minutes, répété la question. Nous avons échangé des regards perplexes, sans avoir la moindre idée de ce dont il parlait ; ses yeux semblaient fixés sur un point précis de la table, pas loin du pied droit de Colburn.

– Non seulement vous ne voyez pas ceux qui n'ont pas de toit, mais vous contribuez à les jeter à la rue.

Hochement de tête général. Il pouvait nous couvrir d'insultes si bon lui semblait ; nous n'y voyions aucun inconvénient.

Notre repas est arrivé quelques minutes avant 19 heures. On a frappé un coup sec à la porte : Monsieur m'a demandé d'avertir la police qu'il tuerait l'un de nous s'il voyait ou entendait quelqu'un dans le couloir. J'ai exposé la situation à Rudolph en demandant instamment que rien ne soit tenté pour libérer les otages ; nous étions en train de négocier.

Rudolph affirma qu'il comprenait.

Umstead s'est avancé vers la porte, l'a déverrouillée et a tourné la tête pour recevoir les instructions de Monsieur qui se tenait derrière lui, le pistolet à trente centimètres de sa nuque.

– Ouvrez très lentement.

J'étais à deux ou trois mètres de notre ravisseur quand la porte a commencé à s'ouvrir. Quatre grands récipients en plastique contenant la soupe et un sac en papier rempli de pain étaient posés sur un des petits chariots que nos assistants utilisaient pour transporter les montagnes de papier qui étaient le fruit de notre travail. Y avait-il quelque chose à boire ? Je n'aurais pas l'occasion de le découvrir.

Umstead s'est avancé d'un pas dans le couloir, a saisi le chariot et s'apprêtait à le tirer dans la salle de réunion quand une détonation a retenti. Dissimulé derrière un bahut, à une douzaine de mètres, près du bureau de Mme Davier, un tireur d'élite attendait d'avoir le champ libre. Quand Umstead s'est penché pour prendre le chariot, la tête du ravisseur a été visible une fraction de seconde ; le policier l'a fait exploser.

Monsieur a basculé en arrière sans émettre le moindre son, éclaboussant au passage mon visage. Croyant avoir été touché aussi, je me rappelle avoir poussé un cri de douleur ; Umstead hurlait dans le couloir. Les sept autres, toujours attachés, ont bondi de la table comme une bande de chiens ébouillantés et filé en couinant vers la porte. À genoux, les mains plaquées sur les yeux, j'ai attendu quelques secondes que la dynamite explose avant de me ruer vers l'autre porte, loin du cadavre. En jetant un dernier regard par-dessus mon épaule, j'ai vu le corps parcouru de légers tressaillements sur un coûteux tapis d'Orient. Les bras étaient écartés, les mains loin du fil rouge.

Le couloir s'est empli de policiers casqués à l'aspect effrayant, la poitrine protégée par un épais gilet pare-balles. Je les ai vus à travers un brouillard, accroupis, les bras tendus. Ils nous ont empoignés et entraînés vers les ascenseurs.

On me demanda si j'étais blessé ; je ne savais pas. Mon visage et ma chemise étaient maculés de sang et d'une substance poisseuse. J'apprendrais plus tard qu'il s'agissait du liquide céphalorachidien.

3.

Les familles et les amis des otages étaient réunis au rez-de-chaussée, loin du ravisseur. Massés par dizaines dans les bureaux, agglutinés dans les couloirs, nos collègues attendaient l'issue des événements ; un hourra retentissant a salué notre arrivée.

Comme j'étais couvert de sang, on me conduisit dans un petit gymnase au sous-sol. Le local appartenait au cabinet, mais la plupart des avocats n'y mettaient jamais les pieds. Nous étions trop occupés pour faire de l'exercice ; si quelqu'un s'y faisait surprendre, sa charge de travail serait certainement augmentée.

Dès mon entrée dans le gymnase, je me suis retrouvé entouré de médecins ; ma femme n'était pas parmi eux. J'ai réussi à les convaincre que le sang n'était pas le mien. Rassurés, ils ont procédé à un examen de routine : la tension artérielle était trop élevée, le pouls irrégulier. Ils m'ont donné un cachet.

À vrai dire, c'est plutôt d'une douche que j'avais besoin. On m'a fait allonger dix minutes sur une table pendant qu'on prenait ma tension.

– Je suis en état de choc ?

– Probablement pas.

C'est pourtant l'impression que j'avais. Où était Claire ? Je venais de passer six heures sous la

30

menace d'un pistolet, ma vie n'avait tenu qu'à un fil et ma femme ne s'était pas donné la peine de venir.

J'ai pris une douche longue et brûlante. Je me suis lavé les cheveux trois fois en utilisant des litres de shampooing, puis j'ai laissé l'eau ruisseler interminablement sur moi. Le temps était suspendu ; rien n'avait d'importance. J'étais vivant, je respirais, le corps fumant.

J'ai enfilé des vêtements de sport propres, beaucoup trop grands, sans savoir à qui ils appartenaient ; on a de nouveau pris ma tension. Polly, ma secrétaire, m'a longuement étreint, les larmes aux yeux. J'en avais tellement besoin.

– Où est Claire ?

– J'ai essayé de la joindre à l'hôpital ; j'ai laissé un message.

Polly savait que notre mariage battait de l'aile.

– Comment vous sentez-vous ?

– Pas trop mal.

J'ai remercié les médecins avant de quitter le gymnase. Dans le couloir Rudolph m'a gauchement serré dans ses bras. Il a même prononcé le mot « félicitations », comme si j'avais accompli un exploit.

– Personne ne vous attend demain au bureau.

S'imaginait-il qu'une journée à la maison suffirait pour résoudre mes problèmes ?

– Je n'ai pas réfléchi à ce que je ferai demain.

– Vous avez besoin de repos, ajouta-t-il, comme si les médecins n'y avaient pas pensé.

Je voulais parler à Barry Nuzzo, mais mes compagnons d'infortune étaient déjà partis. Leurs seules blessures étaient des brûlures aux poignets dues au frottement de la corde.

Un carnage ayant été évité, les innocents étant sortis indemnes de l'aventure, l'excitation est rapidement retombée chez Drake & Sweeney. Les avocats et le reste du personnel avaient attendu le dénouement de la prise d'otages au rez-de-chaussée, loin de Monsieur et de ses explosifs. Polly m'a tendu ma veste ; je l'ai mise par-dessus le haut de survêtement flottant. Mes mocassins juraient avec le pantalon, mais c'était sans importance.

– Il y a des journalistes dehors, annonça Polly.

Les journalistes, bien sûr ! Quelle histoire ! Cela les changeait de la couverture en direct d'une banale fusillade ; pensez donc, un groupe d'avocats pris en otage par un SDF qui a pété les plombs !

Mais ils restaient sur leur faim. Les avocats s'en étaient sortis sains et saufs, le forcené avait reçu une balle dans la tête, les explosifs avaient fait long feu. Quel dommage ! Imaginez une détonation, suivie d'une explosion et d'un éclair de lumière blanche, les fenêtres volant en éclats, des membres sectionnés atterrissant sur le trottoir, de belles images filmées en direct par une chaîne de télévision pour faire l'ouverture du journal du soir.

– Je vais vous raccompagner, proposa Polly. Suivez-moi.

Je lui étais très reconnaissant de m'indiquer ce que j'avais à faire. Mon cerveau fonctionnant au ralenti ne produisait qu'une succession de plans fixes, sans indication du lieu ni de l'action.

Nous sommes sortis par une porte de service. L'air de la nuit était froid et piquant ; j'ai inspiré la douceur à pleins poumons jusqu'à ce que je sois près de suffoquer. Tandis que Polly filait chercher sa voiture, je suis resté caché à l'angle du bâtiment en observant le remue-ménage. Il y avait des voitures de police, des ambulances, des véhicules de télévision, même un camion de pompiers. Tout le monde s'apprêtait à partir. Une des ambulances était garée devant le bâtiment, l'arrière tourné vers la porte, sans doute pour transporter le corps de Monsieur à la morgue.

Je suis vivant ! Je suis vivant ! Je me répétais cela en souriant. Je suis vivant !

Les yeux fermés, j'ai murmuré une prière courte mais sincère.

Peu à peu, des sons me sont revenus en mémoire. J'étais assis à côté de Polly qui conduisait lentement, attendant en silence que je dise quelque chose. D'abord le claquement du coup de feu. Puis le bruit sourd de l'impact de la balle et le piétinement des otages se ruant vers la porte.

Qu'avais-je vu ? J'avais jeté un coup d'œil en direction de la table où mes sept confrères avaient le regard rivé sur la porte avant de me retourner vers Monsieur à l'instant où il levait son arme vers la nuque d'Umstead. J'étais directement derrière lui quand il avait été touché. Qu'est-ce qui avait empêché la balle de m'atteindre après l'avoir transpercé ? Une balle peut traverser un mur, une porte ou un corps.

— Il ne nous aurait pas tués, ai-je murmuré d'une voix à la limite de l'audible.

— Alors, pourquoi a-t-il fait ça ? demanda Polly, soulagée de m'entendre.

— Je ne sais pas.

— Que voulait-il ?

— Il ne l'a pas dit. Nous avons très peu parlé ; nous avons passé des heures à nous regarder.

— Pourquoi a-t-il refusé de négocier avec la police ?

— Qui sait ? Il a commis une grosse erreur : si les lignes étaient restées libres, j'aurais pu convaincre les flics qu'il n'avait pas l'intention de nous tuer.

— Vous ne leur en voulez pas, tout de même ?

— Non. Rappelez-moi de leur faire une lettre de remerciement.

— Vous serez au bureau demain ?

— Que voulez-vous que je fasse d'autre ?

— Je me disais que vous auriez peut-être besoin d'une journée de repos.

— C'est une année qu'il faudrait ; une journée ne servirait à rien.

Notre appartement se trouvait au deuxième étage d'une maison de P Street, à Georgetown. Polly s'est arrêtée devant la porte ; je suis descendu de la voiture après l'avoir remerciée. Il n'y avait pas de lumière aux fenêtres ; Claire n'était pas rentrée.

J'avais rencontré Claire dès la première semaine de mon arrivée à Washington. Fraîchement diplômé de Yale, je venais de trouver un bon poste dans un gros cabinet et mon avenir s'annonçait brillant, comme celui des cinquante étudiants de ma promo. Claire terminait ses études de sciences politiques ; son grand-père avait été gouverneur de Rhode Island et sa famille appartenait à la bonne société depuis des générations.

Comme dans la plupart des grands cabinets d'avocats, la première année chez Drake & Sweeney ressemblait à des travaux forcés. Je travaillais quinze heures par jour, six jours par semaine. Je ne voyais Claire que le dimanche avant de retourner le soir au bureau. Nous avions décidé de nous marier afin d'être plus souvent ensemble ; nous pourrions au moins partager un lit, même si nous y passions le plus clair du temps à dormir.

Nous avons eu un grand mariage et une courte lune de miel ; une fois nos désirs assouvis, je me suis remis au travail, au rythme de quatre-vingt-dix heures par semaine. Dès le troisième mois de notre vie conjugale, nous avons laissé dix-huit jours s'écouler sans avoir de relations sexuelles. Claire les avait comptés.

Les premiers mois, elle le prit bien, mais une femme négligée finit par se lasser. Je la comprenais, mais chez Drake & Sweeney un jeune collaborateur ne se plaint pas. Moins de dix pour cent des nouveaux venus deviendront associés ; la concurrence est impitoyable. Les efforts sont bien récompensés : au moins un million de dollars par an. Il est plus important de facturer un maximum d'heures que de rendre sa femme heureuse ; les divorces sont monnaie courante. Je n'aurais jamais osé demander à Rudolph d'alléger ma charge de travail.

Dès la fin de notre première année de mariage, Claire était malheureuse et nous nous sommes mis à nous quereller.

Lasse de rester à la maison devant la télé, estimant qu'elle pouvait avoir un comportement aussi égocentrique que le mien, elle a décidé d'entreprendre des études de médecine. J'ai trouvé l'idée excellente ; elle m'ôtait une grande partie du sentiment de culpabilité que je nourrissais.

Au bout de quatre ans, on commençait à donner aux collaborateurs des indications sur leurs chances de devenir associés. Les allusions faisaient l'objet de comparaisons et de discussions entre nous ; le sentiment général était que je me trouvais sur la bonne voie. Mais je devais fournir un effort supplémentaire.

Claire était résolue à passer plus de temps que moi hors de chez nous ; nous nous sommes ainsi bêtement transformés, chacun de son côté, en bourreaux de travail. Les prises de bec ont cessé et nous nous sommes insensiblement éloignés l'un de l'autre. Elle avait ses amis et ses activités, j'avais les miens. Par bonheur, nous n'avons pas commis l'erreur de faire un enfant.

J'aurais voulu que les choses tournent autrement. L'amour nous avait réunis, nous l'avions laissé échapper.

En entrant dans l'appartement obscur, pour la première fois depuis des années, Claire m'a manqué. Quand on a regardé la mort en face, on a besoin d'en parler. On a besoin d'être cajolé, de se sentir aimé.

Un verre de vodka à la main, je me suis installé sur le canapé du salon en pestant contre la solitude, puis j'ai repensé aux heures passées avec notre ravisseur.

Deux vodkas plus tard, j'ai entendu le bruit d'une clé dans la serrure ; Claire poussait la porte.

– Michael !

Encore de méchante humeur, je n'ai pas répondu. Elle est entrée dans le salon, s'est immobilisée en me voyant.

– Tu vas bien ? demanda-t-elle avec une inquiétude qui n'était pas feinte.

– Ça va, fis-je entre mes dents.

Elle s'est débarrassée de son sac et de son manteau et s'est avancée jusqu'au canapé.

– Où étais-tu ?

– À l'hôpital.

– Bien sûr, fis-je en buvant une gorgée de vodka. J'ai eu une journée difficile, tu sais.

– Je suis au courant, Michael.

– Ah bon ?

– Naturellement.

– Alors, que faisais-tu ?

– J'étais à l'hôpital.

– Neuf personnes sont retenues six heures en otage par un forcené ; huit familles rappliquent, mortes d'inquiétude. Les otages ont de la chance et en sortent indemnes ; l'un d'eux doit se faire raccompagner par sa secrétaire.

– Je n'ai pas pu venir.

– Bien sûr que tu n'as pas pu. Où avais-je la tête ?

Claire s'est installée dans un fauteuil, près du canapé ; nous nous regardions en chiens de faïence.

– On m'a obligée à rester à l'hôpital, reprit-elle d'un ton glacial. Nous avions été informés de la prise d'otages ; il était possible qu'il y ait des blessés. C'est la procédure habituelle dans ce genre de situation : on avertit les hôpitaux et tout le personnel est prêt à intervenir.

36

J'ai avalé une autre gorgée de vodka en essayant de trouver une réplique cinglante.

– Je n'aurais rien pu faire pour toi là-bas, poursuivit-elle. J'attendais à l'hôpital.

– As-tu téléphoné ?

– J'ai essayé ; le standard était saturé. J'ai fini par avoir un flic qui m'a raccroché au nez.

– Tout est terminé depuis deux heures. Où étais-tu ?

– En salle d'op. Nous avons perdu un petit garçon qui s'était fait renverser par une voiture.

– Je suis désolé.

Je n'arrivais pas à comprendre comment les médecins pouvaient vivre quotidiennement avec le spectacle de la mort et de la douleur. Le cadavre de Monsieur n'était que le deuxième qu'il m'avait été donné de voir.

Elle s'est levée pour aller se servir un verre de vin dans la cuisine, puis a repris sa place dans le fauteuil. Nous sommes restés assis en silence dans la pénombre du salon. La communication n'était pas notre fort ; les mots ne nous venaient pas aisément.

– As-tu envie d'en parler ? demanda-t-elle enfin.

– Pas maintenant.

Je n'avais vraiment pas envie. Sous l'effet conjugué de l'alcool et des cachets, je commençais à avoir du mal à respirer. Je pensais à Monsieur, à son calme et à sa sérénité, malgré l'arme qu'il agitait et les bâtons de dynamite fixés autour de sa taille. À ces longues périodes de silence qui ne semblaient pas le déranger.

C'est de silence que j'avais besoin. Je parlerais demain.

4.

L'effet des cachets s'est estompé vers 4 heures du matin ; je me suis réveillé en sursaut, les narines emplies de l'odeur âcre du liquide céphalorachidien de Monsieur. Dans l'obscurité, j'ai paniqué, je me suis frotté les yeux et le nez en me retournant sur le canapé jusqu'à ce que j'entende quelqu'un remuer : Claire dormait près de moi, dans un fauteuil.

– Tout va bien, fit-elle en posant la main sur mon épaule. Ce n'était qu'un rêve.

– Veux-tu aller me chercher de l'eau ?

Elle m'a apporté un verre et nous avons parlé pendant une heure. Je lui ai raconté tout ce dont je me souvenais. Assise près de moi, le verre d'eau dans une main, caressant mon genou de l'autre, elle m'écoutait attentivement. Nous avions si peu parlé ces dernières années.

Elle commençait sa tournée à 7 heures. Nous avons pris le petit déjeuner ensemble – gaufres et bacon – dans la cuisine, devant le petit téléviseur. Le drame de la prise d'otages faisait l'ouverture du bulletin de 6 heures, avec des images du bâtiment, de la foule massée à l'extérieur, de quelques otages filant précipitamment après le dénouement tragique. Un des hélicoptères que nous avions entendus appartenait à la chaîne de télévision. Les caméras embarquées avaient fait un plan serré sur une des fenêtres, derrière laquelle on distinguait fugitivement la silhouette du ravisseur qui s'approchait pour regarder à l'extérieur.

Il s'appelait DeVon Hardy. Quarante-cinq ans, ancien combattant du Viêt-nam, un casier judiciaire. Une photo d'identité prise après son arrestation pour un cambriolage fut projetée derrière le présentateur. Elle ne ressemblait pas à Monsieur : pas de barbe, pas de lunettes, beaucoup plus jeune. Le journaliste le décrivait comme un sans-abri, un ancien drogué. Le mobile de son acte n'était pas connu ; personne de sa famille ne s'était manifesté.

En l'absence de toute déclaration du cabinet Drake & Sweeney, le reportage s'est terminé en queue de poisson.

Le présentateur est passé à la météo : de fortes chutes de neige étaient attendues en fin d'après-midi. Février n'en était qu'à son douzième jour, mais jamais il n'était tombé autant de neige en un mois.

Claire m'a conduit au bureau ; elle m'a déposé à 6 h 40. Ma Lexus était entourée de plusieurs autres véhicules de marque étrangère. Le parking n'était jamais vide ; certains dormaient dans leur bureau.

Je lui ai promis d'appeler dans le courant de la matinée et d'essayer de déjeuner avec elle à l'hôpital. Elle m'a demandé de ne pas trop en faire, au moins un ou deux jours.

Qu'attendaient-ils tous de moi ? Que je m'allonge sur un canapé en me bourrant de cachets ? Tout le monde semblait souhaiter me voir prendre une journée de congé, après quoi je me remettrais à travailler pied au plancher.

En traversant le hall, j'ai salué les deux agents de sécurité sur le qui-vive. Trois cabines d'ascenseur étaient ouvertes ; j'avais le choix. Je suis entré dans celle que j'avais prise avec Monsieur et le temps a semblé s'arrêter.

Cent questions me venaient à l'esprit en même temps. Pourquoi avait-il choisi ce bâtiment ? Pourquoi notre cabinet ? Où était-il juste avant de se glisser dans le hall ? Où se trouvaient les vigiles qui restaient d'ordinaire près de l'entrée ? Pourquoi m'avait-il suivi ? Nous étions des centaines à aller et venir du matin au soir. Pourquoi le sixième étage ?

Quel but poursuivait DeVon Hardy ? Je me refusais à croire qu'il s'était donné la peine de ceindre sa taille d'explosifs et de risquer sa vie, aussi humble fût-elle, dans le but de châtier une poignée d'avocats pour leur manque de générosité. Il aurait pu trouver plus riche, peut-être même plus cupide.

Sa question : « Qui est responsable des expulsions ? » n'avait pas reçu de réponse. Elle n'allait pas tarder à venir.

L'ascenseur s'est arrêté au sixième étage, je suis sorti de la cabine ; personne ne me suivait. Tout était silencieux. Devant le bureau de Mme Devier, j'ai regardé les deux portes de la salle de réunion, puis ouvert lentement la première, celle devant laquelle se tenait Umstead quand la balle avait sifflé au-dessus de sa tête avant de fracasser le crâne de Monsieur. J'ai pris une longue inspiration avant d'actionner l'interrupteur.

La table et les fauteuils étaient à leur place ; le tapis d'Orient sur lequel notre ravisseur était tombé avait été remplacé par un autre, encore plus épais. Les murs avaient reçu une nouvelle couche de peinture. Même le trou de la balle dans le plafond, au-dessus de la tête de Rafter, n'était plus visible.

On n'avait pas lésiné pour s'assurer qu'il ne subsistait aucune trace des événements de la veille. Si des curieux se hasardaient à jeter un coup d'œil dans la pièce, il n'y aurait rien à voir. La curiosité aurait pu inciter certains à négliger leur travail une ou deux minutes. Il ne pouvait décemment rester la moindre trace de souillure dans nos bureaux immaculés.

J'ai compris non sans tristesse la raison de cette opération délibérée de maquillage. M'attendais-je à trouver une plaque commémorative ? Un monceau de fleurs apportées par les sans-abri pour honorer la mémoire de DeVon Hardy ?

Je ne savais pas ce que j'attendais, mais l'odeur de peinture fraîche me donnait la nausée.

Tous les matins, exactement au même endroit, je trouvais sur mon bureau le *Wall Street Journal* et le *Washington Post*. J'avais oublié depuis longtemps le nom de la personne qui y déposait les journaux. À la une de la rubrique Métro du *Washington Post* s'étalait la photo de DeVon Hardy accompagnée d'un article relatant les événements de la veille.

Je l'ai lu rapidement ; je pensais mieux connaître les détails de l'affaire que n'importe quel journaliste. J'ai pourtant fait quelques découvertes. Les bâtons rouges n'étaient pas de la dynamite ; Monsieur avait utilisé deux manches à balai sciés en petits tronçons et maintenus par le ruban adhésif argenté. Le pistolet automatique était un calibre .44, une arme volée.

S'agissant du *Washington Post*, l'article s'intéressait évidemment plus à DeVon Hardy qu'à ses victimes, même si je devais reconnaître, à ma grande satisfaction, que personne de chez Drake & Sweeney n'avait prononcé un seul mot.

D'après un certain Mordecai Green, directeur du centre d'assistance juridique de la 14e Rue, DeVon Hardy avait travaillé de longues années comme gardien à l'Arboretum national ; des restrictions budgétaires lui avaient coûté son emploi. Après quelques mois passés en prison pour cambriolage, il s'était retrouvé à la rue. Intoxiqué par l'alcool et la drogue, il se faisait régulièrement arrêter pour vol à l'étalage ; Green et ses collaborateurs l'avaient représenté en justice à plusieurs reprises. L'avocat ignorait s'il avait de la famille.

Pour ce qui était des mobiles, Green n'avait pas grand-chose à suggérer. Il signalait que DeVon Hardy avait été récemment expulsé d'un vieil entrepôt qu'il squattait.

L'expulsion est une procédure judiciaire exécutée par des avocats. Parmi les milliers de cabinets qui fleurissaient à Washington, j'avais une bonne idée de celui qui avait jeté Monsieur à la rue.

Le centre d'assistance juridique de la 14e Rue était financé par une association caritative et, s'il fallait en croire Green, ne travaillait que pour les sans-logis. « Quand nous recevions des subventions du gouvernement fédéral, nous étions sept avocats. Aujourd'hui, nous ne sommes plus que deux. »

Le *Wall Street Journal* ne faisait pas état de la prise d'otages, ce qui n'avait rien d'étonnant. Si un seul des neuf avocats de Drake & Sweeney, le cinquième cabinet du pays, avait été tué ou blessé aussi légèrement que ce fût, l'affaire aurait fait la une.

Par bonheur, il n'en était rien. J'étais à mon bureau, indemne, je lisais les journaux et une masse de travail m'attendait. J'aurais pu me trouver à la morgue aux côtés de DeVon Hardy.

Polly arriva un peu avant 8 heures avec un grand sourire et une assiette de cookies maison ; elle ne fut pas étonnée de me voir au travail.

En fait, ce matin-là, les otages étaient tous à leur bureau, en avance pour la plupart. C'eût été un aveu de faiblesse de rester chez soi pour se faire dorloter par sa femme.

– Vous avez Arthur au téléphone, annonça Polly.

Il y avait au moins une dizaine d'Arthur ; un seul arpentait les couloirs sans avoir besoin d'un patronyme. Arthur Jacobs était l'associé principal, le grand patron, la cheville ouvrière du cabinet, un homme pour qui nous éprouvions de l'admiration et un profond respect. En sept ans, je lui avais parlé trois fois.

Je lui ai affirmé que j'allais bien. Il m'a complimenté pour le courage dont j'avais fait montre dans cette pénible épreuve ; j'ai failli me prendre pour un héros. Je me demandais qui l'avait mis au courant. Il avait dû s'entretenir en premier lieu avec Malamud avant de descendre les échelons de la hiérarchie. Aux rumeurs qui n'allaient pas tarder à se répandre succéderaient les plaisanteries. Nul doute que l'anecdote d'Umstead et du vase en porcelaine obtiendrait un franc succès.

Arthur désirait rencontrer les ex-otages à 10 heures, dans la salle de réunion, pour un enregistrement vidéo de leur déposition.

– Pourquoi ? demandai-je.

– Le service du contentieux pense que c'est une bonne idée, répondit-il d'une voix tranchante comme un rasoir malgré ses quatre-vingts printemps. La famille du défunt portera certainement plainte contre la police.

– Bien sûr.

– Et nous serons probablement mis en cause. De nos jours, les gens vont en justice à tout propos. Dieu merci ! Que ferions-nous s'il n'y avait tous ces procès ?

Je l'ai remercié pour son attention ; il a raccroché, sans doute pour appeler le suivant.

Le défilé a commencé avant 9 heures, un flot ininterrompu de collègues bien intentionnés venant prendre de mes nouvelles et de curieux avides de détails. J'avais un travail fou ; impossible de m'y mettre. Dans les moments de répit entre les visites, je demeurais assis, l'esprit engourdi, le regard fixé sur la pile de dossiers qui m'attendaient. Mes mains refusaient de se tendre vers eux.

Quelque chose avait changé; le travail n'avait plus la même importance, le bureau n'était plus toute ma vie. J'avais vu la mort de près, je l'avais frôlée; impossible de faire comme s'il ne s'était rien passé et me remettre au travail.

Mon esprit est revenu à DeVon Hardy et à ses bâtons rouges aux fils multicolores courant dans toutes les directions. Il avait passé des heures à fabriquer ses jouets et à élaborer sa stratégie. Il avait volé une arme, pénétré dans nos locaux et commis une erreur fatale qui lui avait coûté la vie; pas un seul de mes collègues n'avait eu une pensée pour cet homme.

J'ai décidé de partir. Les visiteurs étaient de plus en plus nombreux, des gens que je ne supportais pas venaient me tenir la jambe. Deux journalistes avaient téléphoné. J'ai dit à Polly que j'avais des courses à faire; elle m'a rappelé le rendez-vous avec Arthur. Je suis monté dans ma voiture, j'ai mis le moteur en marche et le chauffage à fond. Je suis resté un long moment immobile, ne sachant pas trop si je devais participer à la reconstitution. Si je ratais la réunion, Arthur m'en voudrait.

J'ai démarré; je n'allais pas manquer cette occasion de faire quelque chose de stupide. J'avais été traumatisé par les événements de la veille; il fallait que je parte. Arthur et les autres seraient bien obligés de me laisser respirer.

J'ai pris la direction de Georgetown, sans destination précise, sous un ciel rempli de nuages noirs. Les gens se hâtaient sur les trottoirs; les équipes de déneigement se préparaient. En voyant un mendiant dans M Street, je me suis demandé s'il avait connu DeVon Hardy. Et que deviennent les sans-logis pendant une tempête de neige?

J'ai appelé l'hôpital; on m'informa que ma femme devait rester plusieurs heures aux urgences. Notre déjeuner romantique à la cafétéria tombait à l'eau.

44

J'ai pris la direction du Nord-Est par Logan Circle et traversé des quartiers mal famés jusqu'à ce que je trouve l'adresse que je cherchais, au carrefour de la 14e Rue et de Q Street. Je me suis garé le long du trottoir, certain de ne jamais revoir ma Lexus.

Le centre d'assistance juridique occupait la moitié d'un immeuble de brique rouge, de style victorien, qui avait connu des jours meilleurs. Les fenêtres de l'étage supérieur étaient couvertes de panneaux de contre-plaqué décolorés. L'immeuble contigu abritait une laverie automatique en piteux état ; les vendeurs de crack ne devaient pas être loin.

Un dais jaune vif s'étendait au-dessus de l'entrée ; je ne savais pas si je devais frapper ou entrer directement. La porte n'était pas fermée ; j'ai tourné lentement le bouton et pénétré dans un autre monde.

C'était une sorte de cabinet d'avocats très différent du marbre et de l'acajou de chez Drake & Sweeney. La grande pièce qui s'offrait à mon regard contenait quatre bureaux métalliques recouverts d'une hallucinante collection de dossiers empilés sur trente centimètres de haut. D'autres étaient disposés au petit bonheur autour des bureaux, sur la moquette usagée. Les corbeilles à papier débordaient, des feuilles froissées jonchaient le sol. Un mur était couvert de classeurs de couleurs variées ; les étagères en bois ployaient sous le poids des livres. Les machines de traitement de texte et les combinés avaient dix ans. Sur le mur du fond, un grand poster défraîchi de Martin Luther King était punaisé de guingois. Plusieurs petits bureaux donnaient dans la pièce principale.

Il y avait de l'activité et de la poussière ; l'endroit me parut fascinant.

Une Hispano-Américaine à l'air farouche cessa de pianoter sur son clavier après m'avoir observé quelques secondes.

– Vous cherchez quelqu'un ?

C'était plus une mise en garde qu'une question. Chez Drake & Sweeney, une réceptionniste s'adressant à un visiteur sur ce ton aurait été renvoyée séance tenante.

À en croire la plaque posée sur le coin de son bureau, elle s'appelait Sofia Mendoza ; je n'allais pas tarder à apprendre qu'elle était plus qu'une réceptionniste. Un rugissement a retenti dans un des bureaux. J'ai sursauté ; Sofia n'a pas remué un cil.

– Je cherche Mordecai Green, répondis-je courtoisement.

Un homme est sorti du bureau où s'était élevé le rugissement en faisant trembler le sol à chaque pas. À peine entré dans la pièce principale, il a appelé d'une voix tonnante un dénommé Abraham.

Sofia a indiqué de la tête qu'il était celui que je cherchais, puis s'est remise au travail sans plus s'occuper de moi. Green était un Noir d'un mètre quatre-vingt-quinze, à la carrure imposante, à la silhouette massive. Âgé d'une cinquantaine d'années, il portait une barbe grisonnante et des lunettes rondes cerclées de métal rouge. Il m'a considéré sans rien dire, a appelé de nouveau Abraham en faisant quelques pas qui arrachaient des gémissements au parquet. Il a disparu dans un bureau pour en ressortir quelques secondes plus tard, sans Abraham.

Son regard s'est de nouveau fixé sur moi.

– Que puis-je faire pour vous ?

Je me suis présenté en lui tendant la main.

– Ravi de vous connaître, fit-il, par pure politesse. Qu'est-ce qui vous amène ?

– DeVon Hardy.

Il m'a dévisagé, a tourné la tête vers Sofia ; elle était absorbée par son travail. Il m'a fait signe de le suivre dans son bureau. La pièce sans fenêtre faisait moins de quinze mètres carrés; le sol était entièrement couvert de dossiers et d'ouvrages juridiques défraîchis.

Je lui ai tendu ma carte en lettres dorées de chez Drake & Sweeney; il l'a longuement étudiée, les sourcils froncés, avant de me la rendre.

– Vous venez vous encanailler?

– Non.

– Que voulez-vous?

– Je viens en ami. J'ai échappé de justesse à la balle qui a tué M. Hardy.

– Vous étiez un des otages?

– Oui.

Il a pris une longue inspiration, son visage s'est détendu.

– Asseyez-vous, fit-il en indiquant l'unique siège. Mais vous risquez de vous salir.

J'ai pris place dans le fauteuil, les genoux touchant le bureau, les mains enfoncées dans les poches de mon manteau. Un radiateur cliquetait derrière Green. Nous avons échangé un regard fugace. C'est moi qui étais venu; il fallait que je dise quelque chose. Il choisit pourtant de parler le premier.

– J'imagine que vous avez passé un sale moment, fit-il en s'efforçant d'adoucir sa voix âpre, d'y mettre de la compassion.

– Pas autant qu'Hardy. J'ai vu votre nom dans le journal; voilà pourquoi je suis ici.

– Je ne vois pas très bien ce que vous attendez de moi.

– Croyez-vous que sa famille ira en justice? Si c'est le cas, je ferais mieux de partir.

– Il n'y a pas de famille, pas grand-chose à espérer de la justice. Je pourrais faire du raffut, bien sûr. Je suppose que le flic qui l'a descendu est un Blanc; je pourrais obtenir des dommages-intérêts de la municipalité, mais ça ne m'amuse pas. J'ai assez à faire comme ça, ajouta-t-il en montrant les dossiers empilés sur son bureau.

– Je n'ai pas vu le tireur.

– Ne parlons plus de procès. Est-ce la raison de votre présence ?

– Je ne sais pas pourquoi je suis venu. Ce matin, je suis retourné au bureau comme si de rien n'était, mais je n'avais pas l'esprit au travail. J'ai pris ma voiture et me voilà.

Il a lentement secoué la tête, comme s'il comprenait.

– Voulez-vous un café ?

– Merci. Vous connaissiez bien M. Hardy ?

– Oui. DeVon venait souvent.

– Où est le corps ?

– À la morgue municipale, sans doute.

– Qu'en fera-t-on, s'il n'y a pas de famille ?

– Ceux dont personne ne vient réclamer la dépouille ont droit à la fosse commune. On les entasse dans un cimetière près du stade R. F. Kennedy. Vous n'en reviendriez pas de voir le nombre de gens qui meurent dans la solitude.

– Je n'en doute pas.

– En réalité, vous n'en reviendriez pas de voir ce qu'est l'existence des sans-abri.

Il pouvait me lancer des piques ; je n'étais pas d'humeur à les relever.

– Savez-vous s'il avait le sida ?

Il a renversé la tête en arrière, les yeux levés au plafond, et réfléchi quelques secondes.

– Pourquoi ?

– Je me tenais derrière lui. L'arrière de son crâne a éclaté et j'ai eu le visage couvert de sang. C'est tout.

Ces paroles m'ont permis de franchir la ligne de démarcation séparant le méchant du Blanc ordinaire.

– Je ne crois pas qu'il ait eu le sida.

– On ne fait pas un test quand ils meurent ?

– Les sans-abri ?

– Oui.

– La plupart du temps, si. Mais DeVon est mort d'une manière particulière.

– Pourriez-vous vous renseigner ?

– Bien sûr, fit-il avec un léger haussement d'épaules. C'est la raison de votre visite ? poursuivit-il en prenant un stylo. Vous avez peur du sida ?

– Une des raisons. N'auriez-vous pas peur à ma place ?

– Si.

Abraham est entré. Un petit bonhomme tout en nerfs d'une quarantaine d'années ; on reconnaissait d'emblée un avocat ayant à cœur le bien public. Juif, barbe noire et lunettes à monture d'écaille, blazer froissé, pantalon tire-bouchonné et chaussures crasseuses ; il était baigné de l'aura de ceux qui essaient de sauver le monde.

Il ne m'a pas salué ; Green, de son côté, n'était pas du genre à gaspiller sa salive en vaines politesses.

– La météo prévoit de fortes chutes de neige, dit-il à Abraham. Il faut s'assurer que tous les abris sont ouverts.

– Je m'en occupe, répondit Abraham.

Il a tourné les talons aussi sec.

– Je vois que vous êtes très pris, dis-je à Green.

– C'est tout ce que vous vouliez ? Un prélèvement sanguin.

– Je crois, oui. Savez-vous pourquoi il a fait ça ?

Il a retiré ses lunettes, les a essuyées avec un mouchoir en papier et s'est frotté les yeux.

– Il souffrait de troubles mentaux, comme la plupart de ces malheureux. Quand on passe des années dans la rue, complètement imbibé, le cerveau démoli par le crack, quand on dort dans le froid et qu'on se fait tabasser aussi bien par les flics que par les voyous, on devient fou. Et puis, DeVon avait un compte à régler.

– L'expulsion ?

– Oui. Il y a quelques mois, il s'était installé dans un entrepôt abandonné, à l'angle de New

York Avenue et de Florida Avenue. On avait monté des cloisons en contre-plaqué et divisé le local en petits logements. Pour les sans-abri, c'était plutôt bien : un toit, des sanitaires, l'eau courante. Cent dollars par mois versés à un ancien maquereau qui avait fait les travaux et prétendait être le propriétaire.

– C'était vrai ?

– Je crois.

Green a pris un mince dossier dans une des piles de son bureau ; miraculeusement, cela semblait être le bon. Il en a étudié le contenu.

– C'est là que les choses se compliquent, reprit-il au bout d'un moment. Le bâtiment a été acquis le mois dernier par une grosse société immobilière du nom de RiverOaks.

– Et RiverOaks a mis tout le monde dehors ?

– Oui.

– Il y a donc gros à parier que la société est représentée par mon cabinet.

– En effet.

– Pourquoi est-ce compliqué ?

– Le bruit m'est venu aux oreilles qu'il n'y a pas eu de préavis. Les occupants affirment qu'ils payaient un loyer au maquereau ; il ne s'agirait donc pas de squatters, mais de locataires que l'on ne peut expulser du jour au lendemain.

– Les squatters ne sont pas avertis qu'ils doivent quitter les lieux ?

– Jamais. Quand des sans-abri s'installent dans un bâtiment abandonné, la plupart du temps, il ne se passe rien. Ils s'imaginent donc être chez eux. Mais si le propriétaire est un mauvais coucheur, il peut les jeter à la rue sans préavis ; ils n'ont aucun droit.

– Comment DeVon a-t-il su que c'était nous ?

– Aucune idée. Il n'était pas bête, vous savez ; un peu cinglé, mais pas bête.

– Vous connaissez le maquereau en question ?

50

– On ne peut avoir aucune confiance en lui.

– Où avez-vous dit que se trouvait l'entrepôt ?

– Il n'en reste plus rien ; il a été rasé la semaine dernière.

Je ne voulais pas abuser de sa patience. Il a regardé sa montre, moi la mienne. Nous avons échangé des numéros de téléphone en promettant de nous rappeler.

Mordecai Green était un homme bienveillant, généreux, qui se donnait corps et âme à la protection d'une armée de clients anonymes. Sa conception de la justice exigeait plus d'altruisme que je ne pourrais jamais en avoir.

Je n'ai pas salué Sofia en sortant ; elle n'a pas levé le nez de son travail. Ma Lexus était encore au bord du trottoir, déjà recouverte de trois centimètres de neige.

5.

J'ai erré dans la ville tandis que la neige tombait. Je n'aurais su dire quand j'avais roulé pour la dernière fois dans les rues de Washington sans être en retard à un rendez-vous. Au chaud et au sec dans ma grosse voiture, je me contentais de suivre la circulation. Je n'avais nulle part où aller.

Pas question de retourner au bureau pendant un certain temps. Arthur était furieux contre moi et il m'aurait fallu supporter une suite de visites impromptues commençant par l'inévitable : « Comment ça va, mon vieux ? »

Le téléphone a sonné ; c'était Polly, affolée.

– Où êtes-vous ?

– Qui veut le savoir ?

– Des tas de gens, à commencer par Arthur. Et Rudolph. Un autre journaliste a appelé, des clients ont besoin d'un conseil. Claire a téléphoné de l'hôpital.

– Que voulait-elle ?

– Elle est inquiète, comme tout le monde.

– Je vais bien, Polly. Dites à tout le monde que je suis chez le médecin.

– C'est vrai ?

– Non, mais ça pourrait l'être. Qu'a dit Arthur ?

– C'est Rudolph qui a appelé pour lui ; ils vous attendaient.

– Qu'ils attendent.

– D'accord, reprit lentement Polly après un silence. Quand pensez-vous venir ?

– Je n'en sais rien. Quand j'aurai vu le médecin, je suppose. Vous devriez rentrer chez vous, avec cette tempête de neige. J'appellerai demain.

Sur ce, j'ai raccroché. J'avais rarement vu l'appartement à la lumière du jour ; la perspective de m'asseoir au coin du feu en regardant la neige tomber m'était insupportable. Si j'allais dans un bar, je n'en ressortirais certainement pas de si tôt.

J'ai donc continué à rouler en croisant des files de voitures regagnant à toute allure les banlieues du Maryland et de la Virginie, avant de m'engager dans les rues quasi désertes du centre-ville. Je suis passé devant le cimetière où étaient ensevelis dans une fosse commune ceux dont personne ne venait réclamer le corps, devant la mission méthodiste de la 17e Rue où avait été préparée la soupe commandée par DeVon Hardy, j'ai traversé des quartiers où je n'étais jamais allé et que je ne reverrais probablement jamais.

À 16 heures, la ville était déserte. Le ciel allait en s'assombrissant, la neige tombait en abondance. Plusieurs centimètres tapissaient déjà le sol ; de fortes chutes étaient prévues dans les heures qui venaient.

Il allait sans dire qu'une tempête de neige ne suffisait pas à fermer les portes de Drake & Sweeney. Certains de mes confrères aimaient rester au bureau la nuit et le dimanche pour ne pas être dérangés par le téléphone. La neige offrait un merveilleux répit à la succession fastidieuse des réunions et des conférences.

On m'informa à l'entrée que la majorité du personnel avait été autorisée à partir à 15 heures. J'ai pris cette fois encore le même ascenseur.

Soigneusement alignés au centre de mon bureau se trouvaient une douzaine de feuillets roses : les messages d'appels téléphoniques ; aucun ne m'intéressait. Je me suis installé devant mon ordinateur pour consulter l'index des clients.

RiverOaks était une société privée du Delaware, fondée en 1977, dont le siège se trouvait à Hagerstown, Maryland. Les renseignements disponibles sur sa situation financière étaient maigres ; le représentant du cabinet s'appelait N. Braden Chance, un nom qui ne me disait rien.

J'ai interrogé notre vaste base de données. Chance était un associé du service immobilier, dont les bureaux se trouvaient au quatrième étage. Quarante-quatre ans, marié, études de droit à Duke, diplôme de l'université de Gettysburgh ; un C.V. respectable mais sans surprise.

Avec ses huit cents avocats engageant quotidiennement de nouvelles poursuites, le cabinet avait plus de trente-six mille dossiers en cours. Pour s'assurer que nos bureaux de New York n'attaquaient pas un de nos clients de Chicago, chaque nouveau dossier était immédiatement entré dans notre banque de données. Chez Drake & Sweeney, chaque avocat, assistant ou secrétaire disposait de son propre ordinateur et avait donc directement accès à toutes ces informations. Quand l'un de nos représentants à Palm Beach gérait les biens d'un client fortuné, il me suffisait, si l'envie m'en prenait, de taper sur quelques touches pour connaître l'essentiel.

Il y avait quarante-deux dossiers pour River-Oaks ; presque tous concernaient des transactions immobilières portant sur des acquisitions de biens. Le mandataire était toujours Braden Chance. Quatre d'entre eux étaient des procédures d'expulsion, trois ayant eu lieu dans les douze derniers mois. La première étape des recherches était facile.

Le 31 janvier, RiverOaks avait acheté à TAG, Inc une propriété sur Florida Avenue. Le 4 février, notre client avait fait expulser un groupe de squatters d'un entrepôt abandonné sis sur la propriété. L'un d'eux s'appelait DeVon Hardy ; il en avait fait une affaire personnelle et avait réussi à remonter jusqu'aux avocats.

J'ai copié le nom et le numéro du dossier avant de me rendre au quatrième étage.

On n'entrait pas dans un gros cabinet pour se spécialiser dans le droit immobilier ; il existait des domaines autrement prestigieux pour se bâtir une réputation. Le contentieux avait toujours la cote, ses spécialistes jouissaient d'un grand respect. L'antitrust, mon domaine, ainsi que le droit fiscal, affreusement compliqué, étaient bien considérés. La représentation des groupes de pression avait de quoi dégoûter mais rapportait tellement que tous les cabinets de Washinghton y employaient des bataillons d'avocats.

Mais personne ne choisissait le droit immobilier ; je ne savais pas comment on en arrivait là. Les avocats de ce service ne se mêlaient pas aux autres ; ils étaient traités avec une pointe de condescendance par leurs confrères.

Chacun de nous conservait les dossiers en cours dans son bureau, sous clé le plus souvent ; le reste du personnel n'avait accès qu'aux dossiers classés. Nul n'était tenu de montrer un dossier à un confrère, à moins que ce ne fût à la demande d'un associé ou d'un membre du comité exécutif.

Le dossier d'expulsion qui m'intéressait faisait partie des dossiers en cours ; après l'incident de la veille, j'étais certain qu'il était bien protégé.

Un assistant était penché sur des documents à un petit bureau. Je lui ai demandé où je pouvais trouver Braden Chance ; il m'a indiqué une porte de l'autre côté du couloir.

À mon grand étonnement, Chance était à son bureau, dans l'attitude d'un avocat en plein travail.

Mon arrivée inopinée l'importunait, à juste titre. Les convenances auraient voulu que je téléphone pour prendre rendez-vous ; je n'avais que faire des convenances.

Il ne m'a pas invité à m'asseoir. Je l'ai quand même fait, ce qui ne contribua pas à le mettre dans de meilleures dispositions à mon égard.

– Vous êtes un des otages, si je ne me trompe, fit-il avec irritation.

– En effet.

– Cela a dû être affreux.

– C'est terminé. Le preneur d'otages, un certain Hardy, a été expulsé d'un entrepôt le 4 février. Sommes-nous à l'origine de cette expulsion ?

– Bien sûr, répondit-il sèchement, sur la défensive.

J'imaginais que le dossier avait été épluché dans le courant de la journée. Il avait dû le décortiquer avec Arthur et les autres pontes.

– Et alors ?

– C'était un squatter ?

– Et comment ! Tous des squatters ; notre client essaie de faire le ménage.

– Êtes-vous sûr que c'était un squatter ?

Sa mâchoire s'affaissa ; un éclair de colère passa dans son regard.

– Qu'est-ce que vous cherchez ?

– Pourrais-je voir le dossier ?

– Non. Ce ne sont pas vos oignons.

– Qui sait ?

– Quel associé supervise votre travail ?

Il a brandi son stylo pour inscrire le nom de celui qui me passerait un savon.

– Rudolph Mayes.

– Je suis très occupé, reprit-il en notant le nom à grands traits. Auriez-vous l'obligeance de me laisser ?

– Pourquoi ne puis-je voir ce dossier ?

– Parce que c'est mon dossier et que je refuse. La réponse vous convient ?

– Peut-être n'est-elle pas suffisante.

– Vous devrez vous en contenter. Je ne vous retiens pas.

Il s'est levé, m'a indiqué la porte d'une main tremblante. Je suis sorti en souriant.

De son bureau, l'assistant avait tout entendu; nous avons échangé un regard perplexe.

– Quel con! souffla-t-il en formant les syllabes avec ses lèvres.

J'ai acquiescé de la tête en souriant. Un con doublé d'un imbécile. Si Chance s'était montré courtois, s'il avait expliqué qu'Arthur ou une autre grosse légume avait interdit l'accès au dossier, il n'aurait pas éveillé mes soupçons. Mais, à l'évidence, ce dossier contenait quelque chose.

Il me restait maintenant à mettre la main dessus.

Avec tous les téléphones cellulaires que nous possédions, Claire et moi – portables, téléphones de voiture, sans parler de nos deux bips –, communiquer aurait dû être d'une grande simplicité. Mais rien n'était simple dans notre couple. Nous nous sommes donné rendez-vous vers 21 heures; elle était épuisée par sa journée de travail, forcément plus éreintante que tout ce que je pouvais faire. Un jeu auquel nous nous adonnions sans vergogne : mon boulot est plus important que le tien.

J'étais las de ces jeux. Je savais qu'elle se réjouissait de voir que mon tête-à-tête avec la mort avait eu des conséquences, que j'avais abandonné le bureau pour rouler sans but dans la ville. Sa journée avait certainement été plus productive que la mienne.

Claire s'était fixé un objectif : devenir la plus grande neurochirurgienne du pays, une sommité à qui ses confrères de l'autre sexe s'adresseraient quand tout espoir semblerait perdu. Ma femme était une étudiante brillante, animée d'une résolution farouche, dotée d'une énergie hors du commun. Elle userait les hommes, comme elle m'usait lentement, malgré mon expérience d'un rythme de travail infernal. Notre rivalité durait depuis trop longtemps.

Elle conduisait une Miata, une voiture de sport à deux roues motrices ; je m'inquiétais pour elle à cause de ce temps exécrable. Elle terminait son service une heure plus tard, le temps qu'il me fallait pour gagner l'hôpital de Georgetown, où je devais passer la prendre. Si nous ne trouvions pas un restaurant sur la route, ce serait, comme d'habitude, un plat à emporter chez un traiteur chinois.

J'ai entrepris de ranger des papiers et de déplacer quelques objets sur mon bureau en évitant soigneusement de regarder la pile de mes dix dossiers en cours. Je n'en gardais que dix à portée de main, une méthode chère à Rudolph, sur lesquels je passais quotidiennement un peu de temps ; tout était prétexte à faire de l'argent. Les dix dossiers comprenaient invariablement ceux de mes plus gros clients, urgents ou pas. Un autre truc que je tenais de Rudolph.

On me demandait de facturer deux mille cinq cents heures d'honoraires par an, ce qui représente cinquante heures de travail hebdomadaire, cinquante semaines par an. Le montant moyen de mes honoraires s'élevait à trois cents dollars de l'heure, soit un total de sept cent cinquante mille dollars. Mes employeurs m'en versaient cent vingt mille et en affectaient deux cent mille aux frais généraux. Les associés conservaient le reste qu'ils se partageaient annuellement, selon une formule effroyablement compliquée, propre à déclencher des pugilats.

Il était rare qu'un associé gagne moins d'un million de dollars par an ; certains empochaient plus du double. Quand on devenait associé, c'était pour la vie. Si j'y parvenais à trente-cinq ans, comme j'en prenais le chemin, je pouvais espérer trente années de gains mirifiques, une véritable fortune.

Tel était le rêve qui nous enchaînait à notre bureau à toute heure du jour et de la nuit.

Tandis que je griffonnais machinalement ces chiffres, comme devaient le faire tous mes confrères, le téléphone a sonné. C'était Mordecai Green.

– Maître Brock ? fit-il d'une voix posée, parfaitement audible malgré un fond de brouhaha.

– Oui. Vous pouvez m'appeler Michael.

– Très bien. Voilà, j'ai passé quelques coups de fil : vous n'avez rien à craindre. Le test est négatif.

– Merci.

– Je vous en prie. Je m'étais dit que vous aimeriez le savoir rapidement.

– Merci, répétai-je tandis que le vacarme s'amplifiait autour de lui. Où êtes-vous ?

– Dans un centre d'accueil. La neige fait rappliquer les sans-abri ; ils sont nombreux et il faut les nourrir. Tout le monde est obligé de retrousser ses manches. Je dois vous laisser.

Le tapis était persan, le bureau ancien en acajou, les fauteuils en cuir patiné d'un rouge profond. En parcourant du regard la pièce équipée d'un matériel de pointe, je me suis demandé, pour la première fois depuis des années, combien tout cela avait coûté. Ne faisions-nous que courir après l'argent ? Pourquoi travailler si dur ? Pour acheter un tapis plus beau, un bureau plus ancien ?

Dans le confort de ce bureau luxueux, mes pensées revinrent à Mordecai Green qui, au même moment, offrait son temps sans compter dans un foyer surpleuplé et servait à manger à ceux qui avaient froid et faim, sans doute avec un bon sourire et un mot gentil pour chacun.

Nous avions tous deux fait notre droit et réussi l'examen du barreau, nous maîtrisions tous deux le jargon juridique. Nous étions en quelque sorte de la même famille. J'aidais mes clients à absorber des concurrents pour leur permettre d'ajouter des zéros à leur chiffre d'affaires ; cela ferait de moi un homme riche. Green aidait ses clients à manger et à trouver un lit au chaud.

En regardant les chiffres griffonnés sur mon bloc – les gains, les années qui me conduisaient sur le chemin de la fortune – j'ai senti une profonde tristesse m'envahir. Comment pouvait-on être aussi cupide ?

La sonnerie du téléphone m'a fait sursauter.

– Que fais-tu encore au bureau ? demanda Claire d'une voix glaciale en détachant les mots.

J'ai regardé ma montre, n'en croyant pas mes yeux.

– Euh... un client a appelé de la Côte ouest. Il n'ont pas de neige là-bas.

J'avais déjà dû utiliser cette excuse ; aucune importance.

– J'attends, Michael. Faut-il que je rentre à pied ?

– Non. J'arrive aussi vite que possible.

Je l'avais déjà fait attendre. Cela faisait partie du jeu ; nous étions trop occupés pour être ponctuels.

Je suis sorti en hâte pour affronter la tempête de neige, sans vraiment regretter cette nouvelle soirée gâchée.

6.

La neige avait enfin cessé de tomber. Je prenais mon café avec Claire devant la fenêtre de la cuisine en lisant le journal à la lumière éclatante du soleil. L'aéroport n'avait pas été fermé.

– Si nous partions en Floride ? Par le premier avion ?

Elle m'a lancé un regard étonné.

– En Floride ?

– Aux Bahamas, si tu préfères. Nous pouvons y être en début d'après-midi.

– Ce n'est pas possible.

– Bien sûr que si. Je n'irai pas au bureau quelques jours et...

– Pourquoi ?

– Je suis en train de craquer. Quand on craque chez Drake & Sweeney, on obtient quelques jours de repos.

– En effet, tu craques.

– Au fond, c'est assez drôle. Les autres cherchent à te ménager, ils prennent des gants, te passent de la pommade. Autant en tirer le meilleur parti.

Son visage reprit un air dur.

– Je ne peux pas.

Cela a mis un terme à la discussion. Il s'agissait d'une lubie et je savais qu'elle avait des obligations. En reprenant la lecture du journal, je me suis dit que j'avais été cruel ; mais je n'avais pas mauvaise conscience. En tout état de cause, elle ne serait pas partie avec moi.

D'un seul coup, elle fut pressée de partir : rendez-vous, cours, tournées, ce qui fait le quotidien d'un jeune et ambitieux chirurgien résident. Elle s'est douchée, changée et je l'ai conduite à l'hôpital.

Nous n'avons pas échangé un mot le long des rues où l'épaisseur de la neige ralentissait la circulation.

– Je vais partir deux jours à Memphis, déclarai-je d'un ton détaché en franchissant la grille de l'hôpital.

– Ah, bon ? fit-elle sans exprimer la moindre émotion.

– Je n'y suis pas allé depuis près d'un an ; j'ai besoin de voir mes parents. Je me suis dit que le moment était bien choisi. Je n'aime pas la neige et je n'ai pas le cœur à travailler. Je craque, tu n'as pas oublié.

– Appelle-moi, fit-elle au moment de descendre.

Elle a claqué la portière, s'est éloignée. Ni baiser, ni au revoir, pas la plus petite trace de sollicitude.

J'ai suivi des yeux sa silhouette pressée jusqu'à ce qu'elle s'engouffre dans le bâtiment.

Tout était fini entre nous. Je redoutais de l'avouer à ma mère.

Âgés d'un peu plus de soixante ans, tous deux en bonne santé, mes parents s'efforçaient de profiter au mieux d'une retraite trop tôt venue. Mon père avait été pilote de ligne plus de trente ans, ma mère cadre de banque. Ils avaient travaillé dur, mis de l'argent de côté et offert à leurs enfants un foyer confortable. Nous avions fréquenté, mes deux frères et moi, les meilleures écoles privées.

C'étaient des gens sérieux, droits, conservateurs et patriotes, farouchement attachés l'un à l'autre.

Ils allaient à l'église le dimanche, assistaient au défilé de la fête nationale, participaient aux réunions du Rotary une fois par semaine et s'offraient les voyages dont ils avaient envie.

Ils ne s'étaient pas encore remis du divorce de mon frère Warner, qui remontait à trois ans. Avocat à Atlanta, il avait épousé sa petite amie de fac. Après leur deuxième enfant, le mariage avait capoté ; la mère avait obtenu la garde et s'était installée à Portland. Mes parents voyaient leurs petits-enfants une fois par an, quand tout se passait bien. Je n'abordais jamais ce sujet.

De l'aéroport de Memphis où je louais une voiture, j'ai pris la direction de l'est et traversé les faubourgs où vivaient les Blancs. Les Noirs occupaient le cœur de la ville, les Blancs les faubourgs. Quand les Noirs s'établissaient dans un nouveau quartier, les Blancs gagnaient une banlieue plus éloignée.

Mes parents vivaient en bordure d'un golf, dans une maison de verre conçue de telle manière que chaque ouverture donnait sur un fairway. Je détestais cette maison ; il y avait à tout moment du monde sur le parcours. Mais je m'étais toujours gardé d'exprimer mes sentiments.

J'avais téléphoné de l'aéroport ; ma mère m'attendait avec une vive impatience. Mon père était quelque part sur les neuf trous du retour.

— Tu as l'air fatigué, déclara-t-elle, selon la formule rituelle, après m'avoir longuement serré dans ses bras.

— Merci, maman. Toi, tu as l'air en pleine forme.

J'étais sincère ; elle restait mince et hâlée grâce à son tennis quotidien et à une alimentation équilibrée.

Elle a préparé un thé glacé ; nous nous sommes installés dans le patio en regardant des retraités filer sur le parcours dans leur voiture de golf.

– Qu'est-ce qui ne va pas ? demanda-t-elle au bout d'une minute, avant même que j'aie eu le temps de goûter mon thé.

– Rien. Ça va.

– Où est Claire ? Vous n'appelez jamais ; je n'ai pas entendu sa voix depuis deux mois.

– Claire va bien. Nous sommes tous deux en bonne santé et nous travaillons beaucoup.

– Passez-vous assez de temps ensemble ?

– Non.

– Passez-vous un peu de temps ensemble ?

– Pas beaucoup.

Elle s'est rembrunie et a levé les yeux au ciel dans l'attitude d'une mère inquiète.

Puis elle est revenue à la charge.

– Ça ne va pas ?

– Non.

– Je le savais ! Je le savais ! J'ai senti à ta voix au téléphone que quelque chose n'allait pas. Tu ne vas pas divorcer, toi aussi ? Avez-vous essayé un conseiller conjugal ?

– Non. Ne t'emballe pas.

– Pourquoi ? C'est une femme merveilleuse, Michael. Fais ton possible pour sauver votre couple.

– Nous essayons, maman. C'est difficile.

– Des liaisons ? La drogue, l'alcool, le jeu ?

– Non. Seulement deux personnes qui vont chacune leur chemin. Je travaille quatre-vingts heures par semaine ; elle travaille le reste du temps.

– Changez de rythme, l'argent n'est pas tout, balbutia-t-elle, la voix cassée.

Ses yeux étaient emplis de larmes.

– Je suis désolé, maman. Heureusement que nous n'avons pas d'enfants.

Elle s'est mordu la lèvre inférieure, essayant de faire bonne figure, mais elle souffrait terriblement. Je savais exactement ce qu'elle pensait : et de deux, il n'en reste plus qu'un. Mon divorce serait pour elle un échec personnel aussi douloureux que l'avait été celui de mon frère. Elle se débrouillerait pour s'en attribuer la responsabilité.

Je ne voulais pas qu'on me plaigne. Pour passer à des choses plus intéressantes, je lui ai raconté l'histoire de la prise d'otages en minimisant pour la ménager le danger que j'avais couru. Si le drame avait été relaté dans les journaux de Memphis, mes parents n'en avaient pas eu connaissance.

— Tu n'es pas blessé ? demanda-t-elle, horrifiée.

— Mais non. La balle m'a manqué ; je suis là.

— Dieu soit loué ! Et moralement ?

— Ça va, maman. Je suis entier ; il n'y a rien de cassé. On m'a donné deux jours de repos et je suis venu vous voir.

— Mon pauvre garçon ! Claire et ce drame affreux !

— Ne t'inquiète pas. Nous avons eu beaucoup de neige hier ; le moment était bien choisi pour partir.

— Claire ne risque rien ?

— Pas plus que n'importe qui à Washington. Elle passe sa vie à l'hôpital, certainement l'endroit le plus sûr dans cette ville.

— Je m'inquiète tellement pour vous quand je lis les statistiques de la criminalité. C'est une ville très dangereuse.

— Presque autant que Memphis.

Nous avons suivi des yeux une balle qui venait de tomber près du patio. Tout de suite après, une femme corpulente est descendue péniblement d'une voiturette. Elle s'est mise une demi-seconde devant la balle avant de taper un coup affreux.

Ma mère s'est levée pour aller chercher du thé et s'essuyer les yeux.

Je ne sais qui, de ma mère ou de mon père, a été le plus attristé par ma visite. Ma mère souhaitait des couples solides et une ribambelle de petits-enfants ; mon père voulait voir ses fils gravir rapidement les échelons et savourer les fruits d'une réussite chèrement acquise.

En fin d'après-midi, j'ai accompagné mon père sur le parcours. Lui a joué et moi conduit la voiturette en buvant de la bière ; je demeurais imperméable à la magie du golf. Après deux bières bien fraîches, j'étais prêt à parler. J'avais répété à table l'histoire de Monsieur ; mon père s'imaginait que j'étais venu flemmarder deux jours, le temps de reprendre mon souffle avant de reprendre le collier.

— Je commence à en avoir assez de cette grosse boîte, ai-je glissé au départ du trou numéro trois, en attendant que s'éloigne la partie de quatre joueurs qui nous précédait.

J'étais nerveux et fort agacé de l'être ; il s'agissait de ma vie, pas de la sienne.

— Que veux-tu dire ?

— Que j'en ai marre de ce que je fais.

— Bienvenue dans le monde du travail. Crois-tu que l'ouvrier fraiseur n'en a pas marre de ce qu'il fait dans son usine ? Tu as au moins l'avantage de gagner de l'argent.

Le premier round était pour lui ; j'avais évité le K-O de justesse.

— Tu envisages de changer de situation ? demanda-t-il deux trous plus loin, tandis que nous cherchions sa balle dans les hautes herbes.

— J'y pense.

— Que veux-tu faire ?

— Je ne sais pas ; c'est trop tôt. Je n'ai pas commencé à chercher.

— Alors, comment sais-tu que ce sera mieux ailleurs ?

Il trouva sa balle, réussit à la sortir des herbes.

En conduisant la voiturette sur l'allée tandis que mon père marchait sur le fairway, je me demandais pourquoi j'avais si peur de cet homme aux cheveux grisonnants. Il avait poussé ses trois fils à se fixer

66

des objectifs, à travailler dur dans le but de gagner beaucoup d'argent, le rêve américain. Il nous avait offert tout ce dont nous avions besoin.

Pas plus qu'à mes frères on ne m'avait inculqué une conscience sociale. Nous faisions des dons à l'église pour suivre les préceptes de la Bible et payions des impôts dans le respect de la loi. Une partie de cet argent devait servir à faire le bien ; nous apportions notre contribution. La politique était réservée à ceux qui choisissaient cette voie ; un domaine dans lequel d'honnêtes citoyens ne pouvaient faire fortune. On nous avait enseigné à être productifs ; plus notre réussite serait éclatante, plus la société, d'une manière ou d'une autre, en tirerait profit. Se fixer des objectifs, travailler dur, être droit, devenir prospère.

Mon père fit un double bogey sur le trou numéro cinq. Il le mit sur le compte de son putter et revint s'asseoir près de moi.

– Peut-être que je ne cherche pas une meilleure situation.

– Tu ne peux pas parler franchement, dire ce qui te trotte dans la tête ?

Comme d'habitude, je me sentis honteux de ne pas trouver le courage d'aborder le problème de front.

– Je pense au droit d'intérêt public.

– Qu'est-ce que c'est que ça ?

– Travailler pour le bien de la société sans gagner beaucoup d'argent.

– Te voilà devenu Démocrate ? Tu es resté trop longtemps à Washington

– Il y a des tas de Républicains à Washington. Ils sont même la majorité.

Nous avons rejoint le départ du trou suivant en silence. Mon père était un bon golfeur, mais il jouait de plus en plus mal ; j'avais rompu sa concentration. Il égara de nouveau sa balle dans les hautes herbes.

– Si j'ai bien compris, reprit-il quelques minutes plus tard en cherchant sa balle, il suffit qu'un clodo se fasse brûler la cervelle devant toi pour que tu aies envie de changer la société.

– Ce n'était pas un clodo. Il a combattu au Viet-nâm.

Mon père avait piloté des B-52 les premières années de la guerre ; ma réplique l'arrêta net. Pas pour longtemps : il ne voulait pas céder un pouce de terrain.

– Ah ! un de ces gars-là !

Je n'ai pas insisté. Sa balle était introuvable ; il ne cherchait pas vraiment. Il en a placé une autre sur le fairway, a tapé un coup mal centré.

– Cela m'embête de voir que tu vas foutre ta carrière en l'air, reprit-il. Tu as travaillé trop dur ; encore quelques années et tu seras associé.

– Peut-être.

– Il faut que tu prennes un peu de repos, c'est tout.

Tout le monde semblait préconiser le même remède.

Je les ai invités à dîner dans un bon restaurant. Chacun s'évertuait à éviter les sujets de Claire, de ma carrière, de ces petits-enfants qu'ils voyaient si rarement. Nous nous cantonnions aux vieux amis, aux souvenirs du passé ; la conversation ne m'intéressait pas le moins du monde.

J'ai fait mes adieux le vendredi midi, quatre heures avant mon vol de retour, pour retrouver les incertitudes de ma vie dans la capitale.

7.

Comme il fallait s'y attendre, l'appartement était vide à mon arrivée, mais il y avait du nouveau. Un mot m'attendait sur le passe-plat de la cuisine. Suivant mon exemple, Claire était partie passer deux jours à Providence, sans donner de raison ; elle me demandait d'appeler à mon retour.

J'ai téléphoné chez ses parents au milieu du dîner. Il nous fallut cinq bonnes minutes de conversation oiseuse pour établir que nous allions bien. Memphis, Providence, les deux familles, tout allait bien ; elle serait de retour dans l'après-midi du dimanche.

J'ai raccroché, préparé un café. J'en ai bu une tasse devant la fenêtre de la chambre, en regardant les voitures avancer au ralenti sur la chaussée encore enneigée. Si la neige avait commencé à fondre, il n'en paraissait rien.

Je soupçonnais Claire d'avoir brossé à ses parents un tableau aussi sombre de notre situation que celui qu'il m'avait fallu présenter aux miens. Sans que cela fût véritablement surprenant, il était triste et étrange de constater que nous avions cette franchise avec nos parents respectifs avant d'avoir regardé nous-mêmes la vérité en face. J'en avais assez ; j'étais résolu dans les plus brefs délais, peut-être dès le dimanche, à jouer cartes sur table. Pour dévoiler enfin nos sentiments, nos craintes et, je n'en doutais pas, commencer à organiser notre séparation. Je savais qu'elle voulait me quitter ; j'ignorais à quel point elle en avait envie.

J'ai répété à voix haute le discours que je comptais lui tenir jusqu'à ce qu'il paraisse convaincant, puis je suis sorti faire une longue promenade. Il faisait moins 12 °C, le vent aigre et mordant transperçait mon trench-coat. En longeant les belles demeures et les coquets pavillons, j'ai vu de vraies familles en train de prendre leur repas, de rire, de partager la chaleur du foyer. Dans M Street la foule de ceux qui ne supportaient pas d'être claquemurés chez eux emplissait les trottoirs. Même un vendredi soir, par un froid glacial, il y avait de l'animation ; les cafés étaient bondés, des files d'attente se formaient devant les restaurants.

Je me suis arrêté devant un piano-bar, de la neige jusqu'aux chevilles, pour écouter un air de blues et regarder les jeunes couples boire et danser. Pour la première fois de ma vie, je me suis senti autre chose qu'un jeune homme. J'avais trente-deux ans, mais en sept années, j'avais travaillé plus que la plupart des gens ne le font en vingt ans. J'étais las, pas encore vieux mais j'approchais à grands pas de l'âge mûr ; la fac de droit était loin. Les jolies filles qui se pressaient dans ce bar ne m'accorderaient qu'un regard distrait.

J'étais gelé, la neige recommençait à tomber. J'ai acheté un sandwich, l'ai fourré dans une poche et suis rentré chez moi. Je me suis préparé un cocktail, j'ai allumé un feu timide et mangé le sandwich à la lueur hésitante des flammes ; je me sentais très seul.

En d'autres temps, l'absence de Claire pour le week-end m'aurait permis de rester au bureau en m'ôtant tout sentiment de culpabilité. Assis au coin du feu, cette idée me faisait horreur. Le cabinet Drake & Sweeney serait encore debout bien après mon départ, les clients et les problèmes qui m'avaient paru d'une importance vitale seraient pris en charge par d'autres jeunes avocats. Mon départ ne serait sur la route rectiligne du cabinet qu'une secousse légère, à peine perceptible. Je serais remplacé quelques minutes après avoir franchi le seuil de mon bureau.

Un peu après 21 heures, la sonnerie du téléphone m'a arraché à une longue et sombre rêverie. C'était Mordecai Green qui appelait d'un portable.

– Vous êtes occupé ?

– Euh... pas vraiment. Que se passe-t-il ?

– Il fait un froid polaire, la neige recommence à tomber et nous avons besoin de main-d'œuvre. Avez-vous deux ou trois heures à nous consacrer ?

– Pour faire quoi ?

– Donner un coup de main ; nous manquons de personnel. Les centres d'accueil sont pleins à craquer et nous n'avons pas assez de bénévoles.

– Je ne sais pas si je serai compétent.

– Savez-vous tartiner du beurre de cacahuète ?

– Je crois.

– Alors, vous êtes compétent.

– Où dois-je aller ?

– Nous ne sommes pas très loin de mon bureau. À l'intersection de la 13e Rue et de Euclid Street, vous verrez sur votre droite une église jaune. Nous sommes au sous-sol.

Je notais à mesure qu'il parlait, d'une écriture de plus en plus tremblante ; Mordecai m'invitait à pénétrer dans une zone de combat. J'avais envie de demander si je devais prendre une arme ; lui-même en avait-il une ? Mais il était noir, pas moi. Et ma voiture, ma précieuse Lexus ?

– C'est noté ? grommela-t-il après un silence.

– Je serai là dans vingt minutes, fis-je bravement, le cœur battant.

J'ai enfilé un jean, un sweat-shirt et de bonnes chaussures de marche, retiré de mon portefeuille les cartes de crédit et la quasi-totalité de mon argent liquide. J'ai déniché en haut d'une armoire une vieille veste de velours doublée de laine, tachée de café et de peinture, une relique de la fac. Je l'ai essayée devant un miroir en priant pour qu'elle me donne un air fauché. Peine perdue : un jeune acteur la portant en couverture de *Vanity Fair* lancerait une nouvelle mode.

J'aurais tout donné pour un gilet pare-balles. J'étais terrifié, mais, en fermant la porte de la rue avant de faire les premiers pas dans la neige, je me sentais étrangement excité.

Il n'y a rien eu de ce que je redoutais, ni fusillade, ni agression ; le mauvais temps vidait les rues, les rendait sûres. Je me suis garé sur un parking en face de l'église centenaire, certainement abandonnée par sa congrégation originelle.

En tournant un angle de l'édifice, j'ai découvert plusieurs hommes blottis les uns contre les autres, attendant près d'une porte. Je les ai frôlés en passant, comme quelqu'un qui sait précisément où il va, et j'ai pénétré dans l'univers des sans-abri.

Au lieu d'avancer d'un pas assuré sans regarder autour de moi, de faire comme si j'étais pressé de me mettre au travail, je demeurais pétrifié, incapable de contenir ma stupéfaction devant le nombre de malheureux entassés. Certains, allongés à même le sol, essayaient de dormir ; d'autres, assis par petits groupes, parlaient à voix basse. D'autres encore mangeaient à de longues tables ou sur des chaises pliantes. Chaque centimètre de mur était occupé par de pauvres hères adossés aux parpaings. Des enfants en bas âge pleuraient ou jouaient près des mères qui les empêchaient de s'éloigner. Des pochards étendus de tout leur long ronflaient comme des sonneurs. Des bénévoles circulant au milieu de la foule distribuaient des couvertures et offraient des pommes.

Au fond de la salle, une activité fébrile régnait dans la cuisine où l'on préparait les repas. J'ai reconnu de loin la silhouette de Mordecai qui versait du jus de fruits dans des gobelets en carton en parlant à jet continu. Ceux qui faisaient la queue devant les tables attendaient patiemment.

À la douce chaleur du chauffage au gaz se mêlaient les effluves s'échappant de la cuisine pour former une odeur lourde, pas désagréable. Un SDF, accoutré à la manière de Monsieur, m'a heurté par-derrière ; je me suis remis en marche.

Je me suis dirigé vers Mordecai dont le visage s'est illuminé. Nous avons échangé une longue poignée de main, comme deux vieux amis ; il me présenta à deux bénévoles dont je n'entendis pas le nom.

– C'est de la folie. Une grosse chute de neige, un coup de froid et nous en avons pour la nuit. Prenez donc le pain là-bas, me lança-t-il en montrant un plateau rempli de tranches de pain blanc.

J'ai obtempéré, l'ai suivi jusqu'à une table.

– Vous allez voir, c'est compliqué. Il y a des saucisses fumées, de la moutarde et de la mayonnaise. Vous mettez de la moutarde dans la moitié des sandwiches, de la mayo dans l'autre, une saucisse et deux tranches de pain. De temps en temps, vous en tartinez une douzaine de beurre de cacahuète. Pigé ?

– Oui.

– Vous apprenez vite.

Il m'a donné une tape sur l'épaule avant de disparaître.

J'ai fait mes dix premiers sandwiches à toute vitesse, étonné de ma propre efficacité, puis j'ai ralenti le rythme pour regarder ceux qui faisaient la queue, la tête baissée, incapables de quitter longtemps la nourriture des yeux. Ils recevaient une assiette en papier, un bol en plastique, une cuillère et une serviette. À mesure que la file avançait, on remplissait le bol de soupe, on posait la moitié d'un sandwich sur l'assiette avec une pomme et un cookie. Une tasse de jus de pomme attendait au bout de la table.

Ils remerciaient le plus souvent à mi-voix le bénévole qui leur tendait le jus de fruits et s'éloignaient en serrant précautionneusement contre eux l'assiette et le bol. Même les enfants étaient calmes et faisaient attention à ne rien renverser.

La plupart mangeaient avec lenteur, savourant chaque bouchée, aspirant les bonnes odeurs ; quelques-uns se jetaient sur la nourriture.

À côté de moi se trouvait une gazinière à quatre brûleurs sur lesquels mijotaient de grandes casseroles de soupe. Derrière s'étendait une table couverte de céleris, de carottes, d'oignons, de tomates et de poulets entiers ; un homme découpait la viande et coupait sans relâche les légumes en cubes. Deux bénévoles restaient devant la gazinière ; plusieurs autres transportaient les assiettes sur les tables. J'étais le seul responsable des sandwiches.

– Il faut d'autres sandwiches au beurre de cacahuète, lança Mordecai.

Il se baissa et prit sous une table un pot de huit kilos sans nom de marque.

– Vous vous en occupez ?

– Je suis un spécialiste.

Il me regardait tartiner. La queue avait provisoirement diminué ; il avait envie de parler.

– Je croyais que vous étiez avocat, fis-je sans lever les yeux.

– Je suis d'abord un homme, ensuite un avocat. Il est possible d'être les deux... pas si épais sur cette tartine. Il en faut pour tout le monde.

– D'où viennent les aliments ?

– La banque alimentaire ; des dons de particuliers. Ce soir nous avons de la chance : il y a du poulet. En général, nous nous contentons de légumes.

– Le pain n'est pas très frais.

– Non, mais il est gratuit. Il vient d'une grande boulangerie ; les invendus de la veille. Vous pouvez vous faire un sandwich.

– Merci, je viens d'en prendre un. Vous mangez ici ?

– Rarement.

À en juger par son tour de taille, Mordecai n'avait pas pour habitude de se nourrir d'une soupe de légumes et d'une pomme. Il s'est assis sur le coin de la table pour observer l'assistance.

– C'est la première fois que vous venez dans un centre d'accueil ?

– Oui.

– Quel est le premier mot qui vous vient à l'esprit ?

– Désespoir.

– Prévisible. Vous vous en remettrez.

– Combien de personnes vivent ici ?

– Aucune ; c'est un centre d'urgence. La cuisine fonctionne tous les jours, midi et soir, mais ce n'est pas à proprement parler un foyer d'accueil. L'église ouvre généreusement ses portes quand les conditions climatiques sont mauvaises.

– Alors, où vivent tous ces gens ?

– Certains squattent des bâtiments inoccupés ; ce sont les mieux lotis. D'autres vivent dans la rue ou dans un parc, d'autres encore dans une gare routière ou sous un pont. Ils peuvent y rester tant que la température est supportable ; cette nuit, le froid les aurait tués.

– Alors, où sont les centres d'hébergement ?

– Éparpillés dans la ville. Il y en a une vingtaine ; la moitié financée par des fonds privés, les autres gérés par la municipalité qui, après le vote du nouveau budget, en fermera bientôt deux.

– Combien de lits ?

– Cinq mille, à peu de chose près.

– Combien de sans-abri ?

– Une question délicate ; il n'est pas facile de les dénombrer. Dix mille, à vue de nez.

– Dix mille ?

– Oui. Et je ne parle que des SDF. Il y en a probablement vingt mille autres qui vivent chez des proches et se retrouveront à la rue dans un ou deux mois.

– Il y a donc au moins cinq mille personnes qui n'ont pas de toit ? fis-je, incapable de masquer mon incrédulité.

– Au moins.

Une bénévole est venue réclamer des sandwiches ; Mordecai m'a donné un coup de main pour en faire une douzaine. Nous étions en train de parcourir la salle du regard quand la porte s'est ouverte. Une jeune femme est lentement entrée, un bébé dans les bras, suivie par trois petits enfants dont l'un, sans chaussures, portait un short et des chaussettes dépareillées. Une serviette lui enveloppait les épaules. Les deux autres étaient chaussés mais peu vêtus. Le bébé semblait dormir.

L'air désorienté, la mère a fait quelques pas, ne sachant où se diriger ; il n'y avait pas une place libre. Deux bénévoles sont allés en souriant à sa rencontre. L'un les a installés dans un angle, près de la cuisine, tandis que l'autre apportait des couvertures.

J'avais suivi le déroulement de la scène avec Mordecai.

– Que va-t-elle devenir quand la tempête de neige aura cessé ?

– Qui sait ? répondit Mordecai. Pourquoi ne le lui demandez-vous pas ?

Cela me mit dans l'embarras ; je n'étais pas disposé à me salir les mains.

– Participez-vous aux activités de l'ordre ?

– Un peu. Pourquoi ?

– Simple curiosité. Le barreau de Washington fait du bon travail de bénévolat avec les sans-abri.

Il me sondait, mais ne m'aurait pas si facilement.

– J'aide des condamnés à mort, lançai-je fièrement.

Il y avait un fond de vérité. Quatre ans plus tôt, j'avais donné un coup de main à un associé pour rédiger une pétition en faveur d'un détenu, au Texas. Drake & Sweeney recommandait chaudement les activités bénévoles à ses collaborateurs, mais le travail non rémunéré ne devait à aucun prix empiéter sur les heures facturées.

Nous ne quittions pas des yeux la mère et ses bambins. Les deux aînés se sont attaqués à leur cookie pendant que la soupe refroidissait. La mère avait l'air complètement défoncé ou dans un état second.

– A-t-elle un endroit où vivre avec sa famille ?

– Probablement pas, répondit nonchalamment Mordecai en balançant ses grands pieds au bord de la table. Hier, la liste d'attente pour le centre d'urgence comportait cinq cents noms.

– Le centre d'urgence ?

– Il existe un local que la ville ouvre gratuitement quand la température descend au-dessous de zéro. Ce serait la seule possibilité, mais je suis sûr qu'il est plein à craquer cette nuit. La municipalité ne manquera pas de le fermer dès que la température remontera.

L'assistant du chef devait partir. J'étais le bénévole le plus proche qui ne faisait rien de ses dix doigts ; on m'a refilé son tablier. Tandis que Mordecai préparait des sandwiches, j'ai éminçé une heure durant céleris, carottes et oignons sous le regard vigilant de Dolly, un des membres fondateurs de l'église, qui nourrissait les sans-abri depuis onze ans. Cette cuisine était son royaume ; je devais considérer comme un honneur d'y être admis. Elle m'a signifié que mes tranches de céleri étaient trop grosses ; je me suis empressé de les amincir. Le tablier de Dolly était d'un blanc immaculé ; elle tirait une juste fierté de ce qu'elle faisait.

À un moment, tandis que nous étions côte à côte devant la gazinière, notre attention fut attirée par une dispute au fond de la salle. L'intervention de Mordecai et du pasteur suffit à ramener le calme.

– Est-ce qu'on s'habitue à voir ces gens dans un tel dénuement ? demandai-je à Dolly.

– Jamais, répondit-elle en s'essuyant les mains. Cela me brise toujours le cœur. Mais il est dit dans le *Livre des Proverbes* : « Heureux celui qui nourrit les pauvres. » C'est ce qui me donne du cœur à l'ouvrage.

Elle s'est retournée pour remuer la soupe.

– Le poulet est prêt, annonça-t-elle.

– Qu'est-ce que ça veut dire ?

– Vous le retirez du feu, vous versez le bouillon dans ce faitout et vous laissez le poulet refroidir avant de le désosser.

Désosser une volaille était tout un art ; Dolly m'a indiqué la méthode.

Quand j'eus terminé, j'avais les doigts en feu, cloqués par endroits.

8.

Mordecai m'a conduit dans la nef par un escalier obscur.

– Faites attention, murmura-t-il en poussant une porte donnant dans le chœur.

L'église était plongée dans la pénombre ; des malheureux essayaient de dormir partout, étendus sur les bancs, recroquevillés par terre, ne nous laissant qu'un étroit passage tandis que nous avancions vers la chaire.

– Il n'y a pas beaucoup d'églises qui acceptent cela, souffla Mordecai.

Je comprenais leur réticence.

– Comment font-ils le dimanche ? demandai-je d'une voix aussi basse.

– Cela dépend du temps. Le pasteur est des nôtres ; il lui est arrivé d'annuler l'office plutôt que de les jeter dehors.

J'ignorais ce qu'il entendait par « des nôtres », mais je n'avais pas le sentiment d'appartenir à cette confrérie. J'ai entendu des craquements au plafond et découvert en levant la tête qu'une galerie en U s'étendait au-dessus de nous. En plissant les yeux, j'ai distingué une autre masse humaine disposée sur les sièges. Mordecai regardait aussi.

– Combien y a-t-il... murmurai-je, incapable d'achever ma phrase.

– Nous ne comptons pas. Nous offrons le vivre et le couvert, c'est tout.

Une rafale de vent frappa le mur de l'édifice et fit trembler les fenêtres ; il faisait bien plus froid que dans le sous-sol. Après avoir enjambé plusieurs corps, nous sommes sortis par une petite porte, près de l'orgue.

Il était presque 23 heures. Le sous-sol était encore bondé, mais il n'y avait plus de queue pour la soupe.

– Suivez-moi, dit Mordecai.

Il a pris un bol en plastique, l'a tendu à un bénévole qui l'a aussitôt rempli.

– Voyons si vous êtes un bon cuisinier, fit-il en souriant.

Nous nous sommes installés à une table pliante, au milieu des indigents. Mordecai mangeait et bavardait comme si tout cela lui semblait normal. Grâce à Dolly, la soupe était vraiment bonne. J'ai réussi à en avaler quelques cuillères sans pouvoir oublier que Michael Brock, issu d'une bonne famille de Memphis, diplômé de Yale et travaillant chez Drake & Sweeney, partageait une table avec des sans-abri dans le sous-sol d'une église de Washington. J'avais vu un seul autre Blanc, un clochard d'âge mûr qui avait filé à peine son repas terminé.

J'étais sûr que ma Lexus avait disparu, persuadé que je ne resterais pas en vie plus de cinq minutes hors de l'église. Je me suis juré de m'accrocher aux basques de Mordecai, de partir quand il déciderait de le faire.

– La soupe est bonne, déclara-t-il. Ce n'est pas toujours le cas. Le goût dépend de ce dont on dispose et la recette varie d'un endroit à l'autre.

– J'ai eu des nouilles l'autre jour chez Martha, glissa mon voisin de droite dont le coude était collé contre mon bol.

– Des nouilles ? s'écria Mordecai, feignant la surprise. Dans la soupe ?

80

– Ouais. À peu près une fois par mois, il y a des nouilles. Tout le monde est au courant, bien sûr, et c'est difficile d'avoir une table.

Je n'aurais su dire s'il plaisantait, mais ses yeux pétillaient. L'idée d'un sans-abri déplorant le manque de tables à la soupe populaire me paraissait très drôle. Difficile d'avoir une table : combien de fois avais-je entendu cette phrase dans la bouche d'amis de Georgetown ?

– Comment vous appelez-vous ? demanda Mordecai en souriant.

Je devais apprendre que Mordecai tenait à mettre un nom sur un visage. Les indigents à qui il donnait tant étaient plus que des victimes ; ils étaient des individus.

Cette curiosité me paraissait parfaitement naturelle. Je voulais savoir comment on devient un sans-abri. Qu'est-ce qui clochait dans notre système de protection sociale pour que des citoyens se retrouvent si pauvres qu'ils en soient réduits à dormir sous les ponts ?

– Drano, répondit mon voisin en mâchonnant un de mes gros morceaux de céleri.

– Drano ? fit Mordecai.

– Drano, répéta l'homme.

– Et votre nom de famille ?

– Je n'en ai pas. Trop pauvre pour ça.

– Qui vous a donné ce nom de Drano ?

– Ma mère.

– Quel âge aviez-vous ?

– Cinq ou six ans.

– Pourquoi ce nom ?

– Elle avait un bébé qui pleurait tout le temps et empêchait tout le monde de dormir. Je lui ai donné du Drano.

Il a raconté son histoire en remuant sa soupe. Elle était parfaitement rodée, elle coulait bien ; je n'en ai pas cru un mot. Mais d'autres écoutaient aux tables voisines et Drano se faisait plaisir.

– Qu'est devenu le bébé ? poursuivit Mordecai avec une naïveté feinte.

– Il est mort.

– C'était donc votre frère.

– Non, ma sœur.

– Ainsi, vous avez tué votre sœur ?

– Oui, mais, après ça, on a bien dormi.

Mordecai m'a fait un clin d'œil, comme s'il en avait entendu bien d'autres de la même veine.

– Où vivez-vous, Drano ? demandai-je.

– Ici, à Washington.

– Où habitez-vous ? rectifia Mordecai.

– Ici et là. Je connais un tas de femmes riches qui me paient pour leur tenir compagnie.

Cette explication amusa deux autres voisins de Drano ; l'un ricana, l'autre éclata franchement de rire.

– Où recevez-vous votre courrier ? poursuivit Mordecai.

– Poste restante.

Drano avait réponse à tout ; nous l'avons laissé à son auditoire.

Dolly fit du café pour les bénévoles après avoir éteint la gazinière. Les sans-abri s'apprêtaient à se coucher.

Assis sur le bord d'une table dans la pénombre de la cuisine, je buvais mon café avec Mordecai en regardant par le large passe-plat la masse d'indigents blottis les uns contre les autres.

– À quelle heure partez-vous ?

– Je ne sais pas, répondit Mordecai avec un haussement d'épaules. Quand deux cents personnes sont rassemblées dans une salle, il se passe souvent quelque chose. Le pasteur se sentirait rassuré si je restais.

– Toute la nuit ?

– Ce ne serait pas la première fois.

Je n'avais pas prévu de dormir dans cette compagnie, pas plus que de sortir de l'église sans la protection de Mordecai.

– Vous pouvez partir quand bon vous semble, ajouta-t-il.

Partir était la pire des solutions. Un Blanc et une belle voiture dans les rues de Washington un vendredi à minuit : je ne donnais pas cher de ma peau.

– Avez-vous une famille ? demandai-je à Mordecai.

– Oui. Ma femme est secrétaire au ministère du Travail. Trois fils. L'un est étudiant, un autre dans l'armée...

Il s'interrompit en arrivant au troisième ; je ne voulais pas être indiscret.

– Nous avons perdu le troisième il y a dix ans. Les gangs.

– Désolé.

– Et vous ?

– Marié, sans enfant.

J'ai pensé à Claire pour la première fois depuis de longues heures. Comment réagirait-elle si elle savait où j'étais ? Nous n'avions trouvé ni l'un ni l'autre du temps à consacrer aux œuvres. Elle murmurerait entre ses dents : « Il craque complètement », ou quelque chose de ce genre.

– Que fait votre femme ? poursuivit Mordecai d'un ton détaché.

– Elle est chirurgien résident à Georgetown.

– Votre avenir est radieux, à ce que je vois. Vous serez associé dans une grosse boîte, elle sera chirurgien. Le rêve américain.

– J'imagine.

Le pasteur a surgi à nos côtés ; il a entraîné Mordecai dans la cuisine pour s'entretenir avec lui à voix basse. J'ai pris quatre cookies dans un plat, me suis avancé jusqu'à l'endroit où la jeune mère dormait, la tête sur un oreiller, le bras passé autour de son bébé. L'aîné était éveillé ; les deux autres ne bougeaient pas sous les couvertures.

Je me suis accroupi devant l'enfant et lui ai tendu un cookie. Les yeux brillants, il l'a prestement saisi. Il a dévoré le biscuit sans en laisser une miette, puis en a demandé un autre. Petit, chétif, il n'avait pas plus de quatre ans.

La tête de la mère s'affaissait ; elle s'est réveillée en sursaut, fixant sur moi des yeux tristes et las. Quand elle a compris ce que je faisais, elle a esquissé un pauvre sourire avant de remonter son oreiller.

– Comment t'appelles-tu ? murmurai-je au petit garçon.

Après les deux cookies, il était mon ami pour la vie.

– Ontario, répondit-il distinctement, en détachant les syllabes.

– Quel âge as-tu ?

Il a montré quatre doigts, en a replié un, l'a déplié de nouveau.

– Quatre ans ?

Il a hoché la tête et tendu la main pour avoir un autre cookie que je lui ai offert avec joie ; je lui aurais donné tout ce qu'il voulait.

– Où habites-tu ? poursuivis-je à voix basse.

– Dans une voiture.

Il m'a fallu quelques secondes pour comprendre ; je ne savais plus quoi demander. Il était trop occupé à manger pour faire la conversation. À mes trois questions, il avait donné trois réponses franches ; ils vivaient dans une voiture.

J'avais envie d'aller demander à Mordecai ce qu'il faut faire quand on rencontre des gens qui vivent dans une voiture, mais j'ai continué de sourire à Ontario. Il m'a rendu mon sourire.

– Il y a du jus de pomme ? demanda-t-il quand il eut terminé son biscuit.

– Bien sûr.

Je suis retourné dans la cuisine et revenu avec deux gobelets. Il a bu le premier d'un trait ; je lui ai tendu le second.

– Tu peux dire merci.

– Merci, fit-il en tendant la main pour avoir le dernier cookie.

J'ai trouvé une chaise pliante et me suis installé près d'Ontario, le dos contre le mur. La salle était calme mais jamais silencieuse ; ceux qui n'ont pas de lit ne dorment pas d'un sommeil paisible. De loin en loin, Mordecai se glissait entre les corps pour mettre un terme à une altercation. Il était si fort, si intimidant que nul n'osait défier son autorité.

L'estomac plein, Ontario s'est endormi, sa petite tête posée sur les pieds de sa mère. Je suis allé chercher une autre tasse de café et suis revenu la boire sur ma chaise pliante.

Soudain, le nourrisson s'est mis à hurler. Ses vagissements ont atteint un niveau sonore qui semblait faire frémir toute la salle. La mère hébétée, épuisée, mécontente d'être tirée du sommeil lui a demandé de se taire ; elle l'a pris dans bras et a commencé à le bercer. Le bébé s'est mis à brailler de plus belle ; des grognements de protestation se sont élevés alentour.

Sans réfléchir à ce que je faisais, j'ai tendu les bras pour prendre le bébé en gratifiant la mère d'un sourire destiné à gagner sa confiance. Elle n'a pas eu une seconde d'hésitation, soulagée de se débarrasser du petit braillard.

Léger comme une plume, le tout-petit était trempé. Je m'en suis rendu compte en posant délicatement sa tête sur mon épaule et en lui tapotant les fesses. Paniqué, j'ai filé dans la cuisine, à la recherche de Mordecai ou d'un autre bénévole pour me venir en aide. Dolly était partie depuis une heure.

À mon grand soulagement, le fait de marcher en le caressant et en lui parlant à l'oreille a calmé le bébé. J'ai cherché une serviette ou un bout de papier pour essuyer ma main mouillée.

Qu'est-ce que je faisais là ? Qu'est-ce qui m'arrivait ? Que penseraient mes amis s'ils me voyaient dans cette cuisine obscure, chantonnant à l'oreille d'un bébé, priant pour qu'il n'y ait que du pipi dans la couche ?

Je ne percevais pas de mauvaise odeur, mais j'avais le sentiment que les poux sautaient de la petite tête sur la mienne. La silhouette de Mordecai s'est découpée dans l'embrasure de la porte ; il alluma la lumière.

– Charmant tableau, fit-il.

– Y a-t-il des couches ?

– La petite ou la grosse commission ? demanda-t-il d'un ton enjoué en s'avançant vers les placards.

– Je ne sais pas. Faites vite !

Il a pris un paquet de Pampers ; je lui ai collé le bébé dans les bras. Ma veste en velours avait une grosse tache sur l'épaule gauche. Avec une incroyable habileté, il a posé le bébé sur le plan de travail et retiré la couche sale : c'était une fille. Il a nettoyé les fesses de la petite avec un linge humide, l'a emmaillotée dans une couche propre et me l'a remise dans les bras.

– Et voilà, déclara-t-il fièrement. Propre comme un sou neuf.

– Qu'est-ce qu'on ne vous apprend pas en fac de droit !

J'ai marché une heure, le bébé dans les bras, jusqu'à ce qu'il s'endorme. Je l'ai enveloppé dans ma veste avant de le poser délicatement entre sa mère et Ontario.

Il était près de 3 heures du matin ; il fallait que je parte. C'était plus que ma mauvaise conscience ne pouvait en supporter pour une seule journée. Mordecai m'a accompagné jusqu'à la rue, m'a remercié d'être venu et m'a laissé seul et sans veste dans la nuit. Ma voiture était à l'endroit où je l'avais garée, recouverte d'une couche de neige fraîche.

Mordecai restait à la porte de l'église ; il ne m'a pas quitté des yeux jusqu'à ce que la voiture démarre.

9.

Depuis le mardi et ma rencontre avec DeVon Hardy, je n'avais pas facturé une seule heure de travail pour Drake & Sweeney. Ma moyenne sur les cinq dernières années était de deux cents par mois, ce qui représentait huit heures par jour, six jours par semaine. Pas question de perdre une journée et peu d'heures n'étaient pas comptabilisées. Quand j'avais pris du retard, ce qui n'était pas mon habitude, je le rattrapais en travaillant douze heures un samedi et, si nécessaire, autant le dimanche. Quand je n'avais pas de retard, je ne passais que sept ou huit heures au bureau le samedi et parfois quelques-unes le dimanche. Pas étonnant que Claire eût décidé de faire sa médecine.

Ce samedi matin, les yeux rivés sur le plafond de la chambre, je me sentais paralysé par l'inaction. Je ne voulais pas aller au bureau ; cette perspective me faisait horreur. Je redoutais de retrouver les petites rangées roses de messages téléphoniques que Polly avait disposés sur mon bureau, les notes de mes supérieurs fixant des rendez-vous pour s'enquérir de mon bien-être, le bavardage des curieux et l'inévitable sollicitude des amis sincères aussi bien que de ceux qui s'en fichaient éperdument. Mais ce que je redoutais par-dessus tout, c'était le travail. Les affaires antitrust sont ardues et longues à traiter, les dossiers volumineux doivent être rangés dans des cartons. À quoi cela sert-il ? De puissantes entreprises s'affrontent et emploient des armées d'avocats pour noircir des tonnes de papier.

Je devais reconnaître que je n'avais jamais aimé ce que je faisais ; ce n'était que le moyen d'arriver à mes fins. Si je travaillais d'arrache-pied pour devenir un as et en faire une véritable spécialité, je serais bientôt très demandé.

Par un effort de volonté, je me suis forcé à sortir du lit et à passer sous la douche. Tenant le volant d'une main, j'ai déjeuné d'un croissant et d'un gobelet de café noir achetés dans une boulangerie de M Street. Je me suis demandé ce qu'Ontario avait eu ce matin au petit déjeuner, puis j'ai décidé de cesser de me torturer. J'avais le droit de manger sans éprouver un sentiment de culpabilité ; mais la nourriture perdait de son importance.

La radio annonça que la température maximale serait de moins 7 °C, qu'elle descendrait à moins 17 °C et qu'il ne neigerait plus pendant une semaine.

J'ai réussi à traverser le hall sans être abordé par un confrère. Un certain Bruce dont j'avais oublié le patronyme est entré dans la cabine de l'ascenseur juste avant que la porte se referme.

— Comment ça va, mon vieux ? fit-il gravement.

— Bien, et vous ? ripostai-je.

— Vous savez, nous sommes de tout cœur avec vous. Accrochez-vous.

J'ai hoché la tête, comme si son soutien était vital. Par chance, il est descendu au deuxième étage, non sans m'avoir asséné une tape virile sur l'épaule.

Je n'étais pas dans mon assiette. Je suis passé d'un pas lourd devant le bureau de Mme Davier et la salle de réunion avant de suivre le couloir de marbre menant à mon bureau. Je me suis laissé tomber dans le fauteuil pivotant, épuisé.

Polly avait plusieurs méthodes pour me faire part des appels téléphoniques. Si j'avais rappelé avec diligence, elle ne laissait qu'un ou deux messages près du téléphone. Si, au contraire, j'avais du retard et qu'elle s'en offensait, elle prenait plaisir à les disposer au centre du bureau, un océan de papiers roses classés par ordre chronologique.

J'en ai compté trente-neuf, plusieurs urgents, plusieurs des huiles. Rudolph en particulier semblait s'impatienter, à en juger par le nombre de ses appels. Je les ai lus lentement avant de les mettre de côté. Ayant décidé de terminer mon café en paix, sans me presser, j'étais assis à mon bureau, la tasse à la main, le regard dans le vague, dans l'état d'esprit de celui qui vacille au bord d'un précipice quand Rudolph entra.

Ses espions avaient dû l'avertir : un assistant à l'affût de mon arrivée ou bien Bruce en sortant de l'ascenseur. Peut-être tout le personnel était-il sur le qui-vive. Non, ils avaient trop à faire.

– Bonjour, Mike, fit-il sèchement.

Il a pris un siège et croisé les jambes, prêt à aborder les choses sérieuses.

– Bonjour, Rudy.

Jamais je ne m'étais permis de l'appeler Rudy ; je disais toujours Rudolph. Son épouse du moment et les associés étaient les seuls à employer ce diminutif.

– Où étiez-vous passé ? commença-t-il sans marquer la moindre compassion.

– À Memphis.

– Memphis ?

– Il fallait que je voie mes parents. Et le psy de la famille.

– Un psy ?

– Il m'a mis quarante-huit heures en observation.

– En observation ?

– Dans une de ces cliniques de luxe avec tapis persans et saumon au dîner. Mille dollars la journée.

– On vous a gardé quarante-huit heures ?

– Oui.

Mentir ne me donnait pas mauvaise conscience. On pouvait être dur, voire implacable chez Drake & Sweeney et je n'étais pas d'humeur à me faire tancer par Rudolph. Il agissait sur ordre du comité exécutif et commencerait à rédiger un rapport quelques minutes après avoir quitté mon bureau. Si je parvenais à l'attendrir, le rapport serait indulgent et la direction n'aurait plus d'inquiétudes. Tout serait plus facile pour moi, du moins dans un premier temps.

– Vous auriez dû prévenir quelqu'un, poursuivit-il d'un ton déjà radouci.

– Allons, Rudolph ! J'étais enfermé, sans téléphone.

Il y avait juste assez d'angoisse dans ma voix pour l'émouvoir.

– Comment vous sentez-vous ? reprit-il après un long silence.

– Je vais bien.

– Vous en êtes sûr ?

– Le psy a dit que j'allais bien.

– À cent pour cent ?

– Cent dix pour cent, Rudolph. Pas de problème : j'avais besoin d'une coupure, c'est tout. On repart plein pot.

Rudolph s'est détendu ; il n'en demandait pas plus.

– Nous avons du pain sur la planche, fit-il en souriant.

– Je sais. Je brûle de me remettre au boulot.

Il est parti comme un voleur ; il allait se jeter sur son téléphone pour annoncer qu'un collaborateur productif avait repris le collier.

Après avoir donné un tour de clé à la porte, j'ai éteint la lumière. Puis j'ai passé un long et douloureux moment à couvrir mon bureau de paperasses et mes carnets de gribouillages. Je n'avançais pas, mais j'étais au boulot.

N'y tenant plus, j'ai fourré les messages téléphoniques dans ma poche et pris la tangente.

Dans un magasin discount de Massachusetts Avenue, j'ai fait des achats sans regarder à la dépense. Bonbons et petits jouets pour les enfants, savon et articles de toilette pour toute la famille, chaussettes et pantalons de survêtement de différentes tailles, un gros carton de couches. Jamais je n'avais eu tant de plaisir à claquer deux cents dollars.

Et je dépenserais ce qu'il faudrait pour leur trouver un endroit chauffé. Si ce devait être un motel pendant un mois, pas de problème. Ils seraient bientôt mes clients ; j'userais de tous les moyens pour leur procurer un logement convenable. J'avais hâte de traîner quelqu'un en justice.

J'ai garé ma voiture en face de l'église, beaucoup moins effrayé que la veille, mais pas rassuré pour autant. Par prudence, j'ai laissé mes paquets dans le coffre ; si j'arrivais chargé comme le Père Noël, je déclencherais une émeute. Mon idée était de quitter l'église avec la mère et ses enfants, de les conduire dans un motel, de m'assurer qu'ils étaient douchés, habillés et désinfectés avant de les gaver de nourriture. Je verrais s'ils avaient besoin de soins médicaux, je leur offrirais peut-être des chaussures, des vêtements chauds et un autre bon repas. Peu importait ce que cela coûterait et le temps que cela prendrait.

On pouvait penser que c'était le comportement d'un Blanc cherchant à se donner bonne conscience, je m'en contrefichais.

Dolly était contente de me revoir ; après m'avoir chaleureusement accueilli, elle m'a indiqué un tas de légumes à éplucher. Mais j'ai d'abord cherché Ontario et les siens, sans les trouver. Pensant qu'ils avaient changé de place, j'ai parcouru la salle en contournant et enjambant des dizaines de dormeurs. Ils n'étaient pas non plus dans la nef ni au balcon.

J'ai fait la causette avec Dolly en pelant des pommes de terre. Elle se rappelait avoir vu la mère et les quatre enfants la veille au soir, mais ils étaient déjà partis à son arrivée, vers 9 heures.

– Où peuvent-ils être allés ?

– Ces gens se déplacent, ils vont de centre d'hébergement en asile de nuit. Elle a peut-être entendu dire qu'on donne du fromage à Brightwood ou qu'on distribue des couvertures ailleurs. Elle a peut-être un boulot de serveuse et elle laisse les enfants chez sa sœur. On ne peut pas savoir ; mais ils ne restent jamais au même endroit.

Je doutais fort que la mère d'Ontario eût un boulot, mais je n'allais pas en discuter avec Dolly dans sa cuisine.

Mordecai est arrivé quand la queue pour le déjeuner commençait à se former. Je l'ai vu le premier ; quand nos regards se sont croisés, son visage s'est illuminé.

Un nouveau bénévole se chargeait des sandwiches ; on m'affecta au service avec Mordecai. Plonger une louche dans la soupière et remplir un bol en plastique est tout un art. Trop de bouillon et on risque de s'attirer un regard mauvais ; trop de légumes et il ne reste que du bouillon au fond de la soupière. La technique de Mordecai était au point depuis plusieurs années ; j'eus droit à un certain nombre de regards noirs avant d'acquérir le tour de main. Mordecai avait un mot gentil pour chacun : bonjour, bon appétit, content de vous revoir, comment ça va ? Certains le remerciaient d'un sourire, d'autres ne levaient pas la tête.

À mesure que le temps passait, le va-et-vient allait croissant et les queues s'allongeaient. D'autres

92

bénévoles apparaissaient, la cuisine s'emplissait de cliquetis et du brouhaha de gens heureux d'accomplir leur tâche. Je continuais à chercher Ontario du regard. Le Père Noël était là ; le petit bonhomme n'en savait rien.

Nous avons attendu que tout le monde soit servi avant de nous verser un bol de soupe. La salle était bondée ; nous mangions dans la cuisine, adossés à l'évier.

– Vous souvenez-vous de la couche que vous avez changée hier soir ? demandai-je à Mordecai.

– On ne peut pas oublier ça.

– Je ne les ai pas vus aujourd'hui.

– Ils étaient là ce matin, quand je suis parti, fit-il après un moment de réflexion.

– Quelle heure était-il ?

– 6 heures. Ils dormaient profondément dans leur coin.

– Où ont-ils pu aller ?

– Comment le savoir ?

– Le petit garçon m'a dit qu'ils dormaient dans une voiture.

– Vous lui avez parlé ?

– Oui.

– Et vous aimeriez le retrouver, c'est ça ?

– C'est ça.

– N'y comptez pas.

Après le repas, le soleil a fait une timide percée ; les départs ont commencé. Un par un, les sans-abri ont pris une pomme ou une orange sur la table et quitté l'église.

– Ils ne tiennent pas en place, expliqua Mordecai. Ils aiment être libres de leurs mouvements ; ils ont leurs habitudes, leurs rites, des lieux de prédilection, des amis dans la rue, des occupations. Ils retourneront dans leur parc ou sous leur porche pour se protéger de la neige.

– Il fait moins 7 °C dehors ; on prévoit dix degrés de moins cette nuit.

– Ils reviendront. À la tombée de la nuit, il y aura foule ici. Allons faire une balade.

Nous avons averti Dolly qui nous a autorisés à nous absenter. La vieille Ford Taurus de Mordecai était garée derrière ma voiture.

– Elle ne fera pas long feu ici, fit-il en indiquant la Lexus. Si vous avez l'intention de venir souvent dans le quartier, je vous conseille un modèle plus discret.

Jamais l'idée ne me serait venue de me séparer de ma petite merveille ; je faillis m'en offenser.

Nous sommes montés dans la Taurus, Mordecai a démarré. Il ne m'a pas fallu longtemps pour comprendre que j'avais affaire à un conducteur exécrable. J'ai voulu attacher ma ceinture ; elle était hors d'usage. Il ne semblait pas s'en soucier le moins du monde.

En parcourant les rues du Nord-Ouest, nous avons longé des rangées de maisons aux façades décrépites et aux fenêtres condamnées, des cités si dangereuses que les ambulances ne s'y aventuraient pas, des écoles entourées de grillages couronnés de barbelés, des quartiers portant les cicatrices de perpétuelles violences. Mordecai était un guide merveilleux : chaque mètre carré de bitume lui était connu, chaque carrefour avait son histoire, chaque rue avait la sienne. Il m'indiqua en passant d'autres foyers, d'autres soupes populaires ; il connaissait les cuisiniers et les pasteurs. Il avait une opinion tranchée sur chaque église : elle était bonne ou mauvaise selon qu'elle ouvrait ou non ses portes aux sans-abri. Il me montra la fac de droit de l'université Howard, un lieu qui faisait sa fierté. Il avait obtenu son diplôme en cinq ans, en travaillant la nuit, avec un emploi à plein temps et un à temps partiel. Il ralentit devant une maison détruite par un incendie, où sévissaient naguère les trafiquants de crack ; son fils Cassius avait perdu la vie sur ce trottoir.

À proximité de son bureau, il demanda s'il pouvait y faire un saut pour prendre son courrier. Je n'y voyais aucun inconvénient ; je suivais mon guide.

Les locaux étaient sombres, froids et déserts. Il commença à parler en allumant quelques lumières.

– Nous sommes trois : Sofia Mendoza, Abraham Lebow et moi. Sofia est assistante sociale, mais elle en sait plus long qu'Abraham et moi réunis sur l'assistance juridique aux démunis. Vous ne me croirez peut-être pas, mais nous étions sept entassés ici. Nous recevions à l'époque des subventions fédérales ; aujourd'hui, à cause des Républicains, nous ne touchons plus un sou. Il y a trois bureaux là-bas, trois autres de mon côté, poursuivit-il en tendant les bras dans toutes les directions. Ce n'est pas la place qui manque.

C'était plutôt le personnel ; impossible de faire trois pas sans avoir à enjamber une corbeille bourrée de vieux dossiers ou une pile d'ouvrages poussiéreux.

– À qui appartiennent vos locaux ?

– À la fondation Cohen. Leonard Cohen a créé un gros cabinet juridique à New York. Quand il est mort en 1986, il devait être centenaire. Après avoir amassé une fortune, il a décidé au crépuscule de sa vie de tout distribuer. Parmi ses nombreuses créations, un fonds a été attribué à des avocats pour assister les indigents. Ce fonds assure le financement de trois centres, à New York, Newark et Washington. Engagé en 1983, j'ai été nommé directeur l'année suivante.

– Votre financement provient d'une seule source ?

– Dans sa quasi-totalité. L'an dernier, la fondation nous a versé cent dix mille dollars. L'année précédente, nous en avions reçu cent cinquante mille ; nous avons dû nous séparer d'un avocat. Le montant de la donation s'amenuise d'année en année. La fondation n'a pas été bien gérée ; elle commence à manger le capital. Je doute que nous puissions tenir cinq ans. Même trois.

– Vous ne pouvez pas collecter des fonds ?

– Nous avons réuni neuf mille dollars l'an dernier. Cela prend du temps ; nous ne pouvons pas tout faire. Sofia n'a pas un bon contact avec les gens, Abraham a l'esprit caustique d'un New-Yorkais. Ce qui ne laisse que moi et ma personnalité magnétique.

– Quel est le montant des frais généraux ?

Ma question pouvait paraître indiscrète, mais je savais que toutes les associations à but non lucratif publiaient un rapport annuel de leur situation financière.

– Deux mille dollars par mois. Une fois les frais payés et en constituant une petite provision, il reste quatre-vingt-neuf mille dollars à diviser en trois parts égales. Sofia se considère comme une associée à part entière ; je dois avouer que nous avons peur de discuter avec elle. J'ai donc gagné l'an dernier un peu moins de trente mille dollars, ce qui, à ma connaissance, est dans la moyenne pour ce type d'activité.

Il se décida enfin à entrer dans son bureau ; je me suis assis en face de lui.

– Auriez-vous oublié de régler la facture de chauffage ? demandai-je en réprimant un frisson.

– Probablement. Nous ne travaillons pas beaucoup le week-end : cela permet de faire des économies. Ces bureaux sont impossibles à chauffer.

Chez Drake & Sweeney, il ne serait venu à l'esprit de personne de fermer le week-end pour économiser le chauffage. Et sauver des mariages.

– S'ils se sentaient trop bien ici, nos clients ne repartiraient jamais. Il fait donc froid en hiver, chaud en été afin de réduire les allées et venues. Voulez-vous un café ?

– Merci.

– Je plaisantais, bien sûr. Nous ne faisons rien pour décourager les sans-abri de rester. Nous n'attachons pas d'importance aux variations de température, sachant que nos clients ont froid et faim. Avez-vous éprouvé un sentiment de culpabilité ce matin, au petit déjeuner ?

– Oui.

– Vous n'êtes pas le premier, fit-il avec le bon sourire d'un vieux sage revenu de tout. Nous avons vu défiler nombre de jeunes avocats bénévoles employés par de gros cabinets ; presque tous disaient s'être désintéressés de la nourriture dans les premiers temps. Vous vous en remettrez, conclut-il en tapotant sa panse rebondie.

– Que faisaient ces jeunes avocats ?

Je savais que j'étais en train de mordre à l'hameçon ; Mordecai le savait aussi.

– Ils se rendaient dans les foyers pour rencontrer les clients ; nous nous contentions de superviser ces affaires. Le travail est dans l'ensemble assez facile : il suffit pour un avocat de décrocher le téléphone et de bousculer un fonctionnaire apathique. Coupons alimentaires, pensions de guerre, allocations de logement, assistance médicale aux indigents, secours aux enfants ; les prestations sociales représentent le quart de notre travail.

J'écoutais attentivement. Mordecai lisait dans mes pensées ; il s'apprêtait à ferrer le poisson.

– Vous savez, Michael, poursuivit-il, les sans-abri n'ont pas de voix. Nul ne les écoute, tout le monde s'en fiche, ils n'attendent rien de personne. Quand ils essaient de téléphoner eux-mêmes pour obtenir leur dû, on les laisse en attente jusqu'à ce qu'ils se lassent. Jamais on ne les rappelle et ils n'ont pas d'adresse. Les fonctionnaires s'en balancent ; ils lèsent ceux-là mêmes qu'ils sont censés aider. Une assistante sociale réussit à se faire écouter des fonctionnaires, à leur faire ouvrir un dossier ou donner un coup de téléphone. Mais quand ils ont au bout du fil un avocat qui tempête et menace, les choses se mettent en branle, les fonctionnaires s'occupent des papiers. L'adresse ? Ce n'est pas un problème. Envoyez-moi le chèque, je le remettrai à mon client.

Sa voix prenait de l'ampleur, ses deux mains décrivaient des arabesques dans l'air. Mordecai était avant tout un conteur ; il devait être convaincant quand il s'adressait à un jury.

– Je vais vous en raconter une bonne, reprit-il. Il y a un mois, un de mes clients s'est rendu dans les bureaux de la sécurité sociale pour prendre un formulaire de demande d'allocation. Rien de plus simple en apparence. Notre homme a soixante ans, il souffre atrocement du dos. Quand on a dormi dix ans à même le sol ou sur un banc, on a des problèmes de dos. Il a d'abord fait la queue deux heures devant une porte avant d'entrer. Au bout d'une autre heure d'attente, il s'est présenté à un bureau, a essayé d'expliquer ce qu'il voulait et s'est fait rabrouer par une secrétaire mal lunée qui a même fait des remarques désobligeantes sur son odeur. Humilié, il est reparti sans son formulaire. Il m'a appelé et j'ai passé quelques coups de fil. Mercredi dernier, nous avons participé à une réjouissante cérémonie dans les locaux de la sécurité sociale. La secrétaire acariâtre était présente, ainsi que son chef de service, le directeur du centre de Washington et un délégué de la direction générale. La secrétaire a lu devant mon client une lettre d'excuses d'une pleine page. Bien tournée, touchante. Puis elle m'a remis un formulaire de demande d'allocation et j'ai reçu l'assurance des responsables présents qu'elle serait étudiée sans délai. C'est la justice, Michael, ce à quoi doit tendre l'action d'un avocat assistant les plus démunis. Le respect de la dignité.

Les histoires se succédèrent; elles donnaient toutes le beau rôle à l'avocat, la victoire aux sans-abri. Il disposait d'un stock inépuisable de récits à fendre le cœur; je savais qu'il préparait le terrain.

J'ai perdu la notion du temps; il n'a même pas pris son courrier.

Nous avons regagné le centre d'accueil avant la tombée de la nuit, à la bonne heure pour retrouver la douce chaleur du sous-sol de l'église, avant que les bandes de voyous ne prennent possession de la rue.

Sur le trottoir, je me suis surpris à marcher d'un pas lent et assuré aux côtés de Mordecai; si j'avais été seul, je me serais nerveusement frayé un chemin dans la neige, plié en deux, les pieds touchant à peine le sol.

Dolly avait réussi à se procurer des poulets qu'elle avait mis de côté pour moi. Elle a fait cuire les volailles; j'ai détaché à la main la chair brûlante.

Jo-Anne, l'épouse de Mordecai, vint nous prêter main-forte à l'heure de pointe. Elle était aussi sympathique que son mari et presque aussi grande. Leurs deux fils mesuraient un mètre quatre-vingt-dix-sept. Seulement âgé de dix-sept ans, convoité par les meilleures équipes de basket-ball, Cassius atteignait déjà deux mètres cinq quand il était tombé sous les balles des dealers

J'ai pris congé à minuit sans avoir revu Ontario et les siens.

10.

Claire m'a téléphoné le dimanche, en fin de matinée. Une nouvelle conversation empruntée pour m'annoncer à quelle heure elle rentrerait. Je l'ai invitée à dîner dans notre restaurant préféré ; elle n'était pas d'humeur à sortir. Je n'ai pas pris la peine de demander ce qui n'allait pas : nous n'en étions plus là.

Notre appartement se trouvant au deuxième étage, je n'avais pas réussi à faire livrer à domicile l'édition dominicale du *Washington Post*. J'avais essayé différentes méthodes, mais, la moitié du temps, le journal n'était pas là.

Après une longue douche, je me suis habillé chaudement. J'ai allumé la télé : la météo prévoyait une température maximale de moins 4 °C. Au moment de sortir, le présentateur du bulletin d'information annonça les grands titres. Je me suis arrêté net ; le sang s'est glacé dans mes veines. J'entendais les mots sans les enregistrer immédiatement. Je me suis lentement approché du téléviseur posé sur le passe-plat, les jambes en plomb, béant de surprise incrédule.

La veille au soir, vers 23 heures, une patrouille de police avait trouvé une petite voiture près du parc de Fort Totten, dans le Nord-Est. Le véhicule était sur la chaussée, les jantes enfoncées dans la neige fondue. À l'intérieur se trouvaient une jeune femme et ses quatre enfants en bas âge, tous morts par asphyxie.

La police supposait qu'ils dormaient dans la voiture et cherchaient à se réchauffer. Le pot d'échappement était enfoui dans un tas de neige accumulé au bord de la chaussée. Quelques détails, pas de noms.

Je me suis précipité dehors, dérapant sur le trottoir enneigé sans perdre l'équilibre. J'ai dévalé la rue jusqu'à Wisconsin Avenue, où se trouvait un kiosque, à l'angle de la 34e Rue. Hors d'haleine, horrifié, je me suis jeté sur un journal : l'article se trouvait au bas de la une, manifestement ajouté à la dernière minute. Toujours pas de noms.

J'ai détaché les pages qui m'intéressaient, laissant tomber le reste du journal sur le trottoir mouillé. L'article qui se poursuivait en page 14 présentait des déclarations sans intérêt de la police et les inévitables conseils de prudence pour éviter l'obstruction d'un pot d'échappement. Les détails atroces suivaient. La mère avait vingt-deux ans ; son nom était Lontae Burton. Le bébé s'appelait Temeko. Alonzo et Dante, deux ans, étaient jumeaux. L'aîné, Ontario, avait quatre ans.

J'ai dû émettre un son bizarre ; un jogger qui passait me regarda d'un drôle d'air, comme si je pouvais être dangereux. Je me suis éloigné, le journal grand ouvert devant moi, marchant sur les pages que j'avais jetées.

– Excusez-moi ! lança dans mon dos une voix criarde. Voudriez-vous payer votre journal !

J'ai continué à marcher sans me retourner.

– Alors, ça vient ? cria le vendeur en se portant à ma hauteur.

J'ai ralenti le pas, le temps de prendre un billet de cinq dollars dans ma poche et de le laisser tomber à ses pieds sans lui accorder un regard.

Avant d'arriver à l'appartement, je me suis appuyé contre le mur de brique d'une belle maison ; la neige avait été méticuleusement déblayée sur cette partie du trottoir. J'ai relu l'article, lentement, en espérant que la fin serait différente. Un torrent de pensées et d'interrogations dont je ne parvenais pas à suivre le cours impétueux me traversait l'esprit. Deux questions revenaient comme des leitmotive. Pourquoi n'étaient-ils pas retournés au refuge ? Le bébé était-il mort enveloppé dans ma veste ?

Penser était déjà pénible, mais j'avais toutes les peines du monde à marcher. À l'émotion de la nouvelle succédait un affreux sentiment de culpabilité. Pourquoi n'avais-je rien fait le soir où je les avais vus ? J'aurais pu les emmener dans un motel, au chaud, et leur offrir un repas.

Quand je suis entré dans l'appartement, le téléphone sonnait ; c'était Mordecai. Il m'a demandé si j'avais lu l'article ; moi, s'il se souvenait de l'épisode de la couche. C'étaient bien eux. Il ne connaissait pas leur nom. Je lui ai reparlé des moments passés avec Ontario.

– Je suis navré, Michael, fit-il avec sincérité.

– Moi aussi.

J'avais du mal à parler, les mots ne sortaient pas ; nous avons décidé de nous retrouver plus tard. Je me suis laissé tomber sur le canapé où j'ai passé une heure sans bouger.

Puis je suis sorti pour retirer du coffre de la voiture les sacs de nourriture, les jouets et les vêtements.

Par simple curiosité, Mordecai est passé au bureau à l'heure du déjeuner. Il savait ce qu'était un gros cabinet d'avocats, mais tenait à voir l'endroit où DeVon Hardy avait été abattu. Je lui ai fait faire une visite rapide des lieux en racontant brièvement la prise d'otages.

Nous sommes partis dans sa voiture. Par bonheur, la circulation dominicale était fluide ; Mordecai ne s'occupait absolument pas des autres véhicules.

– J'ai pris des renseignements, dit-il. La mère de Lontae Burton a trente-huit ans; elle purge une peine de dix ans pour trafic de crack. Lontae avait deux frères, tous deux sous les verrous, et avait été condamnée pour prostitution et usage de stupéfiants. Personne ne connaît l'identité du ou des pères des enfants.

– Quelles sont vos sources?

– J'ai retrouvé la grand-mère de Lontae. La dernière fois qu'elle a vu sa petite-fille, elle n'avait que trois enfants et revendait de la drogue avec sa mère. La grand-mère affirme avoir rompu toute relation avec elles en raison de ces affaires de drogue.

– Qui se charge des obsèques?

– Le même service que pour DeVon Hardy.

– À combien reviendrait un enterrement correct?

– Tout est négociable. Vous y tenez?

– J'aimerais que les choses soient bien faites.

Nous roulions dans Pennsylvania Avenue, le long des bâtiments gigantesques abritant les services administratifs du Congrès; le Capitole était à l'arrière-plan. Je n'ai pu m'empêcher de lancer in petto quelques injures à l'adresse des abrutis qui gaspillaient des milliards de dollars chaque mois pendant que d'autres n'avaient ni feu ni lieu. Comment pouvait-on, au pied du Capitole, laisser mourir dans la rue quatre petits innocents qui n'avaient pas d'endroit où dormir?

Certains, du côté de la ville où je vivais, auraient probablement dit qu'il aurait mieux valu qu'ils ne viennent jamais au monde.

Les corps avaient été transportés à l'institut médico-légal, un bâtiment de grès brun de deux étages, dans l'enceinte de l'Hôpital général. Ils y resteraient jusqu'à ce qu'on vienne les réclamer. Si personne ne se présentait dans les quarante-huit heures, ils seraient embaumés conformément à la loi, enfermés dans un cercueil et inhumés à la hâte.

Mordecai a garé sa voiture sur un emplacement réservé aux handicapés et s'est tourné vers moi.

– Êtes-vous sûr de vouloir y aller ? demanda-t-il après un court silence.

– Je crois.

Il avait téléphoné pour annoncer son arrivée. Un gardien boudiné dans son uniforme eut le front de nous arrêter. Mordecai l'a rembarré avec une virulence qui m'effraya. J'avais déjà l'estomac noué.

Le gardien a battu en retraite, soulagé de s'éloigner de nous. Le mot morgue était peint en noir sur une double porte vitrée ; Mordecai est entré comme s'il était chez lui.

– Mordecai Green, avocat de la famille Burton, lança-t-il d'un ton vibrant de défi au jeune employé assis à un bureau.

Le jeune homme a cherché son nom sur un tableau et a commencé à tripoter des papiers.

– Qu'est-ce que vous faites ? gronda Mordecai.

Le jeune homme a levé un regard outragé avant de prendre conscience de la masse imposante de son adversaire.

– Une minute, fit-il en se tournant vers son ordinateur.

– On croirait qu'ils ont des centaines de cadavres ici, poursuivit Mordecai d'une voix forte, en me prenant à témoin.

J'ai compris à cet instant qu'il n'avait pas la moindre patience avec les agents de l'Administration. L'histoire de la secrétaire de la sécurité sociale m'est remontée à la mémoire. Pour Mordecai, un avocat devait passer la moitié de son temps à intimider et rudoyer ses interlocuteurs.

Un homme au visage blafard et aux cheveux teints en noir apparut. Il se présenta avec une molle poignée de main ; il s'appelait Bill. Il portait une blouse bleue et des chaussures à épaisses semelles de crêpe. Où trouve-t-on le personnel qui travaille dans une morgue ?

Bill a ouvert une porte, nous a précédés dans un couloir stérile où la température allait en diminuant jusqu'à la salle où étaient déposés les corps.

– Combien en avez-vous aujourd'hui ? interrogea Mordecai, comme s'il avait l'habitude de passer pour tenir le compte des cadavres.

– Douze, répondit Bill, la main sur la poignée.

– Vous vous sentez d'attaque ? me demanda Mordecai.

– Je ne sais pas.

Bill a poussé la porte métallique, s'est effacé pour nous laisser entrer. Je suivais Mordecai, la tête baissée, essayant de ne pas regarder autour de moi ; c'était impossible. Les corps étaient recouverts d'un drap blanc de la tête aux chevilles, comme on le montre au cinéma. Nous sommes passés devant une rangée de pieds blancs, une étiquette fixée à un orteil ; des pieds bruns leur succédèrent.

Nous sommes arrivés dans un angle de la salle, entre un chariot et une table.

– Lontae Burton, annonça Bill en tirant le drap jusqu'à la taille d'un geste théâtral.

C'était bien la mère d'Ontario, en robe blanche. On l'eût crue endormie ; la mort n'avait pas laissé de traces sur son visage. Je ne pouvais en détacher mon regard.

– C'est elle, déclara Mordecai, comme s'il la connaissait depuis toujours.

Quand il s'est tourné vers moi pour avoir une confirmation, j'ai incliné légèrement la tête. Bill pivota sur lui-même ; je retins mon souffle. Un seul drap recouvrait les enfants.

Parfaitement alignés, serrés les uns contre les autres, les mains jointes sur la robe blanche, gracieux comme des chérubins, les petits soldats de la rue avaient enfin trouvé la paix.

J'avais envie de toucher Ontario, de caresser son bras, de lui dire à quel point j'étais triste. J'avais envie de le réveiller pour l'emmener chez moi, de lui donner à manger et lui offrir tout ce qu'il pourrait jamais désirer.

J'ai fait un pas en avant pour le regarder de plus près.

— On ne touche pas ! lança Bill.

— Ce sont eux, déclara Mordecai.

Tandis que Bill recouvrait les petits corps, j'ai fermé les yeux et murmuré une courte prière. Plus jamais ça, me répondit le Seigneur.

Dans une pièce au bout du couloir, Bill a sorti d'un placard deux grandes corbeilles métalliques contenant les effets personnels de la mère et des enfants. Il a versé le tout sur une table et nous l'avons aidé à en faire l'inventaire. Au milieu des vêtements crasseux et élimés, ma veste en velours était la seule pièce en bon état. Il y avait trois couvertures, un sac à main, quelques pauvres jouets, du lait en poudre pour bébé, une serviette, des sous-vêtements sales, un paquet de gaufrettes à la vanille, une boîte de bière, des cigarettes, deux préservatifs et une vingtaine de dollars en monnaie et petites coupures.

— La voiture est à la fourrière municipale, annonça Bill. Il y reste leur bazar.

— Nous allons nous en occuper, assura Mordecai.

Après avoir signé les feuilles d'inventaire, nous sommes repartis avec les maigres biens de la famille de Lontae.

— Qu'allons-nous faire de tout ça ? demandai-je à Mordecai.

— L'emporter chez la grand-mère. Voulez-vous reprendre votre veste ?

— Non.

Le salon funéraire appartenait à une connaissance de Mordecai, un pasteur dont l'église, à son

106

goût, n'était pas assez accueillante envers les sans-abri. Il ne l'aimait pas beaucoup mais savait comment le prendre.

Il s'est garé devant l'édifice, dans Georgia Avenue, près de l'université Howard, un quartier assez paisible où les fenêtres murées n'étaient pas très nombreuses.

– Il vaut mieux que vous m'attendiez ici. Je pourrai lui parler plus franchement si nous sommes seul à seul.

Je n'avais pas envie de rester dans la voiture, mais j'avais depuis longtemps remis ma vie entre les grosses mains de Mordecai.

– D'accord, murmurai-je en m'enfonçant dans le siège après avoir lancé un coup d'œil circulaire.

– Ne vous inquiétez pas.

Il est descendu ; j'ai verrouillé les portières. Au bout de quelques minutes, je suis parvenu à me détendre et à réfléchir. Mordecai voulait être seul avec le pasteur pour des raisons pratiques ; ma présence aurait compliqué les choses. Qu'était cette famille pour moi, en quoi m'intéressait-elle ? Le prix aurait aussitôt augmenté.

Il y avait du monde sur le trottoir ; je regardais les piétons marcher tête baissée, le visage cinglé par le vent. Une mère passa, tenant par la main deux enfants élégamment vêtus. Où étaient-ils pendant qu'Ontario et les siens, blottis les uns contre les autres dans la voiture glaciale, respiraient l'oxyde de carbone inodore qui allait les emporter dans un sommeil sans retour ? Où étions-nous tous ?

Le monde ne tournait pas rond ; rien n'avait de sens. En moins d'une semaine, j'avais vu mourir six indigents et j'étais désarmé devant ces drames. J'étais un Blanc cultivé, vivant dans l'aisance, promis à un avenir doré. Mon mariage était un échec, certes, mais je m'en remettrais. Les belles femmes ne manquaient pas de par le monde ; je n'avais pas de véritables soucis.

Je maudissais Monsieur d'avoir fait dérailler ma vie. Je maudissais Mordecai d'avoir suscité en moi un sentiment de culpabilité. Et Ontario de m'avoir brisé le cœur.

Des coups frappés sur la vitre me firent sursauter ; j'avais les nerfs à fleur de peau. C'était Mordecai, debout dans la neige, au bord du trottoir. J'ai entrouvert la vitre.

– Deux mille dollars pour les cinq, ça vous va ?

– Peu importe le prix.

Il pivota sur lui-même et s'éloigna.

Il revint quelques minutes plus tard, se mit au volant et démarra aussitôt.

– Les obsèques auront lieu mardi, à l'église. Cercueils en bois, de bonne qualité. Il y aura des fleurs, ça fera plus joli. Il demandait trois mille, mais je lui ai affirmé qu'il y aurait des journalistes, qu'il passerait peut-être à la télé. L'idée lui a plu. Deux mille, ce n'est pas si mal.

– Merci, Mordecai.

– Comment vous sentez-vous ?

– Pas très bien.

Nous n'avons échangé que quelques mots sur le trajet du retour.

Claire venait d'apprendre que James, son frère cadet, souffrait de la maladie d'Hodgkin, d'où la réunion de famille à Providence. Cela n'avait rien à voir avec moi. Elle me parla de son week-end, du choc provoqué par la nouvelle, des larmes et des prières partagées, du soutien apporté à James et à son épouse. Dans la famille de Claire, on se serre les coudes, on aime à partager les joies et les peines ; je me réjouissais de ne pas avoir été invité à me joindre à eux. Le traitement allait commencer sans délai ; le pronostic était bon.

Elle était heureuse de retrouver son chez-soi, soulagée d'avoir quelqu'un auprès de qui s'épancher. Nous avons bu quelques verres de vin dans le salon, devant la cheminée, un plaid sur les jambes. Une scène presque romantique, mais j'étais trop profondément blessé pour avoir envie d'être sentimental. Je faisais un gros effort pour suivre ce qu'elle disait, en plaignant comme il convenait le pauvre James et en glissant de loin en loin quelques mots bien choisis.

Je ne m'attendais pas à cela ; je m'étais dit que nous aurions une discussion à fleurets mouchetés, peut-être une vraie dispute. Après avoir échangé quelques vacheries, les rapports deviendraient plus courtois quand il faudrait affronter en adultes la réalité de notre séparation. Mais après avoir vu les corps d'Ontario et des siens, j'étais incapable d'éprouver d'autres émotions ; j'étais vidé. Claire ne cessait de dire qu'elle me trouvait très fatigué. J'ai failli la remercier.

Je l'ai écoutée jusqu'au bout ; peu à peu la conversation a glissé sur moi et mon week-end. Je lui ai tout raconté sur ma nouvelle vie de bénévole dans un centre d'accueil avant d'évoquer Ontario et sa famille. Je lui ai montré l'article du journal.

Elle en fut sincèrement émue, mais demeura visiblement perplexe. Je n'étais plus le même homme qu'une semaine auparavant et elle n'était pas sûre de préférer ce nouveau personnage au précédent. Moi non plus.

11.

Les bourreaux de travail que nous étions, Claire et moi, n'avaient pas besoin d'un réveil, surtout le lundi matin, à l'aube d'une semaine entière de défis à relever. Debout à 5 heures, attablés devant un bol de céréales une demi-heure plus tard, chacun était parti de son côté à 5 h 45, en faisant la course pour être le premier à franchir la porte.

Grâce à la bouteille de vin partagée avec Claire dans la soirée, mon sommeil n'avait pas été hanté par les images cauchemardesques du week-end. Durant le trajet de l'appartement au bureau, j'ai résolu de prendre mes distances avec les sans-abri. Je subirais l'épreuve des obsèques, je me débrouillerais pour consacrer du temps aux indigents, j'entretiendrais mon amitié avec Mordecai et fréquenterais assidûment ses bureaux. Je passerais de temps à autre chez Dolly pour lui donner un coup de main. Je donnerais de l'argent aux pauvres et m'efforcerais de réunir des dons. Un pourvoyeur de fonds serait certainement plus utile qu'un avocat supplémentaire.

Il fallait une suite de journées de dix-huit heures de bureau pour me relancer sur la bonne voie ; une orgie de travail me remettrait d'aplomb. Il faudrait être le roi des imbéciles pour sauter en marche du train de la fortune.

J'ai pris cette fois un autre ascenseur. Monsieur appartenait au passé ; je l'avais chassé de mon esprit. Je n'ai pas tourné la tête vers la porte de la salle où il avait perdu la vie. En entrant dans mon bureau, j'ai lancé ma serviette et mon manteau sur un fauteuil et suis parti chercher un café. J'ai suivi le couloir d'un pas conquérant, saluant en passant un confrère et une secrétaire. À peine assis à mon bureau, j'ai tombé la veste et retroussé mes manches ; il était 6 heures du matin, je reprenais le collier avec plaisir.

J'ai commencé par *The Wall Street Journal*, en partie parce que je savais que je ne trouverais pas dans ses colonnes d'article relatant la mort d'une famille de SDF. Puis je suis passé au *Washington Post*. À la une de la rubrique Metro, un petit article mentionnant Lontae Burton et les enfants était accompagné d'une photo de la grand-mère en larmes. Je l'ai mis de côté après l'avoir lu ; j'en savais plus long que le journaliste et j'étais décidé à ne pas me laisser distraire.

Sous le quotidien se trouvait une chemise en papier kraft, comme le cabinet en utilisait des milliers. Elle ne portait aucune inscription, ce qui me mit la puce à l'oreille. Elle était là, au centre de mon bureau, bien en vue, posée par une main anonyme. Je l'ai lentement ouverte.

La chemise ne contenait que deux feuilles. La première était une copie de l'article du *Washington Post* de la veille, celui que j'avais lu dix fois et montré à Claire dans la soirée. L'autre était une copie d'un document soustrait d'un dossier de chez Drake & Sweeney. L'en-tête indiquait : Expulsés – Riveroaks/Tag, inc.

La colonne de gauche contenait des numéros de un à dix-sept. En regard du numéro quatre se trouvait le nom de DeVon Hardy ; en face du quinze figurait Lontae Burton ; trois ou quatre enfants.

J'ai doucement reposé la chemise sur le bureau et me suis levé pour aller donner un tour de clé à la porte. Je suis resté appuyé contre le chambranle. Deux minutes se sont écoulées dans un silence absolu ; je ne pouvais détacher les yeux de la chemise posée sur le bureau. Je ne mettais pas en doute l'authenticité de son contenu ; pourquoi aurait-on pris la peine de falsifier un document de cette nature ? J'ai repris la chemise, l'ai ouverte avec précaution. Sous la deuxième feuille, à l'intérieur de la chemise, mon informateur anonyme avait écrit au crayon : Expulsion illicite. Des mots tracés en majuscules d'imprimerie, de manière à ne pouvoir identifier l'auteur si j'avais fait analyser l'écriture. Les lettres étaient peu apparentes ; la mine du crayon avait juste effleuré le papier.

La porte fermée, j'ai passé une heure entre la fenêtre, à regarder le lever du soleil, et mon bureau, à considérer fixement la chemise. Les allées et venues se faisaient plus bruyantes dans le couloir ; j'ai reconnu la voix de Polly. Je lui ai ouvert, je l'ai saluée comme si tout allait pour le mieux et je me suis mis au travail.

La matinée s'est passée en rendez-vous et en réunions, deux d'entre elles avec Rudolph et des clients. J'ai fait mon boulot correctement, sans garder aucun souvenir de ce qui avait été dit ou fait. Rudolph était si fier que son poulain soit de retour.

J'étais presque impoli avec ceux qui avaient envie de discuter de la prise d'otages et de ses contrecoups. Je paraissais être le même homme, mon comportement était toujours celui d'un battant ; les inquiétudes sur mon équilibre se dissipèrent. Mon père téléphona en fin de matinée ; je n'aurais su dire à quand remontait son dernier appel au bureau. La pluie qui tombait à Memphis le contraignait à rester enfermé ; il trouvait le temps long. Il ajouta que ma mère et lui s'inquiétaient à mon sujet. Je lui ai assuré que Claire allait bien ; pour éviter de m'engager sur un terrain glissant, j'ai parlé de la maladie de James, mon beau-frère, qu'il avait rencontré le jour du mariage. Je donnais l'impression de m'intéresser à la famille de Claire ; cela le rassura.

Mon père était heureux d'avoir pu me joindre au bureau ; j'étais fidèle au poste, je gagnais de l'argent. Il me demanda de donner plus souvent de mes nouvelles.

Une demi-heure plus tard, mon frère Warner appela de son bureau, à Atlanta. De six ans mon aîné, il était associé dans le service contentieux d'un autre gros cabinet ; il faisait son boulot sans états d'âme. En raison de notre différence d'âge, nous n'avions pas été très proches dans l'enfance, mais avions plaisir à être ensemble. Pendant la période noire de son divorce, il s'était confié à moi une fois par semaine.

Son temps était compté, comme le mien ; je savais que la conversation serait brève.

– J'ai appelé papa, commença-t-il. Il m'a tout raconté.

– Tu m'étonnes !

– Je comprends ce que tu ressens ; tout le monde passe par là, un jour ou l'autre. On travaille d'arrache-pied, on se donne du mal pour gagner de l'argent, on ne prend jamais le temps de faire un geste pour les pauvres. Et puis, un jour, il se passe quelque chose et on repense à la fac, à la première année de boulot, au temps où on avait de grands idéaux, où on rêvait de mettre nos compétences au service de l'humanité. Te souviens-tu de cette époque ?

– Oui. C'est loin tout ça.

– Comme tu dis. Quand j'étais en première année de droit, on a fait un sondage : plus de la moitié d'entre nous se destinait au droit d'intérêt public.Trois ans plus tard, notre diplôme en poche, tout le monde ne pensait plus qu'à l'argent. Comment expliquer ça ?

– Les études de droit rendent cupide.

– Je suppose. Ma boîte offre la possibilité de prendre une année de congé, une sorte d'année sabbatique, pour faire du droit d'intérêt public. Au bout de douze mois, on se remet au travail comme si on n'avait jamais arrêté. Vous avez ça, chez vous ?

Warner tout craché : j'ai un problème, et hop ! il a la solution, servie sur un plateau. Dans douze mois, je suis un homme neuf. Je fais une escapade, mais mon avenir reste assuré.

– Pas pour les collaborateurs, répondis-je. J'ai entendu parler d'un ou deux associés partis travailler dans telle ou telle administration et de retour au bout de deux ou trois ans. Mais pas des collaborateurs.

– Ta situation est particulière. Tu as été traumatisé, tu as failli y laisser ta peau simplement parce que tu te trouvais là au mauvais moment. À ta place, je hausserais le ton, je dirais que j'ai besoin de prendre du recul. Après une année de congé, tu reprends le collier.

– Ça pourrait marcher.

Je tenais avant tout à l'apaiser. Mon frère était un fonceur, un être impulsif, jamais loin de provoquer une dispute, surtout avec ceux de sa famille.

Désireux d'abréger la conversation, j'ai dit que j'étais à la bourre ; lui aussi. Nous nous sommes promis de parler plus longtemps la prochaine fois.

J'ai eu avec Rudolph un déjeuner de travail dans un restaurant chic. Cela signifie d'une part que l'alcool est proscrit, d'autre part que le client qui nous accompagne paie notre temps. Le tarif de Rudolph était de quatre cents dollars de l'heure, le mien de trois cents. Les deux heures passées à table coûtèrent donc au client la bagatelle de quatorze cents dollars. Drake & Sweeney avait un compte au restaurant ; la comptabilité trouvait le moyen de facturer aussi au client le prix des repas.

Réunions et conversations téléphoniques se sont succédé au long de l'après-midi. Au prix d'un terrible effort de volonté, j'ai réussi à tenir le coup en facturant à tour de bras. Jamais la législation antitrust ne m'avait paru aussi désespérément absconse et barbante.

Il m'a fallu attendre 17 heures pour avoir quelques minutes de solitude. Après avoir souhaité une bonne soirée à Polly, j''ai rouvert la mystérieuse chemise et commencé à jeter des notes sur un bloc, des griffonnages, des flèches en tous sens, pointées sur RiverOaks et Drake & Sweeney. Braden Chance, l'associé du service immobilier, recevait la plupart des traits dirigés sur le cabinet.

Mon principal suspect était son assistant, le jeune homme qui avait surpris notre échange de propos aigres-doux et traité Chance de con à mi-voix, au moment où je passais devant son bureau. Il devait connaître les détails de l'expulsion et avoir accès au dossier.

En utilisant un portable pour éviter le risque d'un enregistrement, j'ai appelé un assistant de mon service dans un bureau voisin du mien, qui m'a renvoyé à un collègue. Sans grande difficulté, j'ai appris le nom de celui que je cherchais : Hector Palma. Il était chez Drake & Sweeney depuis trois ans, toujours dans le même service. Il fallait que je le rencontre, mais pas au bureau.

J'ai reçu un coup de fil de Mordecai qui voulait m'inviter à dîner.

– Une soupe ?

– Certainement pas, fit-il en riant. Je connais un excellent restaurant.

Il m'a donné rendez-vous à 19 heures. Claire avait retrouvé son mode de vie habituel où horaires, repas et mari passaient au second plan. Elle avait appelé dans l'après-midi, quelques mots entre deux cours. Elle ne savait pas quand elle rentrerait, certainement très tard ; quant au dîner, c'était chacun pour soi. Je ne lui en tenais pas rigueur ; elle ne faisait que reproduire mon rythme de vie trépidant.

Nous nous sommes retrouvés au restaurant, près de Dupont Circle. Dans le bar bondé, des employés du gouvernement fédéral prenaient un verre avant de regagner leur banlieue cossue. Nous nous sommes installés au fond, serrés à une petite table.

– L'affaire Burton fait du bruit et ce n'est pas fini, déclara Mordecai en prenant une gorgée de bière.

– Je viens de passer douze heures bouclé dans mon bureau. Racontez-moi.

– Les média ont flairé un bon coup. Quatre enfants en bas âge et leur maman meurent dans une voiture, à moins de deux kilomètres du Capitole où la réforme de la protection sociale en préparation jettera d'autres mères à la rue. Magnifique !

– L'enterrement devrait attirer du monde.

– Et comment ! J'ai parlé aujourd'hui avec une dizaine de responsables d'associations ; ils y seront et ils veulent amener tous leurs militants. Les sans-logis viendront en masse et il y aura une foule de journalistes. Quatre petits cercueils près de celui de la mère ; les images seront diffusées au journal télévisé de 18 heures. Nous organisons un rassemblement avant la cérémonie et un défilé après.

– Leur mort sera peut-être utile à quelque chose.

– Peut-être.

L'avocat expérimenté que j'étais savait qu'une invitation au restaurant cachait quelque chose ; Mordecai avait une idée derrière la tête. Je le voyais à la manière dont ses yeux suivaient les miens.

– Savez-vous pourquoi ils se sont retrouvés à la rue ?

116

– Non. Le processus habituel, sans doute. Je n'ai pas eu le temps de me renseigner.

J'avais décidé en venant de ne pas lui parler de la mystérieuse chemise ; son contenu confidentiel ne m'était connu que grâce à ma situation chez Drake & Sweeney. Divulguer ce que j'avais appris sur les activités d'un client aurait constitué une violation du secret professionnel auquel j'étais tenu. Cette idée me faisait froid dans le dos ; en outre, je n'avais rien pu vérifier.

Le serveur apporta les salades ; nous avons commencé à manger.

– Nous avons eu une réunion cet après-midi, glissa Mordecai entre deux bouchées. Abraham, Sofia et moi ; nous avons besoin d'aide.

Cela ne m'étonna pas.

– Quel genre d'aide ?

– Il nous faut un autre avocat.

– Je vous croyais fauchés.

– Nous avions un peu d'argent de côté. Et nous avons adopté une nouvelle stratégie de marketing.

Il était amusant d'imaginer le centre d'assistance juridique de la 14e Rue mettant en œuvre une stratégie de marketing. Mordecai avait réussi son effet ; nous avons échangé un sourire.

– Si le nouvel avocat pouvait consacrer dix heures par semaine à réunir des fonds, il aurait de quoi se payer. Cela fait mal au cœur de le reconnaître, poursuivit-il avec un nouveau sourire, mais notre avenir dépendra de notre capacité à réunir des fonds. La fondation Cohen s'essouffle. Nous avons eu jusqu'à présent la chance de ne pas tendre la sébile, mais cela ne durera pas.

– En quoi consisterait le reste des activités ?

– La défense des sans-abri ; vous n'êtes plus un novice. Vous avez vu nos bureaux, un vrai gourbi. Sofia est une mégère, Abraham un imbécile. Les clients puent et nous gagnons des clopinettes.

– Combien ?

– Nous proposons trente mille dollars par an mais ne pouvons vous en promettre que la moitié pour les six premiers mois.

– Pourquoi ?

– La fondation arrête ses comptes le 30 juin et nous informe à cette date du montant de son financement pour l'année fiscale à venir. Nous avons assez en réserve pour vous payer les six premiers mois, après quoi nous partagerons en quatre ce qui reste, déduction faite des frais.

– Abraham et Sofia ont donné leur accord ?

– Après m'avoir écouté. J'imagine que vous avez de bons contacts avec le barreau et comme vous êtes bien élevé, sympathique, vif d'esprit et toutes ces conneries, vous devriez pouvoir réunir des fonds sans difficulté.

– Et si je n'ai pas envie de le faire ?

– Eh bien, nous réduirons encore plus nos salaires, pour descendre à une vingtaine de milliers de dollars, puis à quinze. Quand la fondation n'aura plus un sou, il nous restera la rue, comme nos clients. Nous deviendrons des avocats sans abri.

– Je représente donc l'avenir du centre d'assistance juridique de la 14e Rue ?

– Nous avons décidé de faire de vous un associé à part entière. Voyons si Drake & Sweeney a mieux à proposer.

– Je suis très touché.

J'étais aussi un peu effrayé. La proposition n'était pas inattendue, mais elle ouvrait une porte que j'hésitais à franchir.

On nous a servi la soupe de haricots noirs ; nous avons commandé une autre bière.

– Parlez-moi d'Abraham.

– Un petit juif de Brooklyn venu à Washington avec l'équipe du sénateur Moynihan. Après quelques années au Capitole, il a fini à la rue. C'est un cerveau ; il passe le plus clair de son temps à coordonner les activités bénévoles d'avocats employés par de gros cabinets. En ce moment, il est en procès avec les services du recensement pour que tous les sans-abri soient dénombrés et avec les autorités scolaires pour que les enfants de la rue reçoivent un enseignement. C'est un homme de l'ombre, d'une grande efficacité.

– Et Sofia ?

– Assistante sociale de profession, elle a suivi pendant onze ans des cours du soir en droit. Elle pense et agit comme un avocat, surtout quand il faut bousculer des fonctionnaires. Vous l'entendrez dire dix fois par jour au téléphone : « Sofia Mendoza, avocat-conseil. »

– Elle fait aussi office de secrétaire ?

– Nous n'avons pas de secrétaire ; chacun tape ses dossiers, les classe et fait le café. Nous travaillons ensemble depuis longtemps, Michael, poursuivit-il sur le ton de la confidence en se penchant légèrement vers moi, et nous avons nos habitudes. Pour ne rien vous cacher, un nouveau visage et des idées neuves ne nous feraient pas de mal.

– J'avoue que sur le plan financier, la proposition est alléchante.

Mon humour lui arracha un sourire.

– On ne fait pas ça pour l'argent, mais pour la paix de son âme.

Mon âme m'a tenu éveillé une grande partie de la nuit. Aurais-je le cran de lâcher la proie pour l'ombre ? Était-il raisonnable d'accepter un poste si mal payé, de dire littéralement adieu à des millions de dollars ?

Tous les biens que je convoitais seraient rangés au rayon des souvenirs.

Le moment n'était pas si mal choisi. Mon mariage à vau-l'eau, il semblait opportun d'opérer des changements radicaux dans tous les domaines.

12.

Le mardi, je me suis fait porter pâle. Une grippe, sans doute, expliquai-je à Polly qui, selon son habitude, exigea des détails. Fièvre, gorge irritée, maux de tête ? Tout ça ; tout ce qu'on voulait, cela m'était parfaitement égal. Il valait mieux être vraiment malade pour sauter une journée de travail chez Drake & Sweeney. Elle allait en informer Rudolph ; redoutant qu'il ne m'appelle, j'ai aussitôt quitté l'appartement pour m'offrir une balade dans Georgetown. La neige fondait vite ; la température devait atteindre 12 °C dans la journée. J'ai passé une heure à flâner le long des quais, m'arrêtant fréquemment pour boire un cappuccino en regardant les rameurs se geler sur le Potomac.

À 10 heures, je suis parti pour l'enterrement.

Derrière les barrières disposées sur le trottoir se tenaient des policiers dont les motos étaient garées sur la chaussée ; plus loin se trouvaient les véhicules de la télévision.

En passant devant l'église, j'ai vu une foule nombreuse écouter un orateur vociférant dans un micro. Quelques banderoles aux inscriptions hâtivement tracées étaient brandies au-dessus des têtes pour les caméras. J'ai garé ma voiture dans une petite rue, à une centaine de mètres, avant de repartir vers l'église d'un pas vif. Pour éviter la foule massée sur le trottoir, je me suis dirigé vers une porte latérale gardée par un vieillard. J'ai demandé s'il y avait une galerie ; il m'a demandé si j'étais journaliste.

Il m'a fait entrer, indiquant une porte. En haut d'une volée de marches branlantes, j'ai débouché sur la galerie dominant une nef magnifique. Moquette pourpre, bancs en bois sombre, vitraux aux fenêtres : une belle église. Je comprenais la répugnance du pasteur à l'ouvrir à la foule des sans-abri.

J'étais seul, libre de m'asseoir où je voulais. J'ai discrètement choisi un siège d'où j'avais une vue plongeante sur l'allée centrale et la chaire. Un chœur commença à chanter sur le parvis.

La musique cessa, les portes s'ouvrirent, ce fut la ruée sur les bancs. Le plancher de la galerie trembla tandis que la foule envahissait l'église ; le chœur se déploya derrière la chaire. Le pasteur plaça tout le monde : la famille au premier rang, les équipes de télévision sur le côté, le reste de l'assistance de part et d'autre de l'allée centrale. Mordecai était flanqué de deux personnes que je ne connaissais pas. Une petite porte s'ouvrit sur le côté du chœur. Les prisonniers firent leur entrée : la mère de Lontae et ses deux frères en uniforme bleu, les poignets et les chevilles entravés, enchaînés l'un à l'autre, escortés par quatre gardiens armés. On les plaça au deuxième rang, derrière la grand-mère et la poignée de proches.

Quand le brouhaha se fut apaisé, les premières notes de l'orgue s'élevèrent, lentes et graves. Il y eut un mouvement au-dessous de moi ; toutes les têtes se tournèrent. Le pasteur monta en chaire et demanda à l'assistance de se lever.

Des employés des pompes funèbres en gants blancs poussèrent les cercueils le long de l'allée centrale et les placèrent bout à bout en travers du chœur, celui de la mère au centre. Le cercueil du bébé était minuscule – pas plus de quatre-vingts centimètres –, ceux d'Ontario, d'Alonzo et de Dante un peu plus grands. Les choristes commencèrent à fredonner un chant funèbre en se balançant d'un pied sur l'autre.

On disposa des couronnes de fleurs autour des cercueils ; horrifié, j'ai cru, l'espace d'un instant, qu'on allait les ouvrir. Je n'avais jamais assisté à un service funèbre de la communauté noire. Je ne savais pas à quoi m'attendre, mais j'avais vu des reportages montrant le cercueil ouvert, la famille se penchant sur le corps pour un baiser d'adieu. Les caméras étaient toujours aux aguets.

Nous nous sommes assis pour écouter le pasteur, puis le prêche d'une religieuse d'un ordre charitable auquel a succédé un long moment de silence. Après son homélie, le pasteur donna la parole à une militante d'une association pour le droit au logement qui se lança dans une violente diatribe contre une société et ses dirigeants qui laissaient de tels drames se produire.

Un tonnerre d'applaudissements salua son discours. Le pasteur reprit longuement la parole pour morigéner les nantis.

Encore une homélie, puis le chœur entonna un hymne vibrant, à faire monter les larmes aux yeux. Le cortège qui s'était formé pour s'avancer vers l'autel rompit rapidement les rangs pour caresser les cercueils au milieu des lamentations.

– Ouvrez-les ! lança une voix dans la foule.

Le pasteur secoua la tête du haut de la chaire. La foule se groupa à ses pieds, se pressa autour des cercueils tandis que le volume sonore du chœur allait crescendo. Soutenue par ses voisins, la grand-mère chantait à pleine voix.

Je n'en croyais pas mes yeux. Où étaient tous ces gens les derniers mois de la pauvre vie de Lontae ? Les petits corps enfermés dans leur caisse en bois n'avaient jamais été entourés de tant d'amour.

Les caméras se sont rapprochées de la cohue ; c'était un spectacle plus qu'autre chose.

Le pasteur finit par remettre de l'ordre dans la maison du Seigneur. Il fit une dernière prière, accompagnée par les sonorités plaintives de l'orgue. Avant de se retirer, l'assistance défila une dernière fois devant les cercueils.

La cérémonie funèbre avait duré une heure et demie. Le spectacle valait bien deux mille dollars ; j'en étais fier.

La foule se rassembla sur le parvis avant de prendre en cortège la direction du Capitole. En reconnaissant la haute silhouette de Mordecai dans les premiers rangs, je me suis demandé à combien de défilés et de manifestations il avait pris part. Pas assez, aurait-il certainement répondu.

Rudolph Mayes avait été promu associé chez Drake & Sweeney à l'âge de trente ans, un record de précocité. Si les choses continuaient comme il le souhaitait, il serait un jour le plus âgé des associés en activité. Le cabinet était toute sa vie, comme ses trois ex-épouses pouvaient en témoigner.

J'avais rendez-vous dans son bureau à 18 heures ; il m'attendait derrière une montagne de dossiers. Polly et les secrétaires étaient parties, ainsi que la plupart des assistants. L'activité ralentissait sensiblement après 17 h 30.

Je me suis installé dans un fauteuil sans attendre qu'il m'y invite.

— Je vous croyais malade.

— Je pars, Rudolph, annonçai-je crânement, l'estomac noué.

Il écarta quelques livres, vissa le capuchon de son stylo de marque.

— J'écoute.

— Je quitte le cabinet ; j'ai reçu une proposition pour faire du droit d'intérêt public.

— Ne dites pas de bêtises, Michael.

– Ce ne sont pas des bêtises. Ma décision est prise et je souhaite partir aussi discrètement que possible.

– Encore trois ans et vous serez associé.

– J'ai trouvé mieux.

Ne voyant rien à répondre, il me lança un regard furieux.

– Allons, Michael, vous ne pouvez pas craquer pour si peu.

– Je ne craque pas, Rudolph, je passe simplement à un domaine différent.

– Aucun des autres otages ne réagit comme vous.

– Tant mieux pour eux. S'ils sont heureux, je m'en réjouis. Du reste, les gens du contentieux sont une race à part.

– Où irez-vous ?

– Dans un centre d'assistance juridique, près de Logan Circle, spécialisé dans la défense des sans-abri.

– La défense des sans-abri ?

– Exactement.

– Combien gagnerez-vous ?

– Une fortune, croyez-moi ! Voulez-vous faire un don ?

– Vous avez perdu la tête !

– Une crise passagère, Rudolph. Je n'ai que trente-deux ans, trop jeune pour la crise de la quarantaine. J'imagine que je m'en remettrai rapidement.

– Prenez un mois de congé. Allez travailler pour les sans-abri, attendez que ça vous passe et revenez. Le moment est très mal choisi pour partir ; vous savez que nous avons beaucoup de retard.

– Ça ne marcherait pas, Rudolph. Le vrai jeu est de travailler sans filet.

– Le vrai jeu ? Vous faites cela pour vous amuser ?

124

– Absolument. Imaginez le plaisir que l'on doit avoir à travailler sans garder un œil fixé sur la pendule.

– Et Claire ? lança-t-il, révélant la profondeur de son désarroi.

Il la connaissait à peine et était certainement peu qualifié pour donner des conseils en matière conjugale.

– Elle le prend bien. J'aimerais partir vendredi.

Il poussa un grognement de résignation, secoua lentement la tête, les yeux clos.

– Je ne peux pas le croire.

– Désolé, Rudolph.

Nous nous sommes quittés sur une poignée de main en prenant un rendez-vous matinal pour passer en revue mes dossiers en cours.

Ne voulant pas que Polly apprenne mon départ par la bande, je l'ai appelée de mon bureau. Elle était chez elle, dans son appartement d'Arlington ; mon coup de téléphone gâcha sa soirée.

Sur le chemin du retour, j'ai acheté chez un traiteur des plats thaïlandais pour le dîner. Après avoir mis une bouteille de vin au frais, j'ai dressé la table et commencé à répéter mon texte.

Je ne sais si Claire a subodoré un traquenard ; en tout cas, elle n'en a rien montré. Au fil des ans, nous avions pris l'habitude, plutôt que d'aller de dispute en dispute, de ne pas nous occuper l'un de l'autre. Il n'était donc pas besoin d'user de tactiques sophistiquées.

Mais l'idée de la prendre au dépourvu me plaisait. Lancer une attaque surprise, être prêt à affronter sa réaction et à essuyer ses sarcasmes. Ce serait tout à fait déloyal et parfaitement acceptable dans le cadre d'un mariage raté.

Elle est arrivée peu avant 22 heures. Comme elle avait déjà dîné, nous avons filé directement dans le salon avec un verre de vin. J'ai tisonné le feu ; nous nous sommes tous deux installés dans notre fauteuil préféré.

– J'ai à te parler, déclarai-je au bout de quelques minutes.

– Qu'y a-t-il ?

Son ton était détaché.

– J'envisage de quitter le cabinet.

– Vraiment ? fit-elle en prenant une gorgée de vin.

J'admirais son sang-froid ; soit elle s'y attendait, soit elle feignait l'indifférence.

– Je ne peux pas rester là-bas.

– Pourquoi ?

– Il faut que je passe à autre chose. Je trouve mon boulot assommant et inutile ; j'ai envie d'aider les gens.

– Très bien.

Elle pensait déjà à l'argent, bien sûr ; j'étais curieux de savoir combien de temps elle tiendrait avant d'aborder le sujet.

– En fait, Michael, je trouve cela admirable.

– Je t'ai parlé de Mordecai Green. Il m'a proposé de travailler avec lui ; je commence lundi.

– Lundi prochain ?

– Oui.

– Alors, ta décision est prise ?

– Oui.

– Sans m'en avoir parlé ? Je n'ai pas voix au chapitre, c'est ça ?

– Je ne peux pas rester chez Drake & Sweeney, Claire. Je l'ai annoncé à Rudolph aujourd'hui.

Une nouvelle gorgée de vin, un léger grincement de dents, une bouffée de colère aussitôt réprimée. Sa maîtrise de soi était étonnante.

Nous gardions les yeux fixés sur le feu, hypnotisés par les flammes dansantes. C'est elle qui a rompu le silence.

– Puis-je demander ce que cela changera sur le plan financier ?

– Pas mal de choses.

– Quel sera ton nouveau salaire ?

– Trente mille par an.

– Trente mille par an !

Elle répéta de nouveau le chiffre, comme pour s'imprégner de sa modestie.

– C'est moins que ce que je gagne.

Elle gagnait trente et un mille dollars, un chiffre qui irait en augmentant d'une manière vertigineuse dans les années à venir. Je n'avais pas l'intention de la laisser se répandre en lamentations sur la baisse de nos revenus.

– On ne fait pas du droit d'intérêt public pour l'argent, répliquai-je en m'efforçant de ne pas prendre un ton pontifiant. Si je me souviens bien, tu n'as pas choisi la médecine pour faire fortune.

Comme tous les étudiants, elle avait commencé sa médecine en jurant qu'elle n'était pas attirée par l'argent ; elle voulait aider l'humanité. Il en allait de même pour les étudiants en droit. Tout le monde mentait.

Elle a regardé le feu en faisant ses calculs. D'abord le loyer de notre bel appartement ; pour deux mille quatre cents dollars par mois, il aurait dû être encore mieux. Nous étions fiers de notre logement – bonne adresse, belle maison, quartier chic –, mais nous y passions si peu de temps, nous recevions si rarement. Il ne serait pas agréable de déménager, mais il faut savoir s'adapter.

Nous ne nous étions jamais rien caché sur l'état de nos finances ; Claire savait que nous disposions de cinquante mille dollars en fonds commun de placement, de douze mille sur notre compte joint. Étonnant de constater que nous avions mis si peu de côté en six ans de mariage.

– Je suppose que nous allons devoir réduire notre train de vie, reprit-elle avec un regard hostile.

– Je suppose.

– Je suis fatiguée.

Elle a vidé son verre, puis est partie directement dans la chambre.

Il était navrant de constater que nous n'éprouvions même pas assez de rancœur pour déclencher une bonne vieille scène de ménage.

J'avais pleinement conscience de la situation qui allait être la mienne. C'était l'histoire édifiante d'un jeune avocat ambitieux qui se muait en défenseur des indigents, qui claquait la porte d'un cabinet de premier plan et choisissait de travailler pour presque rien. Même si Claire estimait que j'avais perdu la tête, il lui était difficile de critiquer un saint.

J'ai mis une bûche dans l'âtre, me suis servi un autre verre et ai fini par m'endormir sur le canapé.

13.

Les associés disposaient au huitième étage d'une salle à manger à leur usage exclusif ; il était considéré comme un honneur pour un collaborateur d'y prendre un repas. Rudolph était assez pénétré de son importance pour croire qu'un bol de flocons d'avoine avalé à 7 heures du matin dans cette salle m'aiderait à revenir sur terre. Comment aurais-je pu tourner le dos à un avenir rempli de petits déjeuners avec les huiles ?

Il était porteur d'excellentes nouvelles. Il s'était entretenu avec Arthur la veille au soir : une proposition visant à m'accorder un congé sabbatique de douze mois était à l'étude. Le cabinet était disposé à arrondir le salaire qui me serait versé par le centre d'assistance juridique. C'était une noble cause ; il fallait faire davantage pour protéger les droits des pauvres. Je serais considéré comme un bénévole délégué par le cabinet et ils se donneraient bonne conscience. Mes batteries rechargées, mes aspirations assouvies, je rentrerais dans le giron de Drake & Sweeney.

Cette proposition m'étonna et me toucha ; je ne pouvais la décliner tout de go. J'ai promis d'y réfléchir rapidement. Rudolph a pris soin de préciser qu'elle devait être approuvée par le comité exécutif, puisque je n'étais pas associé. Jamais dans l'histoire du cabinet un tel congé n'avait été accordé à un collaborateur.

Rudolph voulait à tout prix que je reste, mais cela n'avait rien à voir avec l'amitié. Notre service antitrust se trouvait submergé de travail ; au moins deux autres collaborateurs d'une expérience égale à la mienne étaient indispensables. Mon départ arrivait à un très mauvais moment, mais cela ne me faisait ni chaud ni froid. Ils trouveraient bien ceux dont ils avaient besoin parmi les huit cents avocats du cabinet.

J'avais facturé l'année précédente près de sept cent cinquante mille dollars. Voilà pourquoi je prenais le petit déjeuner dans leur cantine de luxe, pourquoi j'écoutais les propositions conçues à la hâte pour me garder. Voilà aussi pourquoi ils étaient disposés à distribuer l'équivalent de mon salaire annuel aux sans-abri ou à n'importe quelle œuvre de mon choix pour me faire revenir dans le troupeau au bout d'un an.

Une fois le sujet du congé sabbatique épuisé, Rudolph a entrepris de passer en revue les dossiers les plus urgents accumulés sur mon bureau. Nous étions en train de dresser une liste quand Braden Chance vint s'asseoir à une table voisine ; il ne remarqua pas ma présence tout de suite. Une douzaine d'associés prenaient le petit déjeuner, seuls pour la plupart, plongés dans la lecture des quotidiens du matin. J'ai fait comme si je ne l'avais pas vu, mais quand j'ai tourné la tête dans sa direction, j'ai surpris son regard hostile fixé sur moi.

– Bonjour, Braden, lançai-je d'une voix forte qui le fit sursauter et obligea Rudolph à se retourner pour voir à qui je m'adressais.

Chance répondit d'un petit signe de tête et commença aussitôt à beurrer un toast.

– Vous le connaissez ? demanda Rudolph à voix basse.

– Nous nous sommes rencontrés.

À la fin de notre brève conversation dans son bureau, Chance avait demandé qui était mon supérieur direct. Je lui avais donné le nom de Rudolph ; à l'évidence il n'était pas allé se plaindre auprès de lui.

– C'est un con, lâcha Rudolph d'une voix à peine audible.

Décidément, il faisait l'unanimité contre lui.

Rudolph oublia aussitôt Chance ; il tourna une page, passa à la suite. Il restait du travail en plan sur mon bureau.

De mon côté, je pensais à Chance et au dossier d'expulsion. Il avait un air assez doux, une peau claire, des traits fins, une constitution délicate. J'imaginais mal cet homme dans les rues, inspectant des entrepôts abandonnés remplis de squatters, allant jusqu'à se salir les mains pour s'assurer que le travail était bien fait. Cela ne devait jamais arriver ; il avait des assistants pour faire le sale boulot. Chance restait à son bureau, ne s'occupait que de la paperasse et facturait plusieurs centaines de dollars de l'heure tandis que les Hector Palma de son service se chargeaient des détails sordides. Chance déjeunait et jouait au golf avec les cadres de chez RiverOaks : tel était le rôle de l'associé.

Il ne connaissait probablement pas le nom des expulsés de l'entrepôt ; ces gens n'étaient pas pour lui que des squatters anonymes, sans visage et sans toit. Il n'avait pas accompagné les policiers chargés de les arracher à leur pauvre logis pour les jeter à la rue. Hector Palma, lui, avait certainement assisté à la scène.

Si Chance ne connaissait pas le nom de Lontae Burton et des enfants, il n'avait pas été en mesure d'établir le lien entre l'expulsion et leur mort. Mais peut-être le savait-il aujourd'hui, peut-être le lui avait-on dit.

Hector Palma donnerait la réponse à ces questions, et sans tarder. Il ne restait que deux jours avant mon départ.

Rudolph a mis un terme au petit déjeuner à 8 heures précises ; il avait une réunion avec des gens très importants. J'ai regagné mon bureau pour lire le *Washington Post*. Le quotidien présentait une photo bouleversante des cinq cercueils dans le chœur et un compte rendu détaillé de la cérémonie.

Il y avait aussi un éditorial, une exhortation bien tournée invitant les nantis de la capitale à prendre le temps de penser aux miséreux. On ne pouvait les faire disparaître, on ne les éjecterait pas de la rue afin de ne plus les avoir sous les yeux. Ils logeaient dans des voitures, s'abritaient dans de pauvres cabanes, se gelaient sous des tentes de fortune, dormaient sur les bancs des parcs, espéraient un lit dans des foyers surpeuplés, parfois dangereux. Nous partagions la même ville ; ils appartenaient à notre société. Si nous ne leur venions pas en aide, leur nombre irait en s'accroissant et ils continueraient de mourir dans nos rues.

J'ai découpé l'éditorial et l'ai plié pour le glisser dans mon portefeuille.

Je me suis mis en contact avec Hector Palma par l'intermédiaire du réseau des assistants. Il n'eût pas été prudent de l'aborder directement ; Chance devait être aux aguets.

Nous nous sommes retrouvés dans la grande bibliothèque du troisième étage, entre des piles de livres, à l'abri des regards et des caméras de surveillance.

– Est-ce vous qui avez déposé la chemise sur mon bureau ? demandai-je de but en blanc.

Je n'avais pas le temps de tourner autour du pot.

– Quelle chemise ? fit-il en lançant des regards inquiets en tous sens, comme si des tueurs étaient à ses trousses.

– L'expulsion RiverOaks/TAG. C'est vous qui vous en êtes occupé ?

132

Il ignorait si j'en savais long.

– Oui.

– Où est le dossier ?

Il a attrapé un ouvrage sur une étagère, dans l'attitude de celui qui est plongé dans des recherches.

– Chance conserve tous ses dossiers.

– Dans son bureau ?

– Dans un classeur fermé à clé.

Nos voix étaient réduites à des murmures de conspirateurs. Je n'étais pas nerveux avant le rendez-vous, mais je me suis surpris à lancer des regards autour de moi. Si quelqu'un nous avait observés, il aurait immédiatement compris que nous étions en train de manigancer quelque chose.

– Que contient le dossier ?

– Des choses pas très nettes.

– Racontez-moi.

– J'ai une femme et quatre gosses ; je ne veux pas me faire virer.

– Vous avez ma parole.

– Vous allez partir ; en quoi cela vous intéresse-t-il ?

Les nouvelles allaient vite, mais il n'y avait pas à s'en étonner. Je m'étais souvent demandé qui, des avocats ou de leurs secrétaires, colportait le plus de rumeurs. J'avais oublié les assistants.

– Pourquoi avez-vous déposé cette chemise sur mon bureau ?

D'une main tremblante, il a pris un autre livre sur un rayon.

– Je ne sais pas de quoi vous parlez.

Il a tourné quelques pages, s'est avancé au bout de l'allée. Je l'ai suivi, sachant qu'il n'y avait personne à proximité. Il s'est arrêté, a saisi un autre livre ; il avait encore envie de parler.

– Il me faut ce dossier.

– Je ne l'ai pas en ma possession.

– Comment faire pour me le procurer ?

– Il faudra le dérober.

– Soit. Où puis-je trouver la clé ?

Il m'a dévisagé avec attention, essayant de déterminer si je parlais sérieusement.

– Je n'ai pas la clé.

– Comment avez-vous obtenu la liste des expulsés ?

– Je ne sais pas de quoi vous parlez.

– Bien sûr que si. Vous l'avez déposée sur mon bureau.

– Vous êtes complètement malade.

Il s'est éloigné. J'ai attendu qu'il fasse demi-tour, mais il a continué du même pas entre les rayonnages et les piles de livres. Il a poussé la porte sans se retourner.

Contrairement à ce que j'avais fait croire à Rudolph, je n'avais pas l'intention de passer les trois derniers jours à travailler d'arrache-pied. Après avoir étalé sur mon bureau une couche de paperasses et fermé ma porte à clé, j'ai laissé mon regard errer sur les murs et songé en souriant à tout ce que j'allais laisser derrière moi. Ma tension se relâchait à chaque inspiration. Plus de cadences infernales, plus de semaines de quatre-vingts heures dans la crainte que des confrères ambitieux en fassent quatre-vingt-cinq. Plus besoin de lécher les bottes à mes supérieurs, plus de cauchemars à l'idée de ne pas être promu associé.

J'ai appelé Mordecai pour lui annoncer que j'acceptais sa proposition. Il a répondu en riant qu'il allait réfléchir à la manière dont il pourrait me payer. Je devais commencer le lundi suivant, mais il me demanda de passer pour m'indiquer dans les grandes lignes ce que j'aurais à faire. En me représentant les locaux du centre, j'ai essayé de deviner lequel des bureaux encombrés me serait attribué. Comme si cela pouvait avoir de l'importance.

La fin d'après-midi fut en grande partie consacrée aux adieux empreints de gravité d'amis et de confrères intimement persuadés que j'avais perdu la tête.

On ne se formalise pas de ce genre de chose quand on est sur la voie de la sainteté.

Pendant ce temps, ma femme avait rendez-vous chez une avocate spécialisée dans le divorce, qui avait la réputation d'être implacable avec les maris de ses clientes.

Claire m'attendait à mon retour ; il était 18 heures, tôt pour nous. Sur la table de la cuisine couverte de feuilles noircies et de tableaux était posée une calculatrice de poche. Bien préparée, Claire m'a fait un accueil glacial. C'était mon tour de tomber dans le traquenard.

– Je propose un divorce pour incompatibilité d'humeur, commença-t-elle d'un ton posé. Pas de scènes, pas de reproches mutuels. Reconnaissons ce que nous avons été incapables de nous avouer : tout est fini entre nous.

Elle attendit que je réponde quelque chose. Je ne pouvais feindre la surprise. Sa décision était prise ; à quoi bon protester ? Il ne me restait qu'à montrer le même sang-froid.

– Comme tu voudras, fis-je avec un détachement affecté.

J'éprouvais un certain soulagement de pouvoir enfin être franc, mais j'étais agacé de voir qu'elle était plus pressée de divorcer que moi.

Pour garder l'avantage, elle me fit part de son entretien avec Jacqueline Hume, son nouveau conseil, dont elle lâcha le nom comme un tir de mortier et entreprit de rapporter les opinions orientées.

– Pourquoi as-tu pris une avocate ? coupai-je.

– Je veux être sûre que je suis protégée.

– Tu crois que je chercherais à te léser ?

– Tu es avocat ; je voulais avoir un avocat, tout simplement.

– Tu aurais économisé gros en t'en dispensant.

Je n'allais pas baisser les bras aussi vite ; il s'agissait de notre divorce.

– Je me sens beaucoup mieux comme ça.

Elle m'a tendu une première feuille, un tableau des comptes du ménage. La deuxième était une proposition de répartition des biens. Comme il fallait s'y attendre, elle comptait obtenir la plus grosse part du gâteau.

Nous disposions de douze mille dollars sur notre compte joint ; elle voulait en utiliser la moitié pour rembourser l'emprunt sur sa voiture ; pas un mot sur les dix mille dollars dus pour ma Lexus. Elle demandait aussi quarante des cinquante mille dollars que nous avions en fonds commun de placement.

– Pas vraiment un partage équitable, hasardai-je.

– Il ne le sera pas, répondit Claire avec l'assurance de celle qui vient d'acheter un pitbull.

– Pourquoi ?

– Ce n'est pas moi qui traverse une crise de la quarantaine.

– Alors, tout est ma faute ?

– Il ne s'agit pas de savoir qui est en faute mais de procéder à la répartition des biens. Pour des raisons qui t'appartiennent, tu as choisi d'accepter une diminution de salaire de quatre-vingt-dix mille dollars par an. Pourquoi devrais-je en supporter les conséquences ? Mon avocate est certaine de pouvoir convaincre un juge que ta décision nous conduit à la déroute financière. Si tu veux te comporter comme un malade mental, c'est ton droit, mais je n'ai pas l'intention de me retrouver sur la paille.

– Je te fais confiance.

– Pas de reproches mesquins.

136

– Je n'en ferais pas non plus si j'obtenais tout, ripostai-je, incapable de résister à l'envie d'envenimer un peu les choses.

Nous ne voulions ni hurler ni nous jeter des objets à la tête, nous n'allions certainement pas fondre en larmes, nous ne pouvions nous lancer des reproches fielleux sur des aventures ou des vices. Vous parlez d'un divorce !

Sans relever, elle poursuivit la lecture de la liste probablement établie par l'avocate.

– Je resterai dans l'appartement ; le bail court jusqu'à la fin juin. Cela représente dix mille dollars de loyer.

– Quand veux-tu que je parte ?

– Le plus tôt possible.

– Bien.

Elle voulait être débarrassée de moi ; je n'allais pas la supplier. C'était à qui ferait mieux que l'autre, à qui montrerait le plus de dédain.

J'ai failli dire quelque chose de stupide, du genre : « Quelqu'un d'autre vient s'installer ici ? » J'avais envie de la déstabiliser, de la voir perdre contenance. Mais je me suis contenu.

– Je serai parti avant la fin du week-end.

Elle n'eut aucune réaction.

– Pourquoi estimes-tu avoir droit à quatre-vingts pour cent de nos économies ?

– Je n'en aurai pas quatre-vingts pour cent. Je dépenserai dix mille dollars pour le loyer, trois mille pour les factures, deux mille pour nos cartes de crédit et nous en devrons six mille pour les impôts. Total vingt et un mille.

La troisième feuille était une liste détaillée de nos biens personnels. Comme nous ne voulions ni l'un ni l'autre nous chamailler pour des objets de première nécessité, la répartition se fit à l'amiable. Je lui dis à plusieurs reprises de garder ce qu'elle voulait, en particulier le linge de maison. Pour les objets, l'échange fut plus subtil. Je voulais un téléviseur et de la vaisselle ; pris de court par mon nouvel état de célibataire, j'avais du mal à réfléchir à l'ameublement d'un logement. Claire, de son côté, avait passé des heures à se projeter dans l'avenir.

La fastidieuse répartition achevée, chacun se déclara satisfait du partage. Il nous restait à signer un accord de séparation et à attendre six mois avant de nous présenter ensemble devant le juge qui prononcerait la dissolution du mariage.

Nous n'avions ni l'un ni l'autre envie de bavarder. J'ai attrapé mon manteau pour aller faire une longue promenade dans les rues de Georgetown en me demandant comment la vie pouvait changer d'une manière aussi radicale.

L'érosion de notre couple avait été lente mais inexorable ; le tour pris par ma carrière avait fait l'effet d'une bombe. Tout allait trop vite et je n'avais aucune prise sur les événements.

14.

La demande de congé sabbatique fut rejetée par le comité exécutif. Nul n'était censé savoir ce qui se passait pendant les délibérations à huis clos mais Rudolph, la mine sombre, m'annonça que l'on n'avait pas voulu créer un dangereux précédent dans un cabinet de cette taille. Accorder une année de congé à un collaborateur eût risqué de provoquer une vague de requêtes similaires de la part de mécontents de tout poil.

Je ne pouvais faire machine arrière ; la porte claquerait derrière moi quand je partirais.

– Êtes-vous sûr d'avoir pris la bonne décision ? demanda Rudolph.

Il se tenait devant mon bureau, deux grands cartons à ses pieds ; Polly avait commencé à empaqueter mes affaires.

– Absolument, répondis-je en souriant. Ne vous inquiétez pas pour moi.

– J'ai fait ce que j'ai pu.

– Merci, Rudolph.

Il sortit en secouant la tête.

Après la grande explication avec Claire, le congé sabbatique m'était sorti de l'esprit. Des préoccupations plus urgentes retenaient mon attention : j'allais bientôt être divorcé, seul et à la rue.

Je me trouvais brusquement devant la nécessité

de dénicher un appartement, sans parler de ce nouveau travail qui m'attendait. Après m'être enfermé dans mon bureau, je me suis plongé dans la lecture des petites annonces immobilières.

En vendant ma voiture, je m'affranchirais des quatre cent quatre-vingts dollars des mensualités. J'achèterais un vieux clou que j'assurerais contre le vol en attendant qu'il disparaisse dans les rues sombres du quartier populaire où j'habiterais. Si je tenais à trouver un logement correct dans les beaux quartiers, il était évident que la majeure partie de mon nouveau salaire passerait dans le loyer.

Je me suis aussitôt mis à la recherche d'un appartement. Le moins cher de ceux que j'ai visités était une piaule sinistre à onze cents dollars par mois, beaucoup trop pour un avocat des pauvres.

Une autre chemise m'attendait à mon retour. Même format que la première, papier kraft, sans inscription ; même endroit sur mon bureau. À l'intérieur deux clés étaient scotchées d'un côté, une note dactylographiée agrafée de l'autre. Le texte disait :

La clé du haut est celle de la porte du bureau de Chance ; l'autre ouvre le classeur sous la fenêtre. Copier et remettre en place. Chance est très soupçonneux. Se débarrasser des clés.

Polly a surgi tout à coup, comme elle le faisait souvent ; sans frapper, sans un bruit, une apparition dans la pièce. Elle boudait, ne m'adressait pas la parole, se prétendait anéantie par l'annonce de mon départ. Nous avions passé quatre ans ensemble, sans être véritablement proches ; elle aurait un nouveau patron dans quelques jours. Polly était très sympathique, mais j'avais d'autres chats à fouetter.

J'ai refermé prestement la chemise, sans savoir si elle l'avait vue. J'ai attendu un moment en la regardant s'affairer autour de mes cartons. Elle n'y a pas fait allusion ; j'en ai conclu qu'elle n'avait pas attiré son attention. Mais comme elle surveillait les allées et venues dans le couloir, je ne voyais pas comment Hector ou quelqu'un d'autre aurait pu entrer dans mon bureau et en sortir sans se faire remarquer.

Barry Nuzzo, mon meilleur ami, est passé me voir. Visiblement, il voulait avoir une conversation sérieuse. Il a fait le tour des cartons et s'est planté devant le bureau. N'ayant pas envie d'aborder le sujet de mon départ, je lui ai parlé de Claire. Sa femme et la mienne étaient toutes deux originaires de Providence ; nous nous étions vus épisodiquement les premières années, mais nos relations d'amitié avaient suivi la même pente que mon mariage.

La nouvelle de notre séparation le surprit et l'attrista dans un premier temps, puis il sembla prendre la chose avec sérénité.

– Tu es dans une mauvaise passe, fit-il. Je suis triste pour toi.

– Disons plutôt une longue dégringolade.

Nous avons évoqué le bon vieux temps, des amis partis sous d'autres cieux. Nous n'avions pas pris le temps de reparler de la prise d'otages devant une bière ; cela me parut étrange. Deux amis regardent ensemble la mort en face et s'en sortent indemnes, mais ils sont trop occupés pour s'aider mutuellement à amortir le choc.

Nous avons fini par y venir ; difficile d'éviter le sujet avec les cartons au beau milieu du bureau.

– Désolé de t'avoir laissé tomber, fit-il.

– Je t'en prie, Barry.

– Je parle sincèrement ; j'aurais dû rester à tes côtés.

– Pourquoi ?

– Tu as pété les plombs, ça crève les yeux ! répondit-il en riant.

– C'est vrai, répliquai-je, essayant de faire bonne figure. Je déraille un peu en ce moment, mais je m'en remettrai.

– Sans rire, j'ai appris que tu avais des ennuis. J'ai essayé de te joindre la semaine dernière ; tu étais parti. Je m'inquiétais pour toi, mais j'étais au Palais. Tu sais ce que c'est.

– Je sais.

– Je m'en veux terriblement de ne pas t'avoir soutenu, Mike. Accepte mes excuses.

– Arrête. N'en fais pas trop.

– Nous avons tous eu une trouille bleue, mais tu aurais pu te faire tuer.

– Il aurait pu tous nous tuer, Barry. Des bâtons de dynamite, une balle qui s'égare et boum ! Ne revenons pas là-dessus.

– Au moment où nous sommes sortis de la salle, je t'ai vu, couvert de sang, et j'ai cru que tu avais été touché. Nous nous sommes retrouvés dans le couloir, entassés les uns sur les autres ; des gens hurlaient autour de nous, nous traînaient sur le sol. J'attendais l'explosion en me répétant : Mike est resté à l'intérieur, il est blessé. Devant les ascenseurs, on a coupé les cordes qui nous liaient les poignets ; je me suis retourné juste à temps pour voir les policiers t'entraîner dans le couloir. Je n'oublierai jamais le sang, tout ce sang sur ta figure.

Je n'ai rien répondu. Il s'était libéré ; il aurait l'esprit plus tranquille. Il pourrait dire à Rudolph et aux autres qu'il avait essayé de me dissuader de partir.

– J'ai demandé à tout le monde si tu étais blessé. Le temps passait, on ne nous disait rien, et puis on a annoncé que tu n'avais pas de mal. Je voulais t'appeler en arrivant à la maison, mais les gosses ne m'ont pas lâché.

– Pas grave.

– Je suis désolé, Mike.

– Cesse de t'excuser ; c'est fini, c'est le passé. On aurait pu en parler des journées entières, cela n'aurait rien changé.

– Quand as-tu décidé de partir ?

J'ai réfléchi un moment. La vraie réponse était dimanche, quand l'employé de la morgue avait tiré le drap recouvrant le petit corps d'Ontario, quand j'avais revu l'enfant qui avait enfin trouvé la paix. C'est à ce moment-là que j'étais devenu un autre.

– Pendant le week-end.

Je n'ai pas donné d'autre explication ; il n'en avait pas besoin.

Il a lentement secoué la tête, comme s'il devait être tenu pour responsable de la présence des cartons à ses pieds. J'ai décidé de l'aider à soulager sa conscience.

– Tu n'aurais pas pu m'en empêcher, Barry. Ni toi ni personne.

Il a hoché la tête en signe d'acquiescement, comme s'il comprenait ce que j'avais pu ressentir. Quand on a le canon d'un pistolet sur la tête, le temps s'arrête, les priorités apparaissent clairement : Dieu, la famille, les amis. L'argent, la carrière deviennent plus dérisoires à chacune de ces secondes qui peut être la dernière.

– Et toi, Barry ? Comment ça va ?

Pour lui, le cabinet et la carrière n'avaient perdu leur importance que quelques heures.

– Nous avons commencé un procès jeudi. Nous étions en train d'y travailler quand Monsieur a fait intrusion dans notre réunion. Pas question de demander un ajournement au juge ; le client avait attendu quatre ans. Et nous n'étions pas blessés, pas physiquement en tout cas. Nous avons donc mis les bouchées doubles pour l'ouverture du procès à la date prévue ; c'est ce qui nous a sauvés.

Évidemment. Chez Drake & Sweeney, le travail est une thérapie, mieux, le salut. Je me retins de hurler ; quinze jours plus tôt, j'aurais tenu le même discours.

– Parfait, murmurai-je. Alors, tout baigne ?

– Bien sûr.

Les gars du service contentieux étaient des durs, cuirassés contre les aléas de la vie. Barry avait aussi trois enfants ; il ne pouvait s'offrir le luxe d'une incartade.

Le temps lui était compté. Nous avons échangé une poignée de main avant de tomber dans les bras l'un de l'autre en nous promettant de rester en contact.

Bouclé dans mon bureau, j'ai sorti la chemise en réfléchissant à ce que j'allais faire. Il ne me fallut pas longtemps pour poser quelques postulats. Un, les clés fonctionnaient. Deux, ce n'était pas un piège ; je n'avais pas d'ennemi déclaré et mes affaires étaient emballées. Trois, le dossier se trouvait effectivement dans un classeur sous la fenêtre du bureau de Chance. Quatre, il était possible de le subtiliser sans se faire prendre. Cinq, il ne fallait pas longtemps pour le copier. Six, il pouvait être replacé comme si de rien n'était. Pour finir – c'était le plus important –, il contenait des éléments compromettants.

J'ai fait une liste de ces sept points. Être surpris en train de dérober le dossier ou de pénétrer frauduleusement dans le bureau de Chance à l'aide d'un double de sa clé me vaudrait un renvoi immédiat ; c'était le cadet de mes soucis.

L'obstacle majeur était la reproduction des documents. Tous les dossiers faisant au moins deux ou trois centimètres d'épaisseur, il y aurait probablement une centaine de pages à photocopier. Il me faudrait rester plusieurs minutes devant une machine, exposé à la vue de tous. Trop dangereux. La reproduction des documents était une tâche réservée aux secrétaires et au personnel de bureau. Nous disposions d'un matériel de pointe, au fonctionnement compliqué ; nul doute que les machines attendaient que je presse un bouton pour tomber en panne. De plus, elles étaient codées : il fallait appuyer sur certaines touches afin que chaque copie soit facturée à un client. Et tous les photocopieurs, à ma connaissance, se trouvaient dans des espaces dégagés. Peut-être pourrais-je en trouver un dans le fond d'un couloir à un étage où je n'étais jamais allé, mais ma présence éveillerait les soupçons.

Il me faudrait donc sortir en emportant le dossier, ce qui constituait un délit. Mais je ne voulais pas le voler, seulement l'emprunter.

À 16 heures, j'ai fait mon entrée dans le service immobilier, les manches retroussées, une pile de dossiers sous le bras, de l'allure décidée de celui qui sait où il va. Hector n'était pas là. Braden Chance était dans son bureau ; j'ai reconnu sa voix cassante par la porte entrouverte. Une secrétaire a souri à mon passage. Je n'ai pas vu de caméras de surveillance au plafond, et il n'y en avait pas à tous les étages. Qui aurait l'idée d'enfreindre les règles de sécurité dans le service immobilier ?

Une heure plus tard, je quittais l'immeuble. Après avoir acheté des sandwiches chez un traiteur, j'ai pris la route de mon nouveau bureau.

Mes associés m'attendaient. J'ai même eu droit à un sourire de Sofia, mais il s'effaça aussitôt.

— Bienvenue à bord, déclara gravement Abraham, comme s'il m'accueillait sur un navire sur le point de sombrer.

Mordecai agita les bras en direction d'une petite pièce contiguë à son bureau.

— Notre suite vous convient ?

— Magnifique, répondis-je en franchissant le seuil de mon nouveau bureau, deux fois plus petit que celui que je venais de quitter.

Contre un mur étaient alignés quatre classeurs, chacun d'une couleur différente ; la lumière provenait d'une ampoule nue suspendue au plafond. Il n'y avait pas de téléphone en vue.

– Ça me plaît, affirmai-je sans mentir à Mordecai.

– Nous vous trouverons un téléphone demain, poursuivit-il en baissant le store. Le précédent occupant était un jeune avocat du nom de Banebridge.

– Qu'est-il devenu ?

– Il gagnait trop.

La nuit tombait ; Sofia semblait pressée de partir. Abraham s'est retiré dans son bureau. J'ai partagé avec Mordecai les sandwiches que j'avais apportés ; il nous a servi un mauvais café.

Le photocopieur était une grosse machine des années quatre-vingt, dépourvue de code, de clavier et de tous les gadgets dont on raffolait chez Drake & Sweeney. Il occupait un angle de la pièce principale, à côté d'un des quatre bureaux couverts de dossiers poussiéreux.

– À quelle heure partez-vous ce soir ? demandai-je à Mordecai entre deux bouchées.

– Je ne sais pas ; dans une heure, à peu près. Pourquoi ?

– Simple curiosité. Je vais repasser chez Drake & Sweeney. J'en ai pour deux heures : un boulot de dernière minute qu'on m'a demandé de terminer. Ensuite, je reviendrai ici avec une partie de mes affaires de bureau. Cela vous paraît possible ?

Il prit dans un tiroir du bureau trois clés réunies par un anneau, me les lança.

– Vous pouvez entrer et sortir comme bon vous semble.

– C'est dangereux ?

– Il vaut mieux prendre quelques précautions. Garez-vous aussi près de la porte que possible, marchez vite et enfermez-vous à clé.

Il dut lire la peur dans mes yeux.

– Vous vous y ferez, ajouta-t-il. Soyez vigilant, c'est tout.

En sortant à 18 h 30, j'ai marché d'un pas vif jusqu'à ma voiture. Le trottoir était désert ; pas de silhouettes menaçantes, pas de coups de feu, pas de rayures sur la carrosserie de la Lexus. J'ai éprouvé un sentiment de fierté en m'installant au volant. Peut-être serais-je capable de survivre dans la rue, au bout du compte.

Le trajet jusqu'au cabinet prit onze minutes. En admettant qu'une demi-heure fût nécessaire pour copier les documents, le dossier ne sortirait qu'une heure du bureau de Chance, si tout se passait bien. Et il ne se rendrait compte de rien. J'ai attendu 20 heures avant de gagner l'étage du service immobilier, les manches retroussées, l'air affairé.

Les couloirs étaient déserts. J'ai frappé à la porte du bureau de Chance : pas de réponse. Elle était fermée à clé. J'ai fait de même à la porte de chaque bureau en frappant doucement pour commencer, puis plus fort avant de tourner la poignée ; un sur deux était fermé. À chaque angle des couloirs, je cherchais une caméra. Je jetais un coup d'œil dans les salles de réunion et les bureaux des dactylos. Il n'y avait pas âme qui vive.

La clé était exactement comme celle de mon bureau, même couleur, même forme ; elle tourna aisément dans la serrure. En entrant dans la pièce obscure, il me fallut décider si je donnais ou non de la lumière. De la rue, il était impossible de savoir quel bureau venait de s'allumer et je doutais qu'on pût voir du couloir un rai de lumière sous la porte. De plus, il faisait noir et je n'avais pas de torche. Après avoir refermé la porte à clé et actionné l'interrupteur, je me suis dirigé vers la fenêtre pour ouvrir le classeur avec l'autre clé. Les genoux fléchis, j'ai tiré silencieusement le casier.

Il contenait plusieurs dizaines de dossiers concernant tous RiverOaks et soigneusement classés. Chance et sa secrétaire étaient bien organisés, une qualité fort appréciée chez Drake & Sweeney. J'ai délicatement retiré un gros dossier portant l'inscription RiverOaks/TAG, Inc. et commencé à le feuilleter ; je voulais être sûr que c'était le bon.

Quand une voix masculine retentit dans le couloir le sang se glaça dans mes veines. Une autre voix répondit ; les deux hommes engagèrent une conversation tout près de la porte du bureau de Chance. Ils parlaient de basket, des Bullets et des Knicks.

Les jambes en coton, j'ai éteint la lumière. Je suis resté dix minutes sur le canapé de cuir de Chance à écouter la conversation des deux hommes. Si on me voyait sortir du bureau les mains vides, cela ne prêterait pas à conséquence ; en tout état de cause, il ne me restait qu'une journée de travail. Mais je n'aurais pas le dossier.

Et si on me voyait avec le dossier, si on m'interrogeait ? J'étais cuit !

Fébrilement, j'essayais de considérer la situation sous tous ses aspects. Je me forçais à prendre patience en me répétant qu'ils allaient partir. Les deux hommes parlaient des filles qui suivaient les matches de basket ; ils semblaient être célibataires, sans doute des étudiants de la fac de droit de Georgetown qui travaillaient le soir. Les voix ont fini par s'éloigner lentement.

J'ai pris le dossier, refermé le casier et attendu dans le noir. Cinq minutes, six, sept, huit. J'ai doucement ouvert la porte et avancé prudemment la tête dans l'entrebâillement pour regarder des deux côtés du couloir. Personne. Je me suis rapidement faufilé dehors en me dirigeant vers les ascenseurs d'un pas que j'espérais nonchalant.

– Hé ! cria une voix dans mon dos.

J'ai tourné un angle, jeté un coup d'œil par-dessus mon épaule, le temps d'apercevoir un homme lancé à ma poursuite. La première porte donnait dans une petite bibliothèque. Je me suis jeté à l'intérieur ; par bonheur, elle était dans l'obscurité. Je me suis glissé entre les rayonnages, jusqu'à une autre porte au fond de la salle. Elle donnait dans un petit couloir à l'extrémité duquel un panneau indiquait une sortie de secours. Estimant pouvoir aller plus vite en descendant l'escalier qu'en le montant, j'ai dévalé les marches quatre à quatre. Mon bureau était deux étages au-dessus, mais si mon poursuivant m'avait reconnu, il pouvait s'y rendre directement.

En arrivant au rez-de-chaussée, hors d'haleine, en bras de chemise, je me suis débrouillé pour échapper à la vigilance du gardien posté devant les ascenseurs afin d'interdire l'accès des étages aux SDF. Je suis sorti par une porte latérale, celle que j'avais utilisée avec Polly pour éviter les journalistes le jour où DeVon Hardy avait été abattu. Il faisait un froid de loup ; une bruine glacée me transperça jusqu'à la voiture.

À quoi songe un voleur ayant bêtement raté son premier coup ? C'était stupide, certes, mais on ne m'avait pas pris la main dans le sac. Personne ne m'avait vu sortir du bureau de Chance, personne ne savait que j'étais en possession d'un dossier qui ne m'appartenait pas.

Je n'aurais pas dû prendre la fuite. Quand l'autre m'avait hélé, j'aurais dû m'arrêter, bavarder un peu comme si de rien n'était ; s'il avait demandé à voir le dossier, je l'aurais envoyé balader. Il s'agissait probablement d'un des jeunes employés que j'avais entendus dans le couloir.

Mais pourquoi avait-il crié de si loin ? S'il ne me connaissait pas, pourquoi avait-il essayé de m'arrêter de l'autre bout du couloir ? J'ai tourné dans

Massachusetts Avenue, pressé de faire mes photocopies et de remettre le dossier à sa place. S'il fallait attendre 3 heures du matin pour me glisser en douce dans le bureau de Chance, je le ferais ; je n'en étais pas à ma première nuit blanche.

Mes épaules se détendirent un peu ; le chauffage marchait à plein régime.

Comment aurais-je pu savoir qu'un coup de filet avait mal tourné, qu'une fusillade avait failli coûter la vie à un policier et qu'une Jaguar appartenant à un dealer descendait à tombeau ouvert la 18e Rue ? Le feu était vert au carrefour de New Hampshire Avenue, mais quand on a descendu un flic on n'a que faire de la signalisation. J'ai aperçu la forme floue de la Jaguar sur ma gauche juste avant que l'airbag m'explose au visage.

Quand j'ai repris connaissance, j'avais l'épaule coincée contre la portière ; des visages noirs me regardaient à travers le pare-brise fracassé. J'ai entendu des sirènes avant de perdre de nouveau connaissance.

Après avoir détaché ma ceinture, les infirmiers m'ont fait sortir par l'autre portière.

– Je ne vois pas de sang, dit une voix.

– Pouvez-vous marcher ? demanda un infirmier.

J'avais mal à l'épaule et aux côtes. J'ai essayé de me lever ; mes jambes se dérobèrent sous moi.

– Ça ira, assurai-je en m'asseyant sur le bras d'un brancard.

Il y avait du remue-ménage derrière moi, mais je ne pouvais me retourner. Étendu sur le brancard, j'ai vu en entrant dans l'ambulance la Jaguar sur le toit, entourée d'un essaim de policiers et de secouristes.

J'ai répété « Ça ira » à plusieurs reprises tandis qu'on prenait ma tension. L'ambulance avait démarré tout de suite et roulait vite.

On me conduisit aux urgences du Centre hospitalier universitaire George Washington. Les radios ne révélèrent aucune fracture. J'étais contusionné et je souffrais terriblement. On me bourra d'antalgiques avant de me transporter dans une chambre.

Quand je me suis éveillé dans le courant de la nuit, Claire dormait dans un fauteuil à côté du lit.

15

Elle partit avant le lever du jour. Un message laissé sur la table m'informait gentiment qu'elle avait sa tournée à faire et qu'elle repasserait en milieu de matinée. Elle avait parlé aux médecins : j'avais toutes les chances de m'en sortir.

Nous avions l'apparence d'un couple parfaitement normal et heureux, de deux êtres dévoués l'un à l'autre. Je me suis laissé entraîner dans le sommeil en me demandant pourquoi au juste nous avions engagé une procédure de divorce.

Une infirmière m'a réveillé à 7 heures et tendu le mot de Claire. Je l'ai relu tandis que l'infirmière me donnait des nouvelles du temps – neige et neige fondue – en prenant ma tension. Je lui ai demandé un journal ; elle l'apporta une demi-heure plus tard avec un bol de céréales. L'article faisait la une de la rubrique Metro. L'agent des stups qui avait reçu plusieurs balles au cours de la fusillade était dans un état critique ; il avait tué un des trafiquants. Au volant d'une Jaguar, son complice était mort sur le coup dans un accident de la circulation dont les circonstances n'étaient pas encore établies. Mon nom n'était pas cité, ce qui faisait mon affaire.

Si je n'avais pas été impliqué dans cet accident, l'article n'aurait constitué que le récit d'une banale

152

fusillade entre policiers et trafiquants, un fait divers que je n'aurais pas pris la peine de lire. J'essayais vainement de me persuader que la même chose aurait pu arriver à n'importe lequel de mes confrères ; en circulant dans ce quartier après la tombée de la nuit, on allait au-devant des ennuis.

Mon bras gauche tuméfié présentait déjà un gros hématome ; l'épaule et la clavicule étaient sensibles au toucher. Les côtes me faisaient souffrir au point d'interdire tout mouvement ; chaque inspiration m'arrachait une grimace. J'ai regardé mon visage dans le miroir du cabinet de toilette. Un airbag est comme une petite bombe qui explose sur le visage et la poitrine. Mais les dégâts étaient minimes : le nez et les yeux légèrement gonflés, la lèvre supérieure déformée. Il n'y paraîtrait plus d'ici le week-end.

L'infirmière est revenue avec des cachets ; je l'ai interrogée sur leurs effets avant de refuser le tout. Ils servaient à atténuer la douleur et la raideur de mon cou, mais je voulais garder les idées claires. Le médecin est passé à 7 h 30 pour un examen rapide. L'hôpital n'allait pas garder longtemps un patient n'ayant ni fracture ni plaie. Le médecin a suggéré une autre série de radios, par sécurité ; j'ai essayé de m'y opposer, mais il en avait déjà parlé avec ma femme.

J'ai tourné en rond dans la chambre pendant une éternité à éprouver mon corps endolori et à regarder les bulletins d'informations du matin. J'espérais que personne de ma connaissance n'allait brusquement pousser la porte et me voir en robe de chambre jaune.

Retrouver un véhicule accidenté à Washington n'est pas une mince affaire, surtout si peu de temps après la collision. J'ai commencé par l'annuaire, la seule source à ma disposition ; la moitié des numéros ne répondait pas. Pour l'autre moitié, je me suis heurté à une profonde indifférence. Il était tôt, il faisait mauvais, la semaine allait s'achever : pourquoi faire des efforts ?

J'ai appris par une secrétaire au commissariat central que la plupart des voitures accidentées étaient transportées à la casse municipale de Rasco Road, dans le Nord-Est. Elle travaillait à la fourrière ; j'étais tombé sur elle en composant au hasard des numéros de services de la police. Elle expliqua que certains véhicules finissaient parfois dans des casses privées, ce qui avait toujours créé des problèmes.

L'idée me vint de m'adresser à Mordecai, mon unique source d'informations pour tout ce qui touchait à la rue ; j'ai attendu 9 heures pour appeler. Après avoir raconté mon histoire et l'avoir assuré que j'étais en bonne forme malgé mon hospitalisation, je lui ai demandé s'il savait comment retrouver une voiture accidentée. Il avait quelques idées.

J'ai ensuite téléphoné à Polly pour la mettre au courant.

— Vous ne venez pas au bureau ? demanda-t-elle d'une voix mal assurée.

— Je suis à l'hôpital, Polly. Avez-vous écouté ce que j'ai dit ?

L'hésitation dans sa voix confirma mes craintes. Je me représentai un gâteau flanqué d'un saladier de punch, probablement dans une salle de réunion, une cinquantaine de personnes autour de la table, un verre à la main, des toasts et des laïus. J'avais assisté à deux ou trois de ces pots d'adieu ; j'étais décidé à échapper au mien.

— Quand sortez-vous ?

— Je ne sais pas. Demain, peut-être.

C'était un mensonge : je serais sorti avant midi, avec ou sans l'autorisation du corps médical.

Un nouveau silence de Polly. Et le gâteau, le punch, les discours de ces gens importants et pres-

154

sés, un ou deux cadeaux peut-être? Comment allait-elle faire passer mon absence?

– Je suis désolée.

– Moi aussi. Quelqu'un a cherché à me joindre?

– Pas encore.

– Bien. Ayez la gentillesse d'informer Rudolph de l'accident; dites que je l'appellerai plus tard. Il faut que je vous laisse, Polly. Ils veulent faire des examens complémentaires.

Ainsi s'acheva sans gloire une carrière naguère prometteuse chez Drake & Sweeney. J'avais réussi à esquiver mon propre pot d'adieu. À trente-deux ans, je m'étais dégagé des entraves de l'entreprise et de l'argent; j'étais libre d'agir selon ma conscience. Je me sentais merveilleusement bien, n'eût été la douleur qui me lacérait les côtes à chaque mouvement.

Claire arriva peu après 11 heures. Elle eut un conciliabule avec mon médecin dans le couloir; de mon lit, je les entendais parler dans leur jargon. Ils annoncèrent avec un bel ensemble que je pouvais sortir. Elle me remit des vêtements propres et me conduisit à l'appartement; un court trajet pendant lequel de rares paroles furent échangées. Toute possibilité de réconciliation était exclue, un simple accident de la circulation n'y changerait rien. Elle était là en qualité de médecin, en amie, pas en épouse.

Elle prépara un potage à la tomate, m'aida à m'installer sur le canapé. Avant de partir, elle aligna mes cachets sur le passe-plat et me donna les indications pour les prendre.

Je suis resté étendu dix minutes, le temps d'avaler la moitié du potage et les biscuits salés, puis j'ai téléphoné à Mordecai. Rien de nouveau.

Muni des petites annonces, j'ai commencé à appeler les agences immobilières. J'ai réservé une berline chez un loueur de voitures et pris une longue douche brûlante pour apaiser mon corps endolori.

Le chauffeur s'appelait Leon. Je me suis installé à l'avant, à son côté, en m'efforçant de ne pas gémir de douleur à chaque nid-de-poule.

Je ne pouvais m'offrir un bel appartement, mais j'en voulais un où je me sente en sécurité. Leon avait des idées sur la question. Il m'arrêta devant un kiosque où je pris deux brochures gratuites d'annonces immobilières.

Le choix de Leon, mais il pouvait changer dans six mois, se portait sur Adams Morgan, au nord de Dupont Circle, un quartier connu et apprécié, que j'avais souvent traversé sans jamais avoir envie de m'y arrêter pour flâner. Les rues y étaient bordées de maisons du début du siècle, toutes occupées, ce qui, à Washington, était le signe d'une chaude ambiance. On y trouvait des bars et des boîtes à la mode, et les meilleurs restaurants en vogue. Les rues mal famées étaient à un jet de pierre et la prudence s'imposait. Dans une ville où des sénateurs se faisaient agresser sur la colline du Capitole, personne n'était en sécurité nulle part.

Leon se trouva brusquement devant un nid-de-poule plus large que la voiture qui décolla et retomba violemment après un vol plané de plusieurs secondes. Le choc se répercuta dans la moitié gauche de ma poitrine et m'arracha un cri.

Leon prit un air horrifié. Il me fallut avouer que j'avais passé la nuit à l'hôpital ; il ralentit considérablement. Il m'aida à monter les marches menant au premier appartement que je devais visiter, où la moquette était imprégnée de l'odeur caractéristique de l'urine de chat. Leon fit savoir à la propriétaire en termes choisis qu'elle devrait avoir honte de montrer un logement dans un tel état.

La deuxième visite fut pour un loft au cinquième étage sans ascenseur ; je faillis renoncer avant d'arriver en haut de l'escalier. Leon remercia courtoisement le gérant.

Le suivant était au quatrième étage, mais il y avait un ascenseur récent et bien entretenu. L'immeuble se trouvait dans Wyoming Avenue, une voie ombragée près de Connecticut Avenue. Le loyer n'était que de cinq cent cinquante dollars ; j'avais dit oui avant même de voir l'appartement. La douleur se faisait de plus en plus forte, j'avais laissé les antalgiques à la maison ; j'aurais loué n'importe quoi.

Trois petites pièces mansardées, une salle de bains dont la plomberie semblait en bon état, des sols propres et une vue réduite sur la rue.

– Nous le prenons, déclara Leon au propriétaire tandis que je m'adossais au chambranle, les jambes flageolantes.

Après avoir pris connaissance du contrat dans un petit bureau au sous-sol, j'ai signé un chèque pour la caution et le loyer du premier mois.

J'avais dit à Claire que j'aurais plié bagage avant le week-end ; j'étais décidé à tenir parole.

Leon devait se demander pourquoi je troquais un appartement cossu à Georgetown pour un trois-pièces à Adams Morgan, mais il ne posa pas de questions ; c'était un professionnel. Il me ramena à l'appartement et attendit dans la voiture pendant que j'avalais mes cachets et faisais un petit somme.

La sonnerie d'un téléphone déchira les brumes de mon sommeil. Je me suis levé en titubant, j'ai trouvé l'appareil à tâtons.

– Allô ? fis-je d'une voix pâteuse.

– Je vous croyais à l'hôpital.

C'était la voix de Rudolph. Je la reconnus, mais le brouillard ne s'était pas encore dissipé.

– J'y étais ; j'en suis sorti. Que voulez-vous ?

– Nous vous avons attendu cet après-midi.

Ah, oui ! Le pot d'adieu.

– Je n'avais pas prévu d'avoir un accident de voiture, Rudolph. J'espère que vous ne m'en voulez pas trop.

– Des tas de gens voulaient vous dire au revoir.

– Ils peuvent m'envoyer un petit mot. Ils n'ont qu'à le faxer.

– Vous vous sentez mal foutu ?

– Oui, Rudolph, comme quelqu'un qui a percuté une voiture de plein fouet.

– Vous êtes sous traitement ?

– Pourquoi cette question ?

– Excusez-moi. Je voulais vous dire que Braden Chance vient de sortir de mon bureau ; il est impatient de vous voir. Curieux, non ?

Les dernières brumes s'évanouirent ; mon esprit devint beaucoup plus clair.

– Que me voulait-il ?

– Il n'a rien dit ; mais il vous cherche.

– Dites-lui que je suis parti.

– Je l'ai fait. Excusez-moi de vous avoir dérangé. Passez si l'envie vous en prend ; vous avez encore des amis dans la maison.

– Merci, Rudolph.

J'ai fourré la boîte de cachets dans ma poche et quitté l'appartement. Leon somnolait dans la voiture. À peine le moteur allumé, j'ai appelé Mordecai ; il avait trouvé le rapport indiquant que ma voiture avait été transportée à la casse par la société Hundley Dépannage. Là-bas, je suis tombé sur un répondeur. Les rues étaient glissantes, les accidents nombreux, une aubaine pour les dépanneurs. Vers 15 heures, j'ai fini par avoir au téléphone un mécanicien qui ne savait rien.

Leon trouva la casse à Rhode Island. L'établissement – une station-service en des temps plus prospères – se limitait maintenant aux activités de mécanique, remorquage, casse et location de caravanes. Chaque fenêtre était munie de barreaux noirs. Leon se gara aussi près que possible de la porte d'entrée.

– Couvrez-moi ! lançai-je au chauffeur en ouvrant la portière.

Je me suis élancé à l'intérieur, heurtant la porte du bras gauche. Plié en deux de douleur, j'ai vu apparaître un mécanicien en combinaison tachée de cambouis, le visage fermé.

Je lui ai expliqué la raison de ma présence ; il a pris un cahier graisseux, étudié des papiers glissés entre les pages. Derrière lui, j'entendais des voix d'hommes et des jurons : ils devaient jouer aux dés, boire du bourbon, peut-être vendre du crack.

– C'est la police qui l'a, annonça-t-il, les yeux rivés sur les papiers.

– Comment se fait-il ?

– J'en sais rien. Il y a eu un crime ou autre chose ?

– Oui, mais ma voiture n'a rien à voir avec le crime.

Il leva vers moi un regard sans expression ; chacun ses problèmes.

– Savez-vous où elle pourrait être ? demandai-je d'un ton que je voulais aimable.

– Ils mettent en général les voitures sous séquestre dans une casse de Georgia Avenue, au nord de l'université Howard.

– Combien y a-t-il de casses municipales ?

– Plus d'une, répondit-il avec un haussement d'épaules.

Sur ce, il me planta là et disparut au fond du garage.

Je suis sorti en prenant soin de ne rien toucher et j'ai couru jusqu'à la voiture de Leon.

La nuit était tombée quand nous sommes arrivés à la casse, la moitié d'un pâté de maisons entouré d'un grillage à mailles métalliques surmonté de barbelés. Derrière se trouvaient des centaines de voitures, un fouillis d'épaves, certaines empilées les unes sur les autres.

Debout à mes côtés sur le trottoir, Leon regardait à travers le grillage l'amas de véhicules accidentés.

– Là-bas !

Je lui ai montré du doigt ma Lexus garée près d'une cabane. L'avant gauche était démoli, le pare-chocs avait disparu, le moteur à nu était enfoncé.

– Vous pouvez vous estimer heureux de vous en être sorti sans trop de mal, glissa Leon.

À côté se trouvait la Jaguar, le toit écrasé, toutes les vitres brisées.

La cabane qui abritait une sorte de bureau était fermée et plongée dans l'obscurité. De lourdes chaînes bloquaient la grille ; les pointes des barbelés luisaient sous la pluie. Pas très loin, à l'angle d'une petite rue, se tenaient quelques individus à l'allure inquiétante ; je sentais qu'ils nous observaient.

– Allons-nous-en, dis-je à Leon.

Il me conduisit à l'aéroport, le seul endroit où je savais pouvoir louer une voiture.

La table était mise ; un plat chinois mitonnait sur la cuisinière. Claire attendait, sans doute un peu inquiète, mais comment le savoir ? J'expliquai qu'il m'avait fallu louer une voiture sur le conseil de ma compagnie d'assurances. Elle m'examina d'un œil professionnel, me fit prendre un médicament.

– Je croyais que tu devais te reposer, fit-elle.

– J'ai essayé ; ça n'a pas marché. Je meurs de faim.

Ce serait notre dernier dîner en tant que mari et femme. La boucle était bouclée : nous terminions comme nous avions commencé, par un repas rapide, préparé ailleurs.

– Connais-tu quelqu'un du nom d'Hector Palma ? demanda-t-elle au beau milieu du repas.

– Oui, répondis-je, la gorge serrée.

– Il a appelé il y a une heure ; il voulait te parler, c'était important. Qui est-ce ?

– Un assistant de chez Drake & Sweeney. Je devais passer la matinée à travailler avec lui sur une affaire urgente.

– Je n'en doute pas. Il te donne rendez-vous à 21 heures chez Nathan, un bar de M Street.

– Pourquoi dans un bar ?

– Il n'a rien dit. Il m'a paru méfiant.

J'avais l'appétit coupé, mais j'ai continué à manger en feignant l'indifférence. Ce n'était pas nécessaire ; Claire s'en contrefichait.

Je me suis rendu à pied au rendez-vous sous une pluie fine qui se transformait en neige fondue ; il aurait été impossible de trouver une place de stationnement un vendredi soir. Je voulais me dégourdir les jambes et espérais que la marche m'éclaircirait les idées.

Je n'attendais que des ennuis de cette rencontre ; je m'y préparais en chemin en fabriquant des mensonges pour brouiller les pistes, d'autres pour masquer les premiers. Pour le voleur que j'étais devenu, mentir ne semblait pas une grosse affaire. Si Hector était envoyé par le cabinet, il pouvait avoir un micro sur lui. J'écouterais attentivement et parlerais aussi peu que possible.

Chez Nathan, la salle n'était qu'à moitié pleine. J'avais dix minutes d'avance, mais il était déjà là, dans un box. En me voyant approcher, il se leva d'un bond, la main tendue.

– Vous devez être Michael. Je suis Hector Palma, du service immobilier. Ravi de vous rencontrer.

Un tel accueil me mit sur mes gardes. Je lui serrai la main, désorienté, en marmonnant : « Tout le plaisir est pour moi. »

– Asseyez-vous, poursuivit-il, tout sourire, en indiquant un siège.

Je me suis installé avec précaution.

– Qu'avez-vous au visage ?

– J'ai embrassé un airbag.

– Oui, j'ai appris que vous aviez eu un accident, fit-il, un peu trop vivement. Pas trop de mal ? Rien de cassé ?

– Non, répondis-je en essayant de lire dans sa pensée.

– Il paraît que l'autre est mort sur le coup, poursuivit-il en me laissant à peine le temps de parler.

Il allait mener la conversation ; je n'avais qu'à suivre.

– En effet. C'était un trafiquant de drogue.

– Quelle ville ! soupira Hector. Que prenez-vous ? demanda-t-il en voyant le garçon arriver.

– Un café.

Tandis qu'il faisait semblant de réfléchir à ce qu'il allait commander, je sentis son pied me taper sur la jambe à petits coups répétés.

– Qu'avez-vous comme bière ? demanda-t-il au garçon qui, les yeux fixés droit devant lui, commença à énumérer des marques.

Mon regard croisa celui d'Hector. Il avait les deux mains sur la table ; se servant du garçon comme d'un paravent, il plia légèrement son index droit pour le pointer sur sa poitrine.

– Une Molson, lança-t-il au garçon qui se retira aussitôt.

Il avait un micro et les autres étaient à l'affût. Quel que fût l'endroit où ils se trouvaient, ils n'avaient pu voir à travers le corps du garçon. Mon premier mouvement fut de me retourner et d'examiner les clients du bar ; je me suis retenu, en grande partie à cause de mon cou raide comme du bois.

Ainsi s'expliquait la jovialité de l'accueil d'Hector feignant de ne pas me connaître. On avait dû le mettre sur la sellette toute la journée, mais il avait nié en bloc.

– Je travaille à l'immobilier, reprit-il. Vous connaissez Braden Chance, un associé de mon service ?

– Oui.

Sachant que mes paroles étaient enregistrées, j'allais en dire le moins possible.

– Je travaille essentiellement pour lui. Nous avons échangé quelques mots la semaine dernière quand vous êtes allé dans son bureau.

– Si vous le dites. Je ne m'en souviens pas.

J'ai surpris sur ses lèvres l'ébauche d'un sourire et une détente des muscles autour des yeux, rien qu'une caméra pût saisir. Je lui ai discrètement fait du pied sous la table en espérant que nous jouions le même jeu.

– Si j'ai voulu vous voir ce soir, reprit-il, c'est parce qu'un dossier a disparu du bureau de Braden Chance.

– On m'accuse de l'avoir pris ?

– Euh... non, disons que vous êtes un suspect. Il s'agit justement du dossier que vous avez demandé à voir l'autre jour, quand vous être passé dans son bureau.

– Alors, on m'accuse ! lançai-je avec virulence.

– Mais non, calmez-vous. La direction a ouvert une enquête et interroge ceux qui, de près ou de loin, peuvent avoir un rapport avec cette disparition. Comme je vous ai entendu parler de ce dossier à Braden, on m'a proposé de vous en toucher un mot. C'est aussi simple que cela.

– Je ne comprends rien à ce que vous dites.

– Vous ignorez donc où se trouve ce dossier ?

– Naturellement ! Pourquoi irais-je dérober un dossier dans le bureau d'un associé ?

– Accepteriez-vous de passer au détecteur de mensonge ?

– Sans hésiter, répondis-je avec une indignation contenue.

Il n'était absolument pas question de me soumettre au détecteur de mensonge.

– Parfait. Tout le monde doit y passer, vous savez.

L'arrivée du garçon nous donna un court répit pour évaluer la situation. Hector venait de me faire comprendre qu'il était dans de sales draps ; le détecteur de mensonge lui serait fatal. Avez-vous rencontré Michael Brock avant son départ du cabinet ? Avez-vous parlé avec lui du dossier disparu ? Lui avez-vous remis des copies de tout ou partie du dossier ? L'avez-vous aidé à se procurer le dossier ? Oui ou non. Des questions directes appelant des réponses claires. Impossible de mentir, impossible de s'en sortir.

— On relève aussi les empreintes digitales, reprit-il d'une voix plus basse, non pour essayer d'échapper au micro caché, mais pour atténuer la portée de ses paroles.

Je n'avais jamais pensé à mes empreintes, ni avant le vol ni depuis.

— C'est une bonne idée.

— On a relevé des empreintes tout l'après-midi, poursuivit Hector. Sur la porte, l'interrupteur, le classeur ; il y en avait des quantités.

— J'espère qu'ils trouveront le coupable.

— Avouez que la coïncidence est étrange : Braden a une centaine de dossiers en cours et le seul qui manque est celui que vous lui avez demandé.

— Où voulez-vous en venir ?

— Je dis simplement que c'est une étrange coïncidence, répéta-t-il à l'intention de ceux qui écoutaient.

Il fallait entrer dans son jeu.

— Je n'aime pas vos sous-entendus ! répliquai-je d'un ton cinglant. Si vous voulez m'accuser de quelque chose, adressez-vous à la police et faites-moi arrêter ! Sinon, gardez vos stupides opinions pour vous !

— La police est déjà informée, poursuivit-il posément. Il s'agit d'un vol.

— Évidemment qu'il s'agit d'un vol ! Attrapez votre voleur et cessez de perdre votre temps avec moi.

– Quelqu'un vous a-t-il fait parvenir un jeu de clés du bureau de Braden ? reprit-il après avoir avalé une grande gorgée de bière.

– Bien sûr que non.

– On a retrouvé une chemise vide sur votre bureau ainsi qu'une note mentionnant deux clés, l'une de la porte, l'autre d'un classeur.

– Je n'ai jamais vu cette chemise, répondis-je avec arrogance tout en essayant de me souvenir où je l'avais oubliée.

J'avais laissé trop de traces ; j'étais un avocat, pas un criminel.

Chacun but à son tour : une lampée de bière pour Hector, une gorgée de café pour moi.

Tout avait été dit. Les messages avaient été transmis, un par le cabinet, l'autre par Hector. Le cabinet voulait récupérer le dossier sans être compromis par son contenu. Hector m'avait fait savoir que son rôle dans l'affaire risquait de lui coûter son poste.

À moi de le sauver. Si je rendais le dossier en avouant ma faute et en promettant de ne pas en divulguer le contenu, on me pardonnerait probablement. Cela ne causerait de tort à personne ; je pouvais même poser comme condition qu'Hector ne soit pas inquiété.

– Autre chose ? demandai-je en me levant.

– Non. Quand pouvez-vous vous soumettre au détecteur de mensonge ?

– Je vous appellerai.

J'ai pris mon manteau et suis sorti sans rien ajouter.

16.

Pour des raisons que je n'allais pas tarder à comprendre, Mordecai avait en aversion les flics de la ville, bien qu'ils fussent noirs pour la plupart. Il estimait qu'ils traitaient les SDF sans ménagement, son seul critère pour juger les gens.

Mais il en connaissait quelques-uns. En particulier le sergent Peeler qui venait de « la rue ». Peeler travaillait dans un foyer pour enfants en difficulté, près de nos bureaux. Il avait des contacts et assez de relations pour me permettre d'avoir accès à ma voiture.

Il arriva le samedi matin, peu après 9 heures ; Mordecai et moi buvions un café pour essayer de nous réchauffer. Peeler ne travaillait pas le samedi ; j'avais l'impression qu'il aurait préféré rester au lit.

Mordecai au volant, moi à l'arrière, la voiture prit la direction du Nord-Est sur les chaussées glissantes. La neige annoncée était en fait une pluie glacée ; il y avait peu de circulation. Un âpre matin de février où seuls les plus courageux s'aventuraient sur les trottoirs.

Nous nous sommes garés dans une rue perpendiculaire à Georgia Avenue, près de la grille cadenassée de la casse municipale ; de la voiture je voyais l'épave de ma Lexus.

– Attendez-moi, fit Peeler.

Il s'avança jusqu'à la grille, appuya sur un bouton fixé sur un poteau ; la porte du local faisant office de bureau s'ouvrit. Un petit policier tout maigre en uniforme, protégé par un parapluie, s'approcha et échangea quelques mots avec son collègue.

Peeler revint vers la voiture et reprit sa place à l'avant.

– Il vous attend, fit-il en secouant les épaules pour chasser les gouttes de pluie.

En ouvrant mon parapluie, j'ai foncé vers la grille où l'agent Winkle m'accueillit avec un visage de marbre. Parmi les dizaines de clés de son trousseau, il réussit à trouver les trois qui ouvraient les gros cadenas.

– Par ici, grogna-t-il en tirant la grille.

Je l'ai suivi sur le sol gravillonné en essayant tant bien que mal d'éviter les trous remplis d'eau boueuse ; à chaque sautillement, à chaque pas de côté, des ondes de douleur se propageaient dans mon corps. Le policier se dirigea droit vers ma voiture.

Mon regard s'est aussitôt posé sur le siège avant : pas de dossier. Après un instant d'affolement, je l'ai découvert sur le plancher, derrière le siège du conducteur, intact. Je l'ai ramassé prestement et me suis détourné aussi sec de ma Lexus. Je n'étais pas d'humeur à inspecter les dégâts ; j'étais sorti indemne de l'accident, rien d'autre ne comptait. J'attendrais le début de la semaine pour discuter avec mon assurance.

– C'est tout ? demanda Winkle.

– Oui, répondis-je, prêt à prendre mes jambes à mon cou.

– Suivez-moi.

Il me précéda dans la cabane où un appareil de chauffage au butane projetait des bouffées d'air brûlant. Il choisit une des dix feuilles punaisées au mur et regarda le dossier que j'avais à la main.

– Dossier en papier kraft, fit-il en écrivant. Épaisseur cinq centimètres.

J'ai serré le dossier de toutes mes forces, comme on s'accroche à un trésor.

– Y a-t-il un nom sur la couverture ?

Je n'étais pas en position de protester ni de faire le malin.

– Vous avez besoin d'écrire tout ça ?

– Posez-le sur la table.

– RiverOaks, barre, TAG, Inc., articula lentement Winkle en continuant d'écrire. Numéro de dossier : TBC-96-3381.

Ma piste était de plus en plus marquée.

– Il est à vous ? demanda-t-il d'un ton soupçonneux, le stylo levé.

– Oui.

– Bien. Vous pouvez partir.

Je l'ai remercié avant de sortir ; il m'a suivi sans ouvrir la bouche. J'avais envie de m'enfuir au pas de course, mais marcher était déjà assez pénible. Winkle referma la grille derrière moi.

Quand je suis remonté dans la voiture, Mordecai et Peeler ont tourné la tête pour regarder ce que je tenais. Ils ne savaient ni l'un ni l'autre de quoi il s'agissait. J'avais seulement dit à Mordecai que le dossier était de la plus haute importance, que je devais le récupérer avant qu'il disparaisse.

Tant d'efforts pour un simple dossier ?

J'ai dû me retenir pour ne pas l'ouvrir pendant le trajet.

Après avoir remercié Peeler, j'ai pris congé de Mordecai et regagné mon nouveau logis.

L'argent provenait du gouvernement fédéral, ce qui, à Washington, n'avait rien d'étonnant. Le Service postal projetait la construction d'un centre de tri pour les envois en nombre d'un montant de vingt millions de dollars ; RiverOaks était l'une des sociétés immobilières qui caressaient l'espoir de construire, louer et gérer le bâtiment. Plusieurs sites étaient à l'étude, dans différents quartiers insalubres. Trois d'entre eux ayant été retenus au mois de décembre, RiverOaks avait commencé à faire main basse sur le maximum de terrains bon marché.

TAG était une société inscrite au tribunal de commerce dont l'unique actionnaire, un certain Tillman Gantry, présenté dans une note jointe au dossier comme un ancien proxénète, avait été condamné deux fois pour escroquerie. Gantry s'était recyclé dans les véhicules d'occasion et l'immobilier. Il achetait des bâtiments abandonnés, effectuait parfois de sommaires travaux de rénovation et revendait en mettant en location une partie de l'espace. Une liste de quatorze propriétés figurait dans un document annexe. Le chemin de Gantry avait croisé celui de RiverOaks quand l'administration des Postes avait décidé de s'agrandir.

Le 6 janvier, le Service postal informait River-Oaks par courrier recommandé que la société avait été choisie comme constructeur, propriétaire et bailleur du nouveau centre de tri. Le montant annuel de la location devait s'élever à un million et demi de dollars, sur une durée garantie de vingt ans. La lettre indiquait en outre que l'accord défi-nitif devait être signé au plus tard le 1er mars, sous peine de nullité. Après sept ans de réflexion et de planification, l'administration voulait brûler les étapes.

RiverOaks se mit au travail avec ses avocats et ses agents immobiliers. Au mois de janvier, la société fit l'acquisition de quatre propriétés bor-dant Florida Avenue, près de l'entrepôt où l'expul-sion avait eu lieu. Le dossier contenait deux plans de la zone ; différentes couleurs indiquaient les ter-rains acquis et ceux qui étaient en cours de négo-ciation.

Le 1er mars était dans une semaine ; pas étonnant que Chance se soit rendu compte si rapidement de la disparition du dossier. Il travaillait dessus quotidiennement.

L'entrepôt de Florida Avenue avait été acheté par TAG en juillet de l'année précédente pour une somme qui n'était pas indiquée. RiverOaks avait déboursé deux cent mille dollars le 31 janvier, quatre jours avant l'expulsion. Assis sur le plancher nu de la pièce qui deviendrait le séjour, je prenais l'une après l'autre chaque pièce du dossier, en notais soigneusement le contenu sur un carnet, de manière à pouvoir les replacer dans le bon ordre.

À l'intérieur de la chemise se trouvait le sommaire, une feuille dactylographiée permettant d'enregistrer chaque nouvelle pièce du dossier, avec la date et une brève description. On jugeait du sens de l'organisation d'une secrétaire à la précision des renseignements figurant dans le sommaire. Chaque document, carte, photo ou tableau devait s'y trouver ; on nous l'avait ressassé pendant la période de formation. Rien n'était plus horripilant que de parcourir un dossier volumineux à la recherche d'une pièce qui n'avait pas été enregistrée avec une précision suffisante. Si on ne trouve pas en trente secondes, disait-on, cela ne sert à rien.

La secrétaire de Chance était méticuleuse, mais le dossier avait été trafiqué.

Le 22 janvier, Hector Palma s'était rendu à l'entrepôt, seul, pour une inspection préalable à l'achat. À son entrée, il avait été agressé par deux voyous qui l'avaient frappé à la tête à coups de bâton avant de le délester de son portefeuille et de son argent liquide sous la menace d'un couteau. Il était resté chez lui le lendemain et avait rédigé un rapport sur l'agression, qui se terminait par cette phrase : « Je ferai une nouvelle inspection le lundi 27 janvier, avec une escorte. » Le rapport se trouvait dans le dossier.

Mais il n'existait aucune trace de cette deuxième visite. À la date du 27 janvier, le sommaire indiquait : rapport HP – visite entrepôt, inspection des lieux.

Accompagné d'un garde, Hector s'était rendu à l'entrepôt ce jour-là pour inspecter les lieux. Il avait dû découvrir la présence de nombreux squatters et rédiger un rapport circonstancié, à en juger par le reste de son travail.

Ce rapport avait été retiré du dossier. Ce n'était pas un crime ; il m'était souvent arrivé de sortir des pièces d'un dossier sans l'indiquer par écrit. Mais je les y replaçais toujours. Tout ce qui figurait dans le sommaire devait se trouver dans le dossier.

Le mardi 4 février, Hector était retourné à l'entrepôt, escorté par un garde d'une société de surveillance, un agent de la police municipale et quatre gros bras employés par une société spécialisée dans les expulsions. D'après son rapport long de deux pages, l'opération avait pris trois heures. Il s'efforçait de dissimuler ses émotions, mais avait mal supporté la chose.

J'eus un coup au cœur en tombant sur un paragraphe qui disait : « La mère avait quatre enfants dont un nourrisson ; elle vivait dans un deux-pièces sans eau. Tout le monde dormait sur deux matelas à même le sol. Elle s'est battue avec le policier sous le regard de ses enfants et a fini par céder à la force. »

Ontario avait donc assisté à la scène.

Il y avait une liste des expulsés composée de dix-sept noms, sans compter les enfants, la même que celle qui avait été déposée sur mon bureau le lundi matin avec un exemplaire du *Washington Post*.

À la fin du dossier se trouvaient des avis d'expulsion pour les dix-sept personnes concernées ; ils n'avaient pas été utilisés. Les squatters n'ont aucun droit, pas même celui d'être avisés. Les avis ne figuraient pas dans le sommaire ; ils avaient été ajoutés après coup dans le but de brouiller les pistes. Chance avait dû les inclure lui-même dans le dossier à tout hasard, après le drame de la prise d'otages.

La manœuvre était grossière et stupide, mais jamais un associé ne confiait à quiconque un de ses dossiers.

Le dossier en question avait été dérobé ; on était en train de réunir les preuves de ce vol dont l'auteur s'était conduit comme un crétin.

Sept ans auparavant, dans le cadre des formalités de recrutement, mes empreintes digitales avaient été relevées par une agence d'enquêtes privées. Rien de plus simple que de les comparer avec les traces laissées sur le classeur de Chance ; ce serait l'affaire de quelques minutes. J'avais la certitude que cela avait déjà été fait. Un mandat d'arrêt avait-il déjà été émis contre moi ? Inévitablement.

Trois heures plus tard, quand j'eus terminé la lecture du dossier, la majeure partie du plancher était recouverte de feuilles. Après avoir soigneusement rassemblé les documents, je me suis rendu en voiture au centre d'assistance juridique pour les photocopier.

Claire m'informait dans une note qu'elle était sortie faire des courses. Nous possédions de beaux bagages dont nous n'avions pas parlé lors de la répartition des biens. Comme elle voyagerait plus que moi dans l'avenir proche, j'ai pris les plus légers : un sac marin, un sac de sport. Ne voulant pas me faire surprendre, j'ai jeté en tas sur le lit tout ce dont j'avais besoin – sous-vêtements, tee-shirts, chaussettes, chaussures, articles de toilette – mais seulement ce que j'avais utilisé les derniers mois. Elle pouvait se débarrasser du reste. J'ai vidé à la hâte mes tiroirs et mon côté de l'armoire à pharmacie. Souffrant physiquement et moralement, j'ai descendu les deux étages avec les sacs jusqu'à ma voiture de location, avant de remonter prendre une brassée de vêtements. J'ai retrouvé mon vieux sac de couchage dans lequel je n'avais pas dormi depuis au moins cinq ans et je l'ai descendu avec une couette et un oreiller. J'avais droit à mon réveil, ma radio, ma platine laser portable et quelques CD, ma télé couleur 30 cm – celle du passe-plat –, une cafetière, un sèche-cheveux et la parure de serviettes bleues. La voiture était bourrée à craquer.

J'ai écrit un mot pour dire que j'étais parti; je l'ai posé à côté du sien, en évitant de regarder autour de moi. J'éprouvais des sentiments contradictoires, des émotions à fleur de peau que j'avais de la peine à maîtriser. C'était la première fois que je déménageais dans ces conditions; avais-je fait ce qu'il fallait?

Je savais que je reviendrais quelques jours plus tard chercher le reste de mes affaires, mais j'avais l'impression de descendre cet escalier pour la dernière fois.

Elle lirait mon petit mot, ouvrirait les tiroirs et les placards pour voir ce que j'avais pris. Quand elle comprendrait que j'étais parti pour de bon, elle irait dans le salon verser quelques larmes. Peut-être pleurer un bon coup. Mais cela ne durerait pas longtemps; elle passerait rapidement à la suite.

Sur la route de mon nouveau logis, je n'éprouvais pas le moindre sentiment de délivrance; se retrouver seul n'avait rien d'exaltant. Nous avions perdu tous les deux.

17.

Le dimanche matin, je me suis enfermé dans mon bureau ; il y faisait encore plus froid que la veille. Vêtu d'un gros pull, d'un pantalon en velours côtelé et d'épaisses chaussettes, j'ai lu le journal devant deux tasses de café fumant. L'immeuble avait un système de chauffage collectif, mais je ne voulais pas y toucher.

Je regrettais mon fauteuil pivotant en cuir qui basculait, s'inclinait et tournait à volonté. J'étais à peine plus à l'aise dans le nouveau que dans un siège pliant. Il promettait dans le meilleur des cas d'être inconfortable ; perclus de douleurs comme je l'étais, c'était un véritable instrument de torture.

Le bureau en piteux état devait provenir du matériel de rebut d'une école ; le meuble de forme carrée était muni de chaque côté de trois tiroirs qu'on avait du mal à ouvrir. Les deux fauteuils destinés aux clients étaient des sièges pliants, l'un noir, l'autre d'un vert que je n'avais jamais vu auparavant.

Les murs décolorés dont la dernière couche de peinture remontait à plusieurs décennies avaient pris avec le temps une nuance jaune citron très pâle. Le plâtre était craquelé ; les araignées avaient colonisé les angles du plafond. Pour unique décoration, une affiche encadrée invitait à une manifestation pour la justice sociale à la date du 10 juillet 1988.

Les lames du parquet de chêne étaient arrondies sur les bords, le signe d'un usage intensif en d'autres temps. Le balai ayant récemment servi à nettoyer le sol avait été posé contre un mur, avec sa pelle à poussière, une discrète invitation à prendre le relais.

Grandeur et décadence d'un jeune avocat plein d'avenir ! Si mon frère Warner m'avait vu frissonnant de froid à mon petit bureau un dimanche matin, bouclé à double tour pour ne pas être agressé par des clients potentiels, il m'aurait traité de tous les noms.

Je ne pouvais prévoir la réaction de mes parents ; il me faudrait les appeler bientôt et leur porter le double coup de mes changements de domicile et de lieu de travail.

Un coup vigoureux frappé à la porte me glaça de terreur ; je me dressai d'un bond, incertain de la conduite à tenir. Étais-je la cible d'une bande de voyous ? Un nouveau coup retentit tandis que je faisais quelques pas hésitants ; je distinguais une silhouette essayant de voir à travers les barreaux et la vitre épaisse de la porte.

C'était Barry Nuzzo, tremblant de froid et pressé de se mettre à l'abri. J'ai déverrouillé la porte pour le faire entrer.

— Quel taudis ! lança-t-il sur le ton de la plaisanterie en faisant du regard le tour de la pièce.

— Pittoresque, non ?

Je revenais difficilement de ma surprise et essayais de comprendre ce qu'il venait faire ici.

— Un vrai gourbi, poursuivit-il, la mine réjouie.

Il fit le tour du bureau de Sofia, retira lentement ses gants en prenant soin de ne rien toucher, de peur de déclencher une avalanche de dossiers.

— Nous limitons les frais généraux de manière à rapporter le maximum d'argent à la maison.

C'était une vieille blague qui circulait chez Drake & Sweeney où les associés passaient leur temps à râler contre le montant des frais généraux alors qu'ils ne pensaient pour la plupart qu'à redécorer leur bureau.

– C'est donc pour l'argent que tu es ici ? reprit Barry en souriant.

– Naturellement.

– Tu es tombé sur la tête, mon vieux.

– J'ai trouvé ma voie.

– Dis plutôt que tu entends des voix !

– C'est pour ça que tu es venu ? Pour me dire que je suis cinglé ?

– J'ai appelé Claire.

– Et alors ?

– Elle m'a appris que tu étais parti.

– C'est vrai ; nous allons divorcer.

– Qu'est-ce qui t'a amoché comme ça ?

– Un airbag.

– Ah oui ! J'avais oublié. On m'a dit que ce n'était que de la tôle froissée.

– Beaucoup de tôle.

Il posa son manteau sur le dossier d'un fauteuil, le reprit aussitôt.

– J'imagine que pour limiter les frais généraux vous ne payez pas le chauffage.

– Il nous arrive de sauter un mois.

Il se remit à marcher, jeta un coup d'œil dans les petits bureaux.

– Qui paie le loyer ?

– Une donation.

– Une donation sur son déclin ?

– Oui, un déclin rapide.

– Comment as-tu trouvé cet endroit ?

– Monsieur venait y voir ses avocats.

– Ce brave vieux Monsieur.

Son regard cessa de fureter dans tous les coins, se fixa sur un mur.

– Crois-tu qu'il nous aurait tués ?

– Non. C'était un homme noyé dans la masse des sans-abri; il voulait qu'on l'écoute.

– L'idée t'est-elle venue de sauter sur lui?

– Non, mais j'aurais aimé le désarmer et abattre Rafter.

– Je regrette que tu ne l'aies pas fait.

– La prochaine fois, peut-être.

– Tu as du café?

– Bien sûr. Installe-toi.

Je ne voulais pas que Barry m'accompagne dans la cuisine dont la propreté laissait à désirer. Une tasse traînait, je l'ai lavée rapidement avant d'y verser du café, puis j'ai invité Barry à entrer dans mon bureau.

– Joli, fit-il.

– C'est là que se traitent les affaires sérieuses.

Nous nous sommes installés de part et d'autre du bureau avec force craquements des fauteuils près de céder sous notre poids.

– C'est de cela que tu rêvais quand tu étais en fac?

– Je ne me souviens plus de cette époque; j'ai facturé trop d'honoraires depuis la fac.

Il me regarda enfin sans sourire d'un air narquois; l'heure n'était plus à la rigolade. Non sans m'en vouloir, je ne pouvais m'empêcher de me demander si Barry avait un micro sur lui. Après m'avoir envoyé Hector, ils pouvaient agir de même avec lui. Il ne se serait jamais proposé de lui-même, mais ils avaient des moyens de pression. J'étais l'ennemi.

– Tu es donc venu ici en te renseignant sur Monsieur?

– On peut dire ça.

– Qu'as-tu découvert?

– Cesse de faire l'innocent, Barry! Que se passe-t-il au cabinet? C'est le branle-bas de combat? Tu es en mission?

Il pesa soigneusement mes paroles en portant la tasse à ses lèvres.

– Ce café est dégueulasse, fit-il, prêt à le recracher.

– Il a le mérite d'être chaud.

– Je suis triste pour Claire et toi.

– Merci. Je préfère ne pas en parler.

– Un dossier a disparu, Michael. Tout le monde pense que tu l'as pris.

– Qui est au courant de ta visite ?

– Ma femme.

– C'est le cabinet qui t'envoie ?

– Absolument pas.

Je l'ai cru ; il était mon ami depuis sept ans, un ami proche à une certaine époque. Mais le travail avait trop souvent pris le pas sur les relations amicales.

– Pourquoi me soupçonne-t-on ?

– Le dossier volé a un rapport avec Monsieur. Tu as demandé à Braden Chance de te le montrer et on t'a vu près de son bureau le soir où il a disparu. Il semble également qu'on t'ait fait parvenir des clés qui n'auraient pas dû être en ta possession.

– C'est tout ?

– Il y a aussi les empreintes.

– Quelles empreintes ? fis-je en feignant la surprise.

– Il y en a partout : sur la porte, l'interrupteur, le classeur qui contenait le dossier. Ce sont les tiennes. Tu es entré dans ce bureau, Michael, et tu as pris le dossier. Que comptes-tu en faire ?

– Que sais-tu du contenu de ce dossier ?

– Monsieur s'est fait expulser par un de nos clients d'un local qu'il squattait. Il a disjoncté, il est venu semer la terreur chez nous. Après avoir failli y passer, tu as craqué.

– C'est tout ?

– C'est tout ce qu'on nous a dit.

– Qui est « on » ?

– Les huiles. Vendredi soir, tout le monde – des associés aux secrétaires – a reçu une note d'information indiquant qu'un dossier avait été dérobé et que tu étais le suspect numéro un. Tout contact avec toi est interdit au personnel. Je n'ai pas le droit d'être ici.

— Je saurai tenir ma langue.

— Merci.

Si Braden Chance avait fait le rapprochement entre l'expulsion et Lontae Burton, il n'était pas du genre à s'en ouvrir à quiconque. Pas même à ses pairs. Barry était sincère ; il croyait probablement que je ne m'intéressais au dossier qu'à cause de DeVon Hardy.

— Alors, pourquoi es-tu venu ?

— Je suis ton ami ; tout va trop vite en ce moment. Tu n'es pas obligé de me croire, mais vendredi nous avons eu la visite des flics. La semaine dernière, les forces spéciales arrivaient pour la prise d'otages. Aujourd'hui, tu te jettes dans le précipice, sans parler de ta séparation d'avec Claire. Si nous prenions des vacances ? Partons quinze jours ensemble, emmenons nos femmes.

— Où ?

— Peu importe... aux Antilles.

— Qu'est-ce que cela nous apporterait ?

— Cela nous permettrait de nous changer les idées. Jouer au tennis, dormir, recharger les accus.

— Aux frais du cabinet ?

— À mes frais.

— Ne parlons plus de Claire. C'est terminé, Barry. Il a fallu du temps, mais c'est terminé.

— Comme tu voudras. Nous pouvons partir tous les deux.

— Je te rappelle que tout contact avec moi t'est interdit.

— J'ai une idée. Je peux aller voir Arthur et lui proposer quelque chose ; il doit être possible de débloquer la situation. Tu rends le dossier et tu oublies ce qu'il contient ; le cabinet te pardonne et efface tout. Nous partons jouer au tennis quinze jours à Maui. À notre retour, tu retrouves le bureau cossu que tu n'aurais jamais dû quitter.

– Tu viens de leur part, Barry ?

– Non, je le jure.

– Ça ne marchera pas.

– Donne-moi une bonne raison, une seule.

– Le métier d'avocat ne consiste pas seulement à facturer des honoraires et à engranger de l'argent. Pourquoi devenir des putains au service d'un gros cabinet ? J'en ai soupé, Barry, je veux faire autre chose.

– On croirait entendre un étudiant de première année.

– Précisément. Nous sommes entrés dans cette carrière car nous pensions avoir une vocation. Nous pensions pouvoir combattre l'injustice et les maux de notre société, accomplir toutes sortes de grandes choses en notre qualité d'avocat. Nous avons eu cet idéalisme ; pourquoi ne pourrions-nous le retrouver ?

– À cause des emprunts.

– Je ne cherche pas à te gagner à ma cause. Tu as trois enfants ; par bonheur, je n'en ai pas eu. Je peux me permettre de péter les plombs.

Un radiateur que je n'avais pas encore remarqué émit une série de crépitements et de sifflements. Nous avons fixé les yeux sur l'appareil, espérant qu'il allait produire un peu de chaleur. Une minute s'écoula en silence, puis une deuxième.

– Ils vont te retrouver, Michael, reprit Barry, regardant toujours dans la direction du radiateur.

– Ils ? Tu veux dire « nous ».

– Oui, le cabinet. Ça ne se fait pas de voler un dossier. Pense au client ; il est en droit d'exiger la confidentialité. Si un dossier disparaît, le cabinet n'a pas le choix : il doit le récupérer.

– Une plainte a été déposée ?

– Probablement. Ils sont hors d'eux, Michael ; on peut le comprendre. Il est aussi question de mesures disciplinaires : le barreau pourrait t'enjoindre de le rendre. Rafter y travaille.

— Monsieur aurait pu viser un peu plus bas.

— Ils ne te feront pas de cadeau.

— Ils ont plus à perdre que moi.

Barry me considéra d'un air perplexe ; il ne savait pas ce que contenait le dossier.

— Il ne s'agit pas seulement de Monsieur ?

— Loin de là. Ils sont impliqués dans un scandale ; s'ils me cherchent, ils me trouveront.

— Tu ne peux faire usage d'un dossier volé, Michael. Pas un juge ne l'acceptera comme élément de preuve. Tu ne connais rien au pénal.

— J'apprends. Dis-leur de ne pas insister. Qu'ils n'oublient pas que j'ai le dossier et que son contenu est compromettant.

— Ce n'était qu'une bande de squatters, Michael.

— C'est beaucoup plus compliqué que ça. Vous devriez cuisiner Braden Chance pour connaître la vérité. Dis à Rafter de se renseigner avant de faire une bêtise. Crois-moi, Barry, le scandale ferait la une des journaux ; ils n'oseraient plus sortir de chez eux.

— Tu proposes une trêve ? Tu conserves le dossier et on te laisse en paix.

— Pour le moment en tout cas. Je ne sais pas ce qui se passera la semaine prochaine ou dans quinze jours.

— Pourquoi ne pas en parler avec Arthur ? Je servirai d'arbitre. Nous nous enfermerons dans un bureau jusqu'à ce que nous trouvions une solution. Qu'en dis-tu ?

— Trop tard ; il y a déjà eu des morts.

— Monsieur a cherché à se faire tuer.

— Il y en a eu d'autres.

J'ai décidé d'en rester là. Barry était mon ami, mais il répéterait l'essentiel de notre conversation à ses supérieurs.

— Voudrais-tu m'expliquer ?

– Je ne peux pas ; c'est confidentiel.

– Drôle de mot dans la bouche d'un avocat qui vole des dossiers.

Le radiateur se mit à gargouiller ; il était plus facile de le regarder que de poursuivre la discussion. Nous ne voulions ni l'un ni l'autre dire des choses que nous pourrions regretter.

Il m'interrogea sur mes nouveaux confrères ; je lui en fis une description sommaire.

– Nous nous reverrons ? demanda-t-il au moment de partir.

– Bien sûr.

18.

Ma formation dura une demi-heure, le temps du trajet jusqu'au foyer des Samaritains de Petworth, dans le Nord-Est. Mordecai conduisait et faisait la conversation ; j'écoutais en silence, serrant ma serviette contre moi, nerveux comme un premier communiant. Je ne me rasais plus. Je portais un jean, une chemise blanche, une cravate et un vieux blazer marine ; j'étais chaussé de Nike usagées. Un avocat des pauvres peut s'habiller comme bon lui semble.

Mordecai avait remarqué au premier coup d'œil ce changement de style quand j'étais entré dans son bureau en annonçant que j'étais prêt à me mettre au travail. Il n'avait rien dit, mais son regard s'était attardé sur les Nike. Il en avait déjà vu, des avocats de gros cabinets venant consacrer quelques heures à la défense des sans-abri, qui se sentaient obligés de ne pas se raser et de porter un jean.

– Votre clientèle sera composée d'un mélange de salariés, de familles avec enfants, de déficients mentaux et d'anciens combattants. Un tiers de ceux qui remplissent les conditions requises obtiennent le logement social auquel ils ont droit. Depuis quinze ans, deux millions et demi de ces logements sociaux ont été supprimés et les programmes financés par l'État ont diminué de soixante-dix pour cent. Pas étonnant qu'il y ait tant de

183

gens à la rue. Les gouvernements équilibrent leur budget sur le dos des pauvres.

Les statistiques s'enchaînaient sans effort ; c'était sa profession, sa vie. Habitué comme je l'étais à tout noter méticuleusement, j'ai dû me retenir pour ne pas ouvrir ma serviette et commencer à écrire fébrilement.

– Pour ceux qui sont payés au salaire minimum, poursuivit Mordecai, l'accession à un logement individuel est hors de question et leurs maigres revenus ne suivent pas les augmentations du loyer. Parallèlement, les programmes d'assistance ne cessent de se réduire. Savez-vous que quatorze pour cent seulement des SDF souffrant d'un handicap touchent une pension d'invalidité ? Vous en verrez beaucoup.

Il s'arrêta à un feu rouge en faisant crisser les pneus de la voiture qui bloqua en partie le carrefour. Des coups de klaxon retentirent autour de nous. Il ne vint pas à l'esprit de Mordecai que son véhicule était un obstacle à la circulation ; perdu dans son monde, il continua de regarder droit devant lui.

– Le plus affligeant n'est pas ce qu'on voit dans la rue ; la moitié des pauvres consacrent soixante-dix pour cent de leur revenu au logement. Ils sont des milliers dans cette ville à s'accrocher à leur toit ; un salaire qui saute, une hospitalisation, des dépenses imprévues et ils se retrouvent à la rue.

– Où vont-ils ?

– Ils commencent rarement par les foyers ; ils vont d'abord dans leur famille, chez des amis, ce qui crée de fortes tensions, car ils sont souvent hébergés dans des logements subventionnés. Une clause du bail limite le nombre de personnes vivant sous le même toit ; si elle n'est pas respectée, les sanctions peuvent aller jusqu'à l'expulsion. Les sans-abri changent fréquemment de lieu, laissent un enfant chez une sœur, un autre chez un ami. Leur

184

situation ne fait qu'empirer ; nombre d'entre eux redoutent d'aller dans un centre d'accueil et font tout ce qui est en leur pouvoir pour y échapper.

Il s'interrompit le temps de boire un peu de café.

– Pourquoi ? demandai-je.

– Tous les foyers ne sont pas sûrs. Il y a eu des vols, des agressions, des viols même.

C'est dans cet environnement que j'envisageais de passer le reste de ma carrière.

– J'ai oublié mon pistolet.

– Vous ne risquez rien. Les bénévoles se comptent par centaines à Washington ; je n'ai jamais entendu parler d'une seule agression.

– Cela fait plaisir à entendre.

– La moitié des gens que vous verrez sont des toxicomanes, comme DeVon Hardy.

– Que peut-on faire pour eux ?

– Pas grand-chose, je le crains. Il reste quelques possibilités de cures de désintoxication, mais il est difficile de trouver un lit. Nous avions réussi à placer Hardy dans un centre pour anciens combattants ; il n'a pas voulu y rester. Le toxico décide du moment où il entreprend son traitement.

– Quelle est la drogue la plus répandue ?

– L'alcool, le meilleur marché. Pas mal de crack, qui est abordable aussi. Vous verrez de tout, mais les drogues de synthèse sont trop chères.

– Quelles seront mes premières affaires ?

– Inquiet ?

– Oui. Je ne sais pas où je vais.

– Détendez-vous. Le travail n'est pas compliqué, il demande seulement de la patience. Vous verrez un client qui ne reçoit ni allocations ni probablement de coupons alimentaires. Un autre qui a porté plainte contre son propriétaire, un divorce, un licenciement abusif. Je vous garantis même une affaire au criminel.

– Quel genre d'affaire ?

– Rien de grave. On tend aujourd'hui dans les grandes agglomérations à criminaliser les affaires concernant les sans-abri. Tout un arsenal d'arrêtés municipaux a été mis en place pour persécuter ceux qui vivent dans la rue. Interdictions de mendier, de dormir sur un banc public, de s'installer sous un pont, de conserver des biens personnels dans un parc, de s'asseoir sur le trottoir, de manger en public. Les tribunaux en ont annulé un grand nombre. Abraham a réussi à convaincre des juges fédéraux que ces arrêtés vont à l'encontre des libertés individuelles garanties par le Premier amendement. Les municipalités font donc appliquer les lois sur le vagabondage, l'état d'ébriété sur la voie publique, qui visent les sans-abri. Si un type en costume-cravate prend une cuite et s'amuse à pisser dans une ruelle, il n'y a pas de suites. Si un SDF fait la même chose, il est arrêté pour avoir uriné sur la voie publique. Les rafles ne sont pas rares.

– Des rafles ?

– La police fait une descente dans un quartier, ramasse tous les sans domicile fixe et les transporte ailleurs. C'est ce qu'on a fait à Atlanta avant les Jeux Olympiques. Comme on ne voulait pas que le monde entier voie les pauvres faire la manche et dormir sur les bancs publics, on a fait intervenir la troupe pour supprimer le problème et montrer avec fierté une ville toute propre.

– Qu'a-t-on fait de ces gens ?

– On ne les a pas conduits dans des foyers ; il n'y en a pas. On les a simplement déchargés comme du fumier dans des quartiers périphériques.

Il lâcha le volant cinq secondes pour prendre d'une main une gorgée de café et régler le chauffage de l'autre.

– Vous savez, Michael, reprit-il, ces gens n'ont pas le choix. Celui qui a faim mendie sa nourriture, celui qui est fatigué dort où il peut. Quand on n'a pas de toit, il faut bien vivre quelque part.

– La police les embarque ?

– Tout le temps, aussi stupide que soit cette politique. Prenons un gars qui vit dans la rue, passe par les centres d'accueil, touche le salaire mini-mum et fait de son mieux pour remonter la pente et subvenir à ses besoins. Il se fait ramasser parce qu'il dort sous un pont. Il n'a pas décidé de le faire, mais il faut bien trouver un endroit où dormir. Il est coupable ; aux yeux de nos édiles, être sans logis est un délit. Il devra donc payer trente dollars pour sortir de prison et trente dollars d'amende ; c'est beaucoup pour quelqu'un dans sa situation. Arrêté, humilié, il s'enfonce un peu plus. Il devrait sans doute faire amende honorable, quitter la rue et trouver un logement.

– Ne serait-il pas mieux en prison ?

– Vous avez fait de la prison ces derniers temps ?

– Non.

– Je ne vous le conseille pas. Les flics n'ont pas été formés pour s'occuper des sans-abri, surtout ceux qui souffrent de troubles mentaux et les dro-gués, de plus les prisons sont surpeuplées. Le plus bête est que garder un individu derrière les bar-reaux revient plus cher à la collectivité que si on lui fournissait un abri, de la nourriture et un soutien psychologique. Sans parler du coût de l'arrestation et de la procédure. La plupart des grandes villes sont endettées jusqu'au cou – c'est pourquoi on ferme les foyers à Washington –, mais elles conti-nuent à gaspiller de l'argent en traînant les sans-abri devant les tribunaux.

– C'est le cas à Washington ?

– La situation n'est pas aussi mauvaise qu'à New York, mais cela ne vaut guère mieux.

Nous étions dans un quartier que je n'aurais pas traversé deux semaines plus tôt en plein jour, au volant d'une voiture blindée. Les vitrines étaient garnies de barres de fer ; du linge séchait sur les balcons des immeubles aux hautes et mornes façades. La triste architecture de ces constructions en brique portait la marque de programmes réali-sés à la va-vite avec des fonds publics.

– Washington est une ville noire, poursuivit Mordecai, où les nécessiteux sont nombreux. Elle attire des tas de gens qui veulent que les choses changent, des militants, des radicaux. Des gens comme vous.

– On ne peut pas dire que je sois un militant ni un radical.

– Nous sommes lundi matin. Pensez à ce que vous faisiez le lundi matin ces sept dernières années.

– J'étais à mon bureau.

– Un très joli bureau.

– En effet.

– Dans une pièce meublée avec goût.

– Oui.

– Vous voilà devenu un radical, conclut-il avec un large sourire.

Ainsi s'acheva ma formation.

À notre droite, à un carrefour, un groupe d'hommes engoncés dans d'épais vêtements se massait autour d'un brasero. La voiture ralentit à leur hauteur, s'arrêta au bord du trottoir. Sur la façade de ce qui, bien des années auparavant, avait été un grand magasin, une inscription peinte à la main indiquait : Foyer des Samaritains.

– C'est un centre d'hébergement privé fondé par une communauté d'églises d'Arlington, expliqua Mordecai. Quatre-vingt-dix lits, des repas honnêtes ; nous y venons depuis six ans.

Une camionnette d'une banque alimentaire était garée devant la porte ; des bénévoles déchargeaient des cageots de fruits et de légumes. Mordecai s'adressa à un homme aux cheveux grisonnants qui gardait la porte ; il nous fit entrer.

– Je vais vous faire visiter, fit Mordecai.

Je l'ai suivi de près tandis qu'il m'entraînait dans un dédale de couloirs bordés de petites pièces carrées aux cloisons en Placoplâtre. Chaque pièce avait sa porte munie d'une serrure. Dès qu'il en vit une ouverte, Mordecai passa la tête à l'intérieur et salua son occupant.

Un petit bonhomme au regard farouche, assis sur le bord d'un lit de camp, nous fixait sans rien dire.

– Que demander de plus, fit Mordecai. On a son intimité, un bon lit, de la place pour ranger ses affaires et l'électricité.

Il actionna un bouton près de la porte; l'ampoule d'une petite lampe s'éteignit. La pièce fut plongée dans la pénombre quelques secondes. Il redonna de la lumière; les yeux fixés sur nous n'avaient pas bougé.

La pièce n'avait pas de plafond; celui de l'ancien magasin s'élevait à près de dix mètres.

– Pas de cabinet de toilette? demandai-je.

– Il y en a derrière. On trouve rarement des sanitaires individuels dans un centre d'hébergement.

Il souhaita une bonne journée au petit homme qui inclina la tête.

Des radios diffusaient de la musique ou des bulletins d'informations. Il y avait des allées et venues dans les couloirs. Une nouvelle semaine commençait.

– Je suppose qu'il est difficile d'avoir une chambre ici.

– Presque impossible. La liste d'attente est interminable et les responsables du foyer filtrent les entrées.

– Combien de temps restent-ils?

– C'est variable; disons trois mois en moyenne. Ce centre est un des meilleurs, ils y sont en sécurité. Dès qu'ils ont trouvé un peu de stabilité, on essaie de les reloger.

– Notre nouvel avocat, dit-il en me présentant à la responsable du centre, une jeune femme en rangers noirs qui me souhaita la bienvenue.

Pendant qu'ils parlaient d'un client qui avait

disparu, je me suis engagé dans un couloir desservant les chambres réservées aux familles. Un bébé s'est mis à pleurer ; je me suis arrêté devant la porte. La pièce, légèrement plus grande que celles des célibataires, était divisée en box. Dans un fauteuil, une robuste femme âgée de moins de vingt-cinq ans, la poitrine nue, allaitait un nourrisson ; elle n'a eu aucune réaction en me voyant à quelques mètres d'elle. Deux petits enfants jouaient sur un lit ; un air de rap s'échappait d'une radio.

La jeune femme a pris son sein libre dans la main droite et me l'a présenté ; j'ai battu en retraite dans le couloir.

Des clients nous attendaient dans un angle du réfectoire ; une table pliante empruntée à la cuisinière faisait office de bureau. Mordecai ouvrit un meuble à compartiments contenant ses dossiers ; nous étions à pied d'œuvre. Une demi-douzaine de personnes étaient assises le long du mur.

– Qui est le premier ? demanda Mordecai.

Une femme s'avança, sa chaise à la main. Elle prit place en face de ses avocats – le vieux routier et le non-initié –, tous deux à l'écoute, le stylo levé.

Elle s'appelait Waylene, elle avait vingt-sept ans, deux enfants, pas de mari.

– La moitié est hébergée ici, me glissa Mordecai tandis que nous prenions des notes. Les autres viennent de la rue.

– Nous acceptons tout le monde ?

– Tous les sans-abri.

Le problème de Waylene n'était pas compliqué. Pour des raisons qui lui appartenaient, elle avait quitté son emploi de serveuse dans un fast-food et n'avait pas touché sa paie des deux dernières semaines. Comme elle n'avait pas de domicile fixe, son employeur n'avait pas envoyé les chèques à la bonne adresse. Ils avaient disparu ; l'employeur n'en avait que faire.

– Où serez-vous la semaine prochaine ? demanda Mordecai.

190

19.

À la fin de la première journée de travail, je n'étais nullement pressé de rentrer chez moi, dans cet appartement mansardé et nu qui faisait trois fois la surface d'un cagibi du foyer d'accueil. Une chambre sans lit, un séjour garni en tout et pour tout d'un téléviseur portable, une cuisine sans réfrigérateur, meublée d'une table de jeu. Mes projets d'ameublement et de décoration étaient pour le moins vagues et lointains.

Sofia, comme à son habitude, est partie à 17 heures pétantes. Elle habitait dans une rue mal famée et préférait être chez elle, porte et volets clos, à la tombée de la nuit. Mordecai s'en est allé vers 18 heures, après une demi-heure passée à faire le bilan de la journée avec son nouvel associé. Il m'a recommandé de ne pas rester trop tard, m'a conseillé de partir à 21 heures, en même temps qu'Abraham. Se garer le plus près possible. Marcher vite. Ouvrir l'œil, et le bon.

– Alors, vos premières impressions ? demanda-t-il, sur le pas de la porte.

– Travail passionnant, contacts humains enrichissants.

– Vous entendrez des histoires à fendre l'âme.

– Croyez-vous que je n'en ai pas déjà écouté ?

– Très bien. Le jour où cela ne vous fera plus mal, il sera temps d'arrêter.

– Je viens de commencer.

– Je sais. Je suis content que vous soyez des nôtres ; il nous fallait un Blanc ici.

– Je me réjouis d'être un symbole.

Je me suis levé pour fermer la porte derrière lui. J'avais remarqué que tout le monde semblait s'entendre pour pratiquer la politique de la porte ouverte. Sofia travaillait dans un espace ouvert ; j'avais souri tout au long de l'après-midi en l'entendant passer des savons aux fonctionnaires avec qui elle était en communication. Mordecai parlait avec brutalité au téléphone : sa voix rocailleuse roulait à travers les bureaux tandis qu'il multipliait les exigences et les pires menaces. Abraham était plus discret, mais sa porte restait ouverte.

Ne sachant pas encore quelle serait ma place, je préférais garder la mienne fermée ; j'étais sûr qu'ils ne m'en voudraient pas.

J'ai appelé successivement les trois Hector Palma de l'annuaire. Le premier numéro n'était pas le bon ; pas de réponse au deuxième. Au troisième, je suis tombé sur un enregistrement laconique : nous sommes sortis – veuillez laisser un message –, nous vous rappellerons.

C'était la voix d'Hector.

Avec les ressources infinies dont il disposait, le cabinet Drake & Sweeney avait l'embarras du choix pour effacer la trace d'Hector Palma. Huit cents avocats, cent soixante-dix assistants, des bureaux à Washington, New York, Chicago, Los Angeles, Portland, Palm Beach, ainsi que Londres et Hong Kong. Ils ne commettraient pas l'erreur de le renvoyer ; il en savait trop. Ils allaient donc doubler son salaire, lui offrir une promotion, l'expédier dans une autre ville où il serait mieux logé.

J'ai copié l'adresse de l'annuaire. Si le répondeur était encore en service, peut-être n'avait-il pas déménagé. Avec mon expérience fraîchement acquise de la rue, j'étais sûr de pouvoir le retrouver.

On a frappé un petit coup ; la porte s'est entrouverte sous cette légère poussée. Avec son pêne usé et branlant, elle ne tenait pas fermée. C'était Abraham.

– Vous avez une minute ?

Il s'est assis sans attendre ma réponse.

Il flottait autour de cet homme silencieux et distant une aura de profondeur intellectuelle qui m'eût intimidé si je n'avais passé sept ans dans la compagnie de quatre centaines d'avocats de tout poil. J'avais connu une douzaine de ses semblables, des hommes graves et réservés qui faisaient peu de cas des mondanités.

– Je voulais vous souhaiter la bienvenue, dit-il simplement, avant de se lancer dans un plaidoyer pour le droit d'intérêt public.

Issu de la petite-bourgeoisie de Brooklyn, diplômé de Columbia, il avait passé trois années douloureuses dans un cabinet de Wall Street, quatre à Atlanta au sein d'une association d'opposants à la peine de mort et deux autres sur le Capitole avant de tomber dans une revue professionnelle sur une annonce du Centre d'assistance juridique de la 14e Rue qui recrutait un avocat.

– Le droit est une vocation. Ce n'est pas une affaire d'argent.

Il s'est lancé dans une nouvelle tirade contre les gros cabinets d'affaires et les avocats qui ramassent les millions à la pelle. Un de ses amis de Brooklyn en gagnait dix par an en traquant d'un bout à l'autre du pays les fabricants d'implants mammaires.

– Dix millions, vous vous rendez compte ? De quoi nourrir et loger tous les sans-abri de Washington !

Il s'est déclaré ravi que j'aie vu la Lumière et navré de la triste fin de DeVon Hardy. Je lui ai demandé quelles étaient exactement ses activités.

Je prenais plaisir à sa conversation brillante et passionnée, relevée par une richesse de vocabulaire à donner le tournis.

— Deux choses. La politique d'abord ; je travaille avec des confrères pour rendre la législation accessible. Et je supervise les actions en justice, essentiellement les recours collectifs. Nous avons intenté un procès à la direction de l'enseignement qui refusait d'admettre les enfants sans domicile fixe dans les établissements scolaires. Nous avons déposé un recours contentieux contre les autorités municipales qui avaient supprimé indûment plusieurs milliers d'allocations de logement. Nous avons attaqué de nombreux décrets visant à faire des sans-abri des délinquants. Ce n'est pas toujours facile, mais nous avons la chance d'avoir à Washington de bons avocats qui acceptent de donner un peu de leur temps. Je supervise, je coordonne, j'établis la stratégie et je choisis nos représentants.

— Vous ne recevez pas de clients ?

— De temps à autre. Mais je travaille mieux dans la solitude de mon petit bureau. Voilà pourquoi je suis heureux que vous soyez parmi nous ; votre aide sera précieuse.

Il s'est levé brusquement ; la conversation était terminée. Nous avons décidé de nous retrouver à 21 heures précises pour sortir ensemble.

J'avais remarqué qu'il ne portait pas d'alliance ; le droit était toute sa vie. Le vieil adage disant que le droit est une maîtresse jalouse se vérifiait une fois de plus avec des gens comme Abraham et moi-même. Nous n'avions rien d'autre.

Les hommes de la police municipale ont attendu 1 heure du matin pour lancer une action de commando. Ils ont sonné à la porte d'entrée et commencé aussitôt à la marteler à coups de poing.

Le temps que Claire comprenne ce qui se passait, se lève et enfile un vêtement par-dessus son pyjama, ils frappaient à grands coups de pied sur la porte, prêts à la défoncer.

– Police ! répondit une voix forte à sa demande angoissée.

Elle ouvrit lentement et recula, terrifiée, devant les quatre hommes – deux en uniforme, deux en civil – qui se ruaient à l'intérieur comme si leur vie en dépendait.

– Écartez-vous ! ordonna l'un d'eux.

Elle était incapable de bouger.

– Écartez-vous ! rugit un autre.

Ils claquèrent la porte derrière eux. Leur chef, engoncé dans un complet trop serré, s'avança en sortant de sa poche quelques feuilles de papier pliées en deux.

– Êtes-vous Claire Brock ? lança-t-il dans une mauvaise imitation de Columbo.

Bouche bée, elle acquiesça de la tête.

– Je suis le lieutenant Gasko. Où est Michael Brock ?

– Il n'habite plus ici, parvint-elle à articuler.

Les trois autres se tenaient prêts à bondir sur tout ce qui bougeait.

À l'évidence, Gasko n'en croyait pas un mot. Mais il n'avait pas de mandat d'arrêt ; il était seulement autorisé à procéder à une visite domiciliaire.

– J'ai un mandat de perquisition à votre domicile, signé hier à 17 heures par le juge Kisner.

Il déplia les papiers, les fourra sous le nez de Claire, comme si le moment se prêtait à une lecture attentive des petits caractères.

– Écartez-vous, je vous prie !

Claire fit quelques pas en arrière.

– Que cherchez-vous ? demanda-t-elle.

– C'est écrit là-dedans, répondit Gasko en lançant les papiers sur le passe-plat tandis que les trois autres se dispersaient dans l'appartement.

Le téléphone portable se trouvait près de ma tête, sur l'oreiller posé à même le sol. Je passais ma troisième nuit par terre, dans le but de m'identifier à mes nouveaux clients. Je mangeais peu, dormais encore moins en essayant de juger du confort d'un banc public ou d'un trottoir. Tout mon côté gauche, violacé jusqu'au genou, étant endolori, je dormais sur le côté droit.

C'était un prix raisonnable à payer. J'avais un toit, du chauffage, la sécurité d'une porte, un emploi, l'assurance de manger à ma faim, un avenir.

J'ai saisi l'appareil dès la première sonnerie.

— Michael ! fit la voix étouffée de Claire. La police est en train de fouiller l'appartement.

— Quoi ?

— Ils sont quatre. Ils ont un mandat de perquisition.

— Que veulent-ils ?

— Ils cherchent un dossier.

— Je suis là dans dix minutes.

— Dépêche-toi !

Je suis entré en trombe dans l'appartement. Gasko était le premier flic sur ma route.

— Je suis Michael Brock ! Qui êtes-vous ?

— Lieutenant Gasko, répondit-il d'un air méprisant.

— Montrez-moi votre plaque.

Je me suis tourné vers Claire, adossée au réfrigérateur, une tasse de café à la main.

— Apporte-moi du papier, veux-tu ?

Gasko a sorti sa plaque d'une poche de poitrine, l'a levée à la hauteur de mes yeux.

— Larry Gasko, vous serez le premier contre qui des poursuites seront engagées dès 9 heures du matin. Voyons qui sont les autres.

— Il y en a trois, fit Claire en me tendant une feuille. Je crois qu'ils sont dans la salle de bains.

Je me suis dirigé vers le fond de l'appartement, Gasko sur mes talons ; Claire suivait de loin. Dans la chambre d'amis j'ai découvert un policier en civil à quatre pattes sous le lit.

— Montrez-moi vos papiers !

L'homme s'est relevé, prêt à faire le coup de poing. J'ai fait un pas vers lui, les dents serrées.

— Votre plaque !

— Qui êtes-vous ? a demandé le flic en interrogeant Gasko du regard.

— Michael Brock. Et vous ?

Il a présenté sa plaque ; il s'appelait Darrell Clark.

J'ai articulé son nom d'une voix forte en l'écrivant sous celui de Gasko.

— Prévenu numéro deux.

— Vous ne pouvez pas porter plainte contre moi.

— Je vous fiche mon billet que dans huit heures, je vous traîne devant un tribunal fédéral en réclamant un million de dollars pour perquisition illégale. Je gagnerai, vous serez condamné et je ne vous lâcherai que lorsque vous serez sur la paille !

Sortant de mon ancienne chambre, les deux derniers flics se sont approchés d'un air menaçant.

— Claire, peux-tu aller chercher le caméscope. Je veux que tout ça soit filmé.

Elle disparut dans le séjour.

— Nous avons un mandat signé par un juge, protesta Gasko, sur la défensive.

Les trois autres ont resserré le cercle autour de moi.

— Cette visite domiciliaire est illégale. Ceux qui ont signé le mandat en répondront devant la justice comme chacun de vous. Vous serez mis à pied, probablement sans solde, et poursuivis au civil.

— Nous sommes protégés par la loi, protesta Gasko en se tournant vers ses collègues.

— Mon œil !

Claire revint avec le caméscope.

– Leur as-tu dit que je n'habitais pas ici ?

– Oui, répondit-elle en mettant l'appareil en marche.

– Mais ces messieurs ont poursuivi la perquisition. À partir de ce moment, elle est devenue illégale. Vous auriez dû arrêter, messieurs, mais où aurait été le plaisir ? Il est beaucoup plus drôle de fourrager dans l'intimité d'autrui, n'est-ce pas ? Vous avez eu votre chance, vous l'avez laissée passer. Vous subirez les conséquences de vos actes.

– Vous êtes cinglé, fit Gasko en essayant de ne pas montrer sa peur.

Ils savaient avoir affaire à un avocat. Comme ils ne m'avaient pas trouvé dans l'appartement, peut-être étais-je sûr de ce que je disais. Il n'en était rien, mais l'idée me semblait bonne. Je m'étais engagé sur un terrain juridique très glissant.

– Vos noms, je vous prie, fis-je en m'adressant aux deux policiers en uniforme.

Ils présentèrent leur plaque : Ralph Lilly et Robert Blower.

– Merci, fis-je avec une froideur méprisante. Vous serez les prévenus numéros trois et quatre. Vous pouvez vous retirer maintenant.

– Où est le dossier ? demanda Gasko.

– Il n'est pas ici, car je n'habite pas ici. Voilà pourquoi, lieutenant, vous serez poursuivi.

– C'est une question d'habitude.

– Très bien. Qui est votre avocat ?

Il fut incapable de sortir un nom dans la fraction de seconde qui suivit. Je me suis dirigé vers le séjour ; ils m'ont suivi en traînant les pieds.

Claire filmait en continu, ce qui les empêchait de râler trop fort. Blower a marmonné quelque chose de peu aimable sur les avocats tandis que le petit groupe se dirigeait vers la porte.

Dès qu'ils furent partis, j'ai pris connaissance du libellé du mandat sous le regard de Claire, assise à la table de la cuisine. Remise de sa frayeur, elle

202

avait retrouvé son calme et sa froideur. Elle ne voulait pas avouer avoir eu peur, ni se montrer tant soit peu vulnérable, ni surtout donner l'impression d'avoir besoin de moi.

— Qu'y a-t-il dans ce dossier ?

Claire ne tenait pas réellement à le savoir ; elle voulait simplement avoir l'assurance que ce cauchemar ne se reproduirait pas.

— C'est une longue histoire.

En d'autres termes, ne pose pas de questions ; elle comprit parfaitement.

— Tu as vraiment l'intention d'engager des poursuites ?

— Non. Je n'ai pas de motif ; je voulais seulement me débarrasser d'eux.

— Tu as réussi. Crois-tu qu'ils reviendront ?

— Non.

— Cela fait plaisir à entendre.

J'ai fourré le mandat dans une de mes poches. Il ne concernait que le dossier RiverOaks/TAG. Pour l'instant, le document était bien caché dans mon nouvel appartement, ainsi que la copie que j'en avais fait.

— Leur as-tu dit où j'habitais ?

— Je ne sais pas où tu habites, répondit Claire.

Après le silence de courte durée qui suivit, elle aurait pu le demander ; elle n'en fit rien.

— Je suis navré de ce qui s'est passé, Claire.

— N'en parlons plus ; promets-moi seulement que cela ne se reproduira pas.

— Tu as ma parole.

J'ai pris congé sans l'embrasser ni la serrer dans mes bras. Je suis sorti en lui souhaitant simplement une bonne nuit, comme elle le voulait.

20.

Le mardi, j'ai fait ma première visite à la CCNV, la Communauté pour la non-violence créative, de loin le plus important foyer d'accueil du centre de Washington. Cette fois encore, je me suis fait cornaquer par Mordecai; son idée était de m'accompagner la première semaine avant de me lâcher dans la ville.

Les mises en garde et les menaces faites par le truchement de Barry Nuzzo n'avaient pas eu d'effet. La direction de Drake & Sweeney était décidée à employer tous les moyens pour parvenir à ses fins; je ne m'en étonnais pas autrement. L'opération commando lancée en pleine nuit contre mon ancien domicile n'était qu'un avant-goût de ce qui m'attendait. Le moment était venu de dire la vérité à Mordecai; j'ai commencé dès que la voiture s'est mise en marche.

— Ma femme et moi venons de nous séparer; j'ai pris un nouvel appartement.

Le pauvre Mordecai n'était pas préparé à une nouvelle aussi abrupte, à 8 heures du matin.

— Vraiment désolé, fit-il en se tournant vers moi, ce qui faillit coûter la vie à un piéton imprudent.

— Il n'y a pas de quoi. Sachez aussi que la police a perquisitionné en pleine nuit notre ancien appartement ; c'est moi qu'on cherchait, plus précisément un dossier que j'ai emporté en quittant le cabinet.

– Quel genre ?

– Un dossier qui concerne DeVon Hardy et Lontae Burton.

– Je suis tout ouïe.

– Nous avons maintenant la certitude que De-Von a pris des otages chez Drake & Sweeney, parce qu'il savait que le cabinet était responsable de son expulsion. Seize autres adultes et plusieurs enfants ont été expulsés au cours de cette opération ; Lontae Burton et sa famille en faisaient partie.

– Le monde est petit, soupira Mordecai après un long silence.

– L'entrepôt abandonné se trouvait sur un terrain que RiverOaks prévoyait d'utiliser pour bâtir un centre de tri postal, un projet de vingt millions de dollars.

– Je connais cet entrepôt ; il a toujours été occupé par des squatters.

– Dans le cas présent, ce n'étaient pas des squatters, du moins je le crois.

– C'est une hypothèse ou vous êtes certain de ce que vous avancez ?

– Pour l'instant, ce n'est qu'une hypothèse. Le dossier a été trafiqué ; on a ajouté des documents, on en a retiré d'autres. On a confié le sale boulot à un assistant du nom d'Hector Palma qui est devenu mon informateur. Il m'a fait savoir par une note anonyme que les expulsions étaient illégales et a fourni les clés me permettant d'avoir accès au dossier. Depuis hier, il ne travaille plus dans les bureaux de Washington de Drake & Sweeney.

– Où est-il ?

– J'aimerais le savoir.

– Il vous a donné des clés ?

– Pas en main propre. Il les a laissées sur mon bureau, avec des instructions.

– Vous les avez utilisées ?

– Oui.

– Pour dérober un dossier ?

– Je n'avais pas l'intention de le garder. J'allais en faire des photocopies quand un abruti a brûlé un feu rouge et m'a expédié à l'hôpital.

– C'est celui que nous avons récupéré dans votre voiture ?

– Bien sûr. Je voulais le remettre à sa place après l'avoir photocopié ; ni vu ni connu.

– Je me demande si c'était judicieux.

Il avait envie de me traiter d'imbécile, mais notre amitié était trop récente.

– Quelles pièces ont disparu de ce dossier ?

J'ai résumé en quelques phrases l'histoire de RiverOaks et de la course contre la montre pour la construction du centre de tri.

– Il fallait agir au plus vite. Quand Palma s'est rendu sur place la première fois, il s'est fait agresser ; son rapport figure dans le dossier. Il y est retourné, cette fois avec un garde du corps ; le rapport a disparu. Il a été classé dans le dossier, puis retiré, probablement par Braden Chance.

– Que disait ce rapport ?

– Je n'en sais rien. Je suppose que lors de son inspection, Palma a trouvé des squatters dans leurs logements de fortune et appris qu'ils payaient un loyer à Tillman Gantry. Ce n'étaient donc pas des squatters, mais des locataires, protégés à ce titre par la loi. La démolition était imminente, il fallait faire évacuer les lieux, Gantry s'en mettait plein les poches. On n'a pas tenu compte du second rapport ; la procédure d'expulsion a été déclenchée.

– Dix-sept personnes ?

– Plus quelques enfants.

– Connaissez-vous l'identité des autres ?

– Quelqu'un – Palma, j'imagine – m'a fait parvenir une liste. Je l'ai trouvée sur mon bureau. Si nous pouvons retrouver les autres, nous aurons des témoins.

– Pas sûr. Selon toute vraisemblance, Gantry les a terrorisés ; c'est un grand gaillard avec un gros pistolet, qui aime jouer au parrain. Quand il dit à quelqu'un de la boucler, il vaut mieux se taire si on ne veut pas finir noyé.

– Mais vous, Mordecai, vous n'avez pas peur de lui ? Allons le voir, bousculons-le ; il finira par déballer la vérité.

– On voit que vous avez l'expérience de la rue ! Quel naïf vous faites !

– Il va se débiner en nous voyant arriver.

L'humour ne marchait pas à cette heure matinale. Le chauffage non plus, malgré le boucan du ventilateur ; on gelait dans la voiture.

– Combien Gantry a-t-il touché pour l'entrepôt ?

– Deux cent mille dollars. Il l'avait acheté six mois plus tôt ; le prix n'est pas mentionné dans le dossier.

– À qui l'avait-il acheté ?

– À la ville. C'était un bâtiment abandonné.

– Il a dû l'avoir pour cinq mille dollars, dix maximum.

– Joli coup.

– Un gros progrès pour Gantry. C'était un gagne-petit : location d'appartements, lavage automatique de voitures, épicerie de nuit, des affaires de quatre sous.

– Pourquoi acheter l'entrepôt et en louer une partie ?

– L'argent, bien sûr. Imaginons qu'il l'ait payé cinq mille et qu'il en ait dépensé mille de plus pour monter quelques cloisons et installer des sanitaires. Il ouvre sa boutique et c'est parti : la nouvelle se répand, les locataires rappliquent. Il demande cent dollars par mois, en espèces ; de toute façon, ses clients ne sont pas portés sur la paperasse. Il fait en sorte que l'entrepôt ressemble à un taudis ; en cas de contrôle, il prétend que les occupants sont des squatters et promet de les virer. Il n'en fait rien, bien sûr. La location clandestine est une pratique courante ici.

J'ai failli demander pourquoi les autorités municipales n'intervenaient pas pour faire respecter la loi, mais j'ai réussi à me retenir. La réponse était dans les nids-de-poule, trop nombreux pour être comptés ou même évités, dans le parc automobile de la police dont un tiers ne roulait pas, dans les toits effondrés des écoles, les chambres d'hôpital exiguës et les cinq cents mères incapables de trouver un abri pour leurs enfants. Rien ne marchait dans cette ville.

Un propriétaire agissant dans l'illégalité, surtout s'il offrait un toit à une poignée de sans-abri, ne pouvait constituer une priorité.

– Comment allez-vous retrouver Hector Palma ? demanda Mordecai.

– Je suppose qu'on aura l'intelligence de ne pas le renvoyer. Le cabinet a des bureaux dans sept autres villes ; on a dû le planquer quelque part. Mais je le trouverai.

– Regardez ces remorques tassées les unes contre les autres, coupa Mordecai. C'est la place du Mont Vernon.

Une haute palissade destinée à masquer la vue entourait les remorques de longueur et de forme variées, certaines délabrées, toutes en piteux état.

– Le pire foyer de toute la ville, poursuivit Mordecai. Ce sont d'anciennes voitures postales dont l'administration a fait don à la municipalité qui a eu l'idée géniale d'y abriter des sans-logis. Ils y vivent serrés comme des sardines.

En arrivant à l'intersection de la 2e Rue et de D Street, Mordecai montra un long bâtiment de trois étages : treize cents personnes y vivaient.

La CCNV avait été fondée au début des années soixante-dix par un groupe d'opposants à la guerre du Viêt-nam rassemblés à Washington pour harceler le gouvernement. À l'occasion de leurs manifestations autour du Capitole, ils avaient croisé la route d'anciens combattants dans le dénuement et les avaient hébergés. À mesure que leurs rangs grossissaient, ils avaient occupé différents lieux plus spacieux. La guerre terminée, ils s'étaient intéressés au sort des sans-abri de la capitale. Au début des années quatre-vingt, un militant fraîchement recruté du nom de Mitch Snyder était devenu le porte-parole passionné et turbulent du peuple de la rue.

La CCNV prit possession d'un établissement scolaire abandonné et y installa six cents squatters. Elle en fit son quartier général ; toutes les tentatives des pouvoirs publics pour les en déloger échouèrent. En 1984, Snyder fit une grève de la faim de cinquante et un jours pour attirer l'attention sur le dénuement des SDF ; à un mois de l'élection présidentielle, Ronald Reagan s'engagea à faire du lycée un refuge modèle pour les nécessiteux. Snyder mit un terme à sa grève de la faim ; tout le monde était content. Après sa réélection, Reagan renia ses promesses ; l'affaire alla devant les tribunaux.

En 1989, la ville construisit un foyer d'accueil dans le Sud-Est, loin du centre, où elle comptait loger les occupants des locaux de la CCNV. Les principaux intéressés ne l'entendaient pas de cette oreille ; ils n'avaient aucune envie de déménager. Snyder annonça qu'ils bouchaient les fenêtres et se préparaient à soutenir un siège. Les rumeurs les plus folles circulaient : les sans-abri étaient au nombre de huit cents ; ils disposaient d'un véritable arsenal ; ce serait la guerre.

Les autorités cédèrent et parvinrent à faire la paix ; le nombre de lits passa à mille trois cents. Mitch Snyder se suicida l'année suivante ; la ville donna son nom à une rue.

Nous sommes arrivés peu avant 8 h 30, l'heure du départ pour les résidents. Ils étaient nombreux à travailler ; la plupart passaient la journée dehors. À l'entrée une centaine d'hommes discutaient joyeusement en fumant dans le froid du matin après une bonne nuit au chaud.

En entrant, Mordecai est allé voir un surveillant derrière un guichet. Il a signé le registre, m'a entraîné dans la bousculade des hommes partant au travail. Je me suis efforcé de ne pas penser à la couleur de ma peau ; c'était impossible. J'étais correctement habillé, en veste et cravate, je n'avais jamais connu la misère. Porté par le flot de ces jeunes Noirs à l'air dur qui, pour la plupart, avaient un casier et jamais trois sous en poche, je m'attendais à tout instant à me faire assommer et voler mon portefeuille. Les yeux rivés au sol, j'évitais de croiser leur regard. Nous nous sommes arrêtés devant la porte de la salle d'accueil.

– Les armes et la drogue sont punies d'une exclusion à vie, expliqua Mordecai tandis que nous regardions la foule descendre l'escalier.

Je me suis senti un peu rassuré.

– Vous n'êtes pas nerveux quand vous venez ici ?

– On se fait à tout.

Facile à dire ; ils parlaient le même langage.

À côté de la porte était punaisée une feuille d'inscription à la consultation juridique. Mordecai a étudié la liste de nos clients ; il y avait treize noms.

– Un peu en dessous de la moyenne, déclarat-il.

Pendant que nous attendions la clé, il m'a fait un petit topo.

– Ici, c'est la poste. Un des aspects les plus irritants de notre travail est la difficulté à garder le contact avec les clients qui n'ont pas d'adresse fixe. Les bons foyers permettent à leurs résidents de recevoir et d'envoyer du courrier. Là-bas, poursuivit-il en indiquant une autre porte, c'est le vestiaire. Trente à quarante nouveaux sont accueillis chaque semaine. Après l'examen médical où l'on s'assure que le nouveau venu n'est pas atteint de la tuberculose, on lui remet trois jeux complets de vêtements. Il peut revenir une fois par mois pour en avoir d'autres ; à la fin de son année, il possède une garde-robe convenable. Les vêtements sont en bon état ; le foyer en reçoit plus qu'il ne peut en distribuer.

– Une année ?

– Maximum. Au bout d'un an, c'est la porte. Cela peut sembler cruel au premier abord, mais à la réflexion, ils n'ont pas tort. Le but est l'acquisition d'une indépendance matérielle. Celui qui arrive sait qu'il dispose de douze mois pour remettre de l'ordre dans sa vie, renoncer à la drogue ou à l'alcool, suivre une formation et trouver du boulot. La plupart ne restent pas un an ; quelques-uns aimeraient y finir leurs jours.

Un homme du nom d'Ernie est arrivé avec un imposant trousseau de clés ; il a ouvert la porte et fait demi-tour. Nous nous sommes installés et Mordecai a appelé la première personne sur la liste.

– Luther Williams.

Luther passait difficilement dans l'encadrement de la porte ; le fauteuil a gémi quand il s'y est laissé tomber de tout son poids. Il portait une combinaison verte, des chaussettes blanches et des claquettes orange ; il travaillait la nuit dans la chaufferie du Pentagone. Sa petite amie l'avait quitté en emportant tout ce qu'elle pouvait et signé des chèques en bois. Il s'était fait expulser de son appartement et avait honte de vivre dans un foyer. Il disait avoir juste besoin d'un peu de temps pour se refaire.

Les factures s'accumulaient, les organismes de crédit ne le lâchaient pas. Il fuyait ses créanciers.

Mordecai a suggéré une demande de faillite personnelle ; je n'avais pas la moindre idée de ce qu'il fallait faire. J'ai acquiescé d'un air grave. Nous avons passé vingt minutes à remplir des formulaires ; Luther paraissait ravi.

Le client suivant s'appelait Tommy. Il s'est coulé avec grâce dans la pièce ; la main que j'ai serrée avait des ongles vernis d'un rouge éclatant. Mordecai n'a pas bougé. Tommy suivait une cure de désintoxication – crack et héroïne – et devait de l'argent au fisc. Il n'avait pas rempli de déclaration de revenus depuis trois ans ; les services fiscaux venaient de le débusquer. Il avait aussi oublié de verser deux mille dollars de pension alimentaire. J'ai été soulagé d'apprendre qu'il était père. Son traitement intensif – sept jours sur sept – lui interdisait de travailler à plein temps.

– Pas de déclaration de faillite personnelle pour la pension alimentaire et les arriérés d'impôts, déclara Mordecai.

– Je trouve pas de travail à cause de la cure, mais si j'arrête le traitement, je vais replonger. Qu'est-ce qu'il faut que je fasse ?

– Rien. Ne vous inquiétez pas, terminez votre traitement et trouvez un boulot. Quand ce sera fait, appelez Michael Brock.

Tommy m'a adressé un sourire accompagné d'un clin d'œil avant de se glisser hors de la pièce.

– Je crois que vous lui plaisez, fit Mordecai.

Ernie a apporté une autre feuille comportant une liste de onze noms ; une file d'attente s'était formée devant la porte. Il a fallu changer de stratégie : je me suis installé au fond de la pièce, Mordecai est resté à sa place. Nous pouvions recevoir deux clients à la fois.

Le premier qui a pris place devant moi était un jeune homme accusé de trafic de drogue ; j'ai soigneusement noté tout ce qu'il disait afin de pouvoir revenir sur l'affaire avec Mordecai.

En découvrant le suivant, j'ai eu une réaction de surprise : blanc, la quarantaine, il n'avait ni tatouage, ni balafre, ni dents ébréchées, ni boucle d'oreille. Ses yeux n'étaient pas injectés de sang, son nez n'était pas couperosé. Il portait une barbe d'une semaine et les cheveux ras ; la main que j'ai serrée était molle et moite. Il s'appelait Paul Pelham, résidait au foyer depuis trois mois et avait été médecin dans une autre vie.

Drogue, divorce, faillite personnelle, radiation par le conseil de l'ordre, autant d'événements qui jalonnaient son passé récent, mais dont le souvenir s'estompait. Il avait simplement besoin de quelqu'un à qui parler, de préférence un Blanc. De loin en loin, il lançait un regard craintif en direction de Mordecai.

Pelham avait été un gynécologue en vue à Scranton, Pennsylvanie – belle demeure, Mercedes, jolie femme, deux enfants. Après avoir abusé du Valium, il était passé à des drogues plus dures, avait commencé à s'adonner aux délices de la coke et de la chair avec ses infirmières. Un jour, au cours d'un accouchement, il avait lâché un bébé qui en était mort ; le père, un pasteur respecté, avait assisté à la scène. Humiliation d'un procès, abus de drogues et d'infirmières, tout s'effondrait autour de lui. Il avait transmis l'herpès d'une patiente à sa femme qui avait fait ses valises ; le divorce avait été prononcé aux torts exclusifs du mari.

J'étais subjugué par son histoire. Depuis le début de ma brève carrière d'avocat des pauvres, j'avais cherché à connaître les tristes détails qui avaient fait de chacun de mes clients un sans-logis. J'avais besoin de me rassurer, de me convaincre qu'il ne pouvait pas m'arriver la même chose, que les gens comme moi étaient à l'abri de tels malheurs.

Pelham me fascinait ; il était le premier que je regardais en me disant que j'aurais pu être à sa place. N'importe qui aurait pu subir son sort. Et il s'épanchait sans retenue.

Il m'a donné à entendre que son passé allait le rattraper. J'avais assez écouté et je m'apprêtais à demander pourquoi exactement il avait besoin d'un avocat quand il a glissé à mi-voix : « J'ai dissimulé certaines choses pour ma faillite. »

Les clients se succédaient à la table de Mordecai tandis que les deux Blancs parlaient à bâtons rompus.

– De quelle nature ? demandai-je, le stylo levé.

Il a expliqué qu'il avait eu affaire à un avocat véreux, a raconté avec force détails que les banques avaient saisi trop rapidement les biens hypothéqués, ce qui l'avait mis sur la paille. Il parlait d'une voix douce et s'interrompait chaque fois que Mordecai lançait un coup d'œil dans notre direction.

– Ce n'est pas tout.

– Quoi, encore ?

– Cet entretien est confidentiel, n'est-ce pas ? J'ai fait appel à des tas d'avocats, mais je les ai toujours rétribués. Si vous saviez ce que cela m'a coûté.

– Totalement confidentiel, répondis-je avec gravité.

Je ne toucherais pas d'honoraires pour cette consultation, mais la gratuité était sans incidences sur le secret professionnel.

– Vous ne direz rien à personne ?

– Pas un mot.

Ma réponse a semblé le satisfaire. Il m'est venu à l'esprit qu'un foyer d'accueil où vivaient treize cents personnes pouvait être une merveilleuse cachette.

– Au temps où les affaires marchaient, reprit-il d'une voix étouffée ; j'ai découvert que ma femme voyait un autre homme. C'est une patiente qui me l'a appris ; quand on examine une femme nue, elle

214

ne vous cache rien. Effondré, j'ai engagé un détective privé qui m'a confirmé la liaison. Un beau jour, l'autre a disparu.

Il s'interrompit, guettant ma réaction.

– Disparu ?

– Oui. On ne l'a jamais revu.

– Il est... mort ?

Pelham inclina imperceptiblement la tête.

– Savez-vous où se trouve le corps ?

Un autre petit hochement de tête.

– À combien de temps remonte cette histoire ?

– Quatre ans.

J'ai essayé de prendre des notes d'une main tremblante.

– C'était un agent du FBI, murmura Pelham en se penchant vers moi. Un ancien petit copain de ma femme, quand elle était étudiante.

– Vraiment ?

J'étais incapable de savoir s'il disait la vérité.

– Ils sont à mes trousses.

– Qui ?

– Le FBI. Ils me pourchassent depuis quatre ans.

– Que voulez-vous que je fasse ?

– Je ne sais pas. Leur proposer un marché, peut-être ; j'en ai assez d'être traqué.

Tandis que j'analysais la situation, Mordecai serra la main de son client, appela le suivant ; Pelham ne perdait pas un seul de ses gestes.

– Il me faudrait des détails. Connaissez-vous le nom de cet agent ?

– Oui. Je sais où et quand il est né.

– Et où et quand il est mort ?

– Oui.

– Vous pourriez passer me voir au bureau. Apportez les renseignements ; nous serons mieux pour en discuter.

– Je vais réfléchir.

Il a regardé sa montre, a expliqué qu'il avait un poste de gardien à mi-temps dans une église et qu'il était en retard. Nous nous sommes séparés sur une poignée de main.

Je commençais à comprendre qu'une qualité essentielle de mon nouveau métier était la capacité d'écoute. Les clients, le plus souvent, avaient juste envie de parler à quelqu'un. La vie ne leur avait pas fait de cadeaux ; puisqu'il était possible de prendre gratuitement conseil auprès d'un avocat, pourquoi ne pas en profiter ? Mordecai était passé maître dans l'art de démêler l'important de l'accessoire dans leurs récits et de déterminer s'il y avait lieu d'engager des poursuites. Pour ma part, j'étais encore atterré devant tant de détresse.

Je comprenais aussi qu'il était plus efficace de traiter les affaires sur-le-champ, plutôt que de leur donner une suite. J'avais une chemise pleine de demandes de coupons alimentaires, d'allocation de logement, d'assistance médicale aux personnes âgées, de carte de Sécurité sociale et même de permis de conduire. Quand la situation le permettait, nous remplissions un formulaire.

Vingt-six clients ont défilé avant midi ; nous étions épuisés en sortant.

— Marchons un peu, proposa Mordecai.

Le ciel était dégagé, l'air froid ; après trois heures passées dans une pièce sans fenêtres et mal aérée, nous avons trouvé la brise vivifiante. La CCNV était entourée de bâtiments de belle apparence et de construction récente. Nous nous sommes arrêtés à l'angle de la 2e Rue et de D Street pour regarder le foyer d'accueil.

— Le bail expire dans quatre ans, expliqua Mordecai ; les vautours de l'immobilier commencent à rôder. Un nouveau centre est en projet, à quelques centaines de mètres d'ici.

— La lutte sera impitoyable.

— Une vraie guerre.

Après avoir traversé au carrefour, nous nous sommes tranquillement dirigés vers le Capitole.

– Ce Blanc que vous avez vu, reprit Mordecai, qu'a-t-il raconté ?

Pelham avait été le seul Blanc de la matinée.

– Une histoire incroyable, répondis-je, ne sachant par où commencer.

– Par qui est-il traqué cette fois ?

– Pardon ?

– Par qui est-il traqué ?

– Le FBI.

– Bien. La dernière fois, c'était la CIA.

Je me suis arrêté net ; Mordecai a poursuivi son chemin.

– Vous l'avez déjà rencontré ?

– Il fait la tournée des consultations juridiques. Il s'appelle Peter, s'il m'en souvient bien.

– Paul Pelham.

– Le nom change aussi, lança Mordecai par-dessus son épaule. Voilà quelqu'un qui sait raconter une histoire.

Muet de stupeur, je l'ai regardé s'éloigner, les mains dans les poches de son trench-coat, les épaules secouées par un gros rire.

21.

Quand j'ai trouvé le courage de dire à Mordecai que j'avais besoin de mon après-midi, il m'a sèchement informé que nous étions tous sur un pied d'égalité, que personne ne contrôlait mes horaires de travail et que, si je voulais du temps libre, je n'avais qu'à le prendre. J'ai quitté le bureau sans demander mon reste ; seule Sofia sembla remarquer mon départ.

J'ai d'abord passé une heure en compagnie de l'expert ; la Lexus était irréparable. Mon assurance proposait vingt et un mille cinq cents dollars, avec une décharge lui permettant de se retourner contre celle de la Jaguar. Comme j'en devais plus de seize mille à la banque, je suis parti avec un chèque de cinq mille dollars et des poussières, assez pour acheter un véhicule adapté à ma nouvelle position et qui ne tenterait pas les voleurs.

Une autre heure a été gaspillée dans la salle d'attente de mon médecin traitant. Comme tout avocat débordé, j'ai rongé mon frein en feuilletant des revues.

Une assistante m'a fait déshabiller ; j'ai passé vingt minutes en caleçon sur une table glacée. Les ecchymoses viraient au brun foncé. Le médecin a réveillé les douleurs en me palpant ; il a déclaré que j'en avais encore pour quinze jours.

Je suis arrivé au cabinet de l'avocate de Claire à 16 heures précises ; une réceptionniste habillée en homme m'a accueilli sans un sourire. Le féminisme imprégnait les lieux : les réponses rauques et cassantes de la réceptionniste au téléphone, l'organe d'une chanteuse de musique country s'échappant des haut-parleurs, une voix aux sonorités grinçantes s'élevant de loin en loin dans le couloir. Les murs et le mobilier étaient dans les tons pastel : lavande, rose, beige. Les revues étalées sur la table basse annonçaient la couleur : un féminisme pur et dur, loin des célébrités et des potins mondains.

Jacqueline Hume avait commencé à gagner gros en saignant à blanc un certain nombre de médecins volages avant de se forger une solide réputation en brisant la carrière de deux sénateurs trop portés sur le jupon. Son nom inspirait la terreur à tous les hommes malheureux en ménage et au compte en banque bien garni de la capitale. J'avais hâte de signer les papiers et de repartir.

On m'a évidemment fait poireauter une demi-heure ; je m'apprêtais à faire un esclandre quand une collaboratrice est venue me chercher pour me conduire dans un bureau. Elle m'a remis le projet d'accord de séparation ; pour la première fois, j'étais confronté à la réalité. L'en-tête du document indiquait : Claire Addison Brock contre Michael Nelson Brock.

La loi exigeait une séparation de corps d'au moins six mois avant que le divorce soit prononcé. J'ai lu attentivement le texte avant de signer. Avant la fin novembre, je serais de nouveau célibataire.

Mon quatrième rendez-vous de l'après-midi était le parking de Drake & Sweeney, où Polly m'a rejoint à 17 heures avec deux cartons contenant le reste de mes affaires. Elle s'est montrée courtoise, mais peu loquace ; à l'évidence, elle était pressée de partir. Elle devait avoir un micro sur elle.

J'ai fait plusieurs centaines de mètres à pied, jusqu'à un carrefour animé. Adossé à un mur, j'ai composé sur mon portable le numéro de Barry Nuzzo ; il était en réunion, comme d'habitude. J'ai donné mon nom à la secrétaire en précisant que c'était urgent ; trente secondes plus tard, j'avais Barry au bout du fil.

— Pouvons-nous parler ? demandai-je, sachant que l'appel devait être enregistré.

— Bien sûr.

— Je suis tout près, à l'angle de K Street et Connecticut Avenue. Viens prendre un café.

— Je peux y être dans une heure.

— Tout de suite ou pas du tout.

Je ne voulais pas leur laisser le temps de mettre au point un plan d'action ni de cacher un micro sur Barry.

— Voyons, fit-il après une hésitation. D'accord... c'est possible.

— Je suis au café Bingler.

— Je connais.

— J'attends. Viens seul.

— Tu vas trop au cinéma, Mike.

Dix minutes plus tard, nous étions assis à une petite table devant un café, regardant la foule défiler sur le trottoir.

— Pourquoi cette visite domiciliaire ?

— C'est simple. Le dossier nous appartient ; tu l'as pris, nous voulons le récupérer.

— Vous ne le trouverez pas. Ces perquisitions ne servent à rien.

— Où habites-tu maintenant ?

— Le mandat d'arrêt suit en général le mandat de perquisition. C'est ce qui est prévu ?

J'ai accompagné ma question d'un ricanement méprisant.

— Je ne suis pas en droit de répondre.

— Merci, mon vieux.

— T'est-il venu à l'esprit que tu étais dans ton tort ? Tu as emporté quelque chose qui ne t'appartient pas : c'est du vol pur et simple. Ce faisant, tu es devenu l'ennemi du cabinet pour qui, moi, ton ami, je travaille encore. Tu ne peux me demander de t'aider alors que tes actes peuvent nuire à mon employeur. Tu portes seul la responsabilité de cette situation.

– Braden Chance n'a pas tout dit. C'est un minable, un connard arrogant qui a commis une faute professionnelle et essaie de se couvrir. Il veut faire croire qu'il s'agit d'un dossier banal, mais son contenu peut compromettre le cabinet.

– Où veux-tu en venir ?

– Laissez tomber. Ne faites rien que vous pourriez regretter.

– Te faire arrêter, par exemple ?

– Oui, pour commencer. J'ai passé la journée à me retourner pour voir si j'étais suivi ; ce n'est pas drôle.

– Tu n'aurais pas dû voler ce dossier.

– Je voulais l'emprunter, pas le voler. Mon intention était de le photocopier et de le remettre à sa place : ça n'a pas marché.

– Tu avoues enfin que tu l'as.

– Oui, mais je peux aussi bien le nier.

– Ce n'est pas un jeu, Michael. Tu vas avoir des ennuis.

– Pas si vous me laissez tranquille. Accordez-moi une trêve d'une semaine : pas d'autres mandats.

– Que proposes-tu en échange ?

– De ne pas compromettre le cabinet avec le contenu du dossier.

Barry a secoué la tête en buvant une gorgée de café.

– Je n'ai pas qualité pour passer un marché ; je ne suis qu'un modeste collaborateur.

– C'est Arthur qui prend les décisions ?

– Naturellement.

– Dis à Arthur que tu seras mon seul interlocuteur.

– Tu prends tes désirs pour des réalités, Michael. Tu présupposes que le cabinet veut négocier avec toi, mais ce n'est pas vrai. La disparition du dossier et ton refus de le rendre les ont mis dans tous leurs états ; on ne peut leur en tenir rigueur.

– Fais-leur bien comprendre que le contenu de ce dossier mérite de faire la une des quotidiens et que les journalistes s'en donneront à cœur joie. Si je suis arrêté, j'appellerai directement le *Washington Post*.

– Tu as perdu la tête !

– Probablement. Chance avait un assistant du nom d'Hector Palma. Sais-tu quelque chose sur lui ?

– Non.

– On te cache tout, mon vieux.

– Je n'ai jamais prétendu le contraire.

– Palma en sait trop. Il n'occupe plus son poste depuis hier. J'ignore où il se trouve ; il serait intéressant de le découvrir. Demande à Arthur.

– Rends le dossier, Michael. Je ne sais pas ce que tu as l'intention d'en faire, mais il sera inutilisable en justice.

J'ai pris le temps de terminer mon café avant de me lever.

– Une trêve d'une semaine. Et dis à Arthur de te mettre au parfum.

– Arthur n'est pas à tes ordres, répliqua sèchement Barry.

Je suis sorti du café pour me fondre dans la foule. J'ai pris la direction de Dupont Circle en accélérant le pas pour m'éloigner au plus vite de Barry et de ceux qu'on avait envoyés nous surveiller.

L'adresse de Palma figurant dans l'annuaire était celle d'une résidence à Bethesda. Comme je n'étais pas pressé et que j'avais besoin de réfléchir, je me suis engagé sur le boulevard périphérique, dans un océan de voitures, pare-chocs contre pare-chocs.

Je me donnais une chance sur deux d'être arrêté dans les jours qui venaient ; le cabinet n'avait pas le choix. Si Braden Chance avait caché la vérité à Arthur et au comité exécutif, tous les moyens leur seraient bons. Il y avait assez de preuves pour convaincre un magistrat de délivrer un mandat d'arrêt contre moi.

La prise d'otages avait ébranlé le cabinet. Il était inconcevable que Chance, mis sur la sellette par ses supérieurs, eût reconnu avoir commis une faute. Il avait menti en espérant pouvoir trafiquer le dossier pour s'en sortir. Ses victimes, tout bien considéré, n'étaient qu'une poignée de squatters.

Mais comment avait-il réussi à se débarrasser si vite d'Hector Palma? L'argent n'était pas un problème pour Chance : dans sa situation, j'aurais offert à Hector une somme rondelette en échange de son silence, en le menaçant d'un renvoi immédiat s'il refusait. J'aurais ensuite appelé un copain du cabinet dans une autre ville pour demander une faveur : la mutation rapide d'un assistant. Rien de très difficile.

Hector se cachait pour ne pas me voir ni avoir à répondre à des questions embarrassantes. Mais il était encore employé par Drake & Sweeney, sans doute avec une augmentation de salaire.

Et le détecteur de mensonge ? S'agissait-il simplement d'une menace dirigée contre Hector et moi-même ? Avait-il accepté de s'y soumettre ? Peu probable.

Braden Chance avait besoin d'Hector pour continuer à cacher la vérité; Hector avait besoin de Chance pour garder son emploi. L'associé avait dû écarter l'idée du détecteur de mensonge, en admettant qu'elle eût été sérieusement envisagée.

La résidence s'étirait interminablement vers le nord; au fil du temps, de nouveaux immeubles avaient été ajoutés. Les rues avoisinantes regorgeaient de fast-foods, de distributeurs d'essence, de boutiques de location de vidéocassettes, tout ce dont des banlieusards pressés avaient besoin près de chez eux pour gagner du temps.

Je me suis garé près d'un court de tennis et j'ai commencé à me promener au milieu des immeubles en prenant mon temps. Je n'avais nulle part où aller après cette visite ; les flics pouvaient m'attendre n'importe où, avec un mandat et des menottes. Je me suis efforcé de ne pas penser aux horreurs qu'on m'avait racontées sur la prison municipale.

Une histoire remontant à quelques années restait pourtant gravée dans ma mémoire. Un vendredi soir, un jeune collaborateur de chez Drake & Sweeney avait copieusement fêté la fin de sa semaine de travail dans un bar de Georgetown. Arrêté par une patrouille sur la route de la Virginie, soupçonné de conduite en état d'ivresse, il avait été conduit au poste de police. Ayant refusé de se soumettre à un alcootest, il avait été jeté en cellule. Dans le local bondé, il était le seul Blanc, le seul à avoir une belle montre, un complet, des chaussures neuves. Pour avoir marché par inadvertance sur le pied d'un voisin, on l'avait roué de coups, défiguré. Après avoir passé trois mois à l'hôpital pour se faire réparer le visage, il était reparti dans sa famille, à Wilmington, et y était resté. Les lésions cérébrales, bien que sans gravité, l'avaient mis hors d'état de satisfaire aux exigences d'un gros cabinet.

Le premier bureau d'accueil était fermé ; j'ai suivi le trottoir à la recherche du suivant. L'adresse de l'annuaire ne spécifiait pas le numéro de l'appartement. La résidence semblait sûre ; des bicyclettes et des jouets traînaient dans les courettes. À travers les fenêtres sans barreaux je voyais des familles qui mangeaient en regardant la télévision. Tous les espaces de stationnement étaient occupés par des véhicules de taille moyenne, bien entretenus pour la plupart ; pas un enjoliveur ne manquait.

Un gardien m'a arrêté ; après avoir établi que je n'étais pas dangereux, il a indiqué un autre bureau d'accueil, deux ou trois cents mètres plus loin.

– Combien d'appartements y a-t-il dans la résidence ?

– Beaucoup, répondit succinctement le gardien, comme s'il n'avait pas à se soucier du nombre exact.

Le responsable de nuit était un jeune homme, sans doute un étudiant. Assis devant un livre de physique, un sandwich à la main, il regardait un match de basket sur un petit téléviseur. J'ai demandé où habitait Hector Palma ; il a tapoté sur un clavier. Le numéro de l'appartement s'est affiché sur l'écran de l'ordinateur : G-134.

– Ils ont déménagé, ajouta l'étudiant, la bouche pleine.

– Je sais, je travaillais avec Hector. Il a fêté son départ vendredi. Je cherche un appartement et je me demandais si je pourrais voir le sien.

Il a commencé à secouer la tête avant que j'aie terminé ma phrase.

– Les visites ont lieu uniquement le samedi. Nous avons neuf cents appartements et une liste d'attente.

– Je ne serai pas là samedi.

– Je regrette, fit-il en saisissant son sandwich, la tête tournée vers la télé.

J'ai sorti mon portefeuille.

– Combien de chambres chez Palma ?

– Deux, répondit-il, après avoir vérifié sur l'écran.

Hector avait quatre enfants ; nul doute que son nouveau logement était plus spacieux.

– Combien par mois ?

– Sept cent cinquante.

J'ai pris un billet de cent dollars qu'il n'a pas quitté des yeux.

– Voici ce que je propose : vous me donnez la clé, je jette un coup d'œil à l'appartement et je reviens dans dix minutes. Ni vu ni connu.

– Nous avons une liste d'attente, répéta-t-il en posant le sandwich sur une assiette en carton.

— Elle est dans votre ordinateur ?

— Oui, répondit-il en s'essuyant la bouche.

— Il doit être facile d'y ajouter un nom.

Il a pris une clé dans un tiroir en saisissant le billet de l'autre main.

— Vous avez dix minutes.

L'appartement n'était pas loin, au rez-de-chaussée d'un bâtiment de trois étages. J'ai senti l'odeur de peinture fraîche avant d'ouvrir la porte. Les travaux étaient en cours ; il y avait une échelle, une bâche et des seaux dans le séjour.

Des spécialistes des empreintes digitales n'auraient pu relever la moindre trace de la famille Palma. Tiroirs, armoires, placards, tout était vide ; la moquette avait été arrachée dans toutes les pièces. Pas une tache sur la baignoire et les toilettes ; plus de poussière, de toiles d'araignée, de crasse sous l'évier. L'appartement était stérile. Toutes les pièces avaient été repeintes en blanc mat, à l'exception du séjour, pas encore terminé.

J'ai regagné le bureau d'accueil et lancé la clé sur le comptoir.

— Alors ? fit l'étudiant.

— Trop petit. Merci quand même.

— Je vous rends le billet ?

— Vous êtes étudiant ?

— Oui.

— Gardez-le.

— Merci.

En arrivant à la porte, j'ai posé une dernière question.

— Palma a-t-il laissé une adresse pour faire suivre son courrier ?

— Je croyais que vous travailliez ensemble.

— C'est vrai.

Je suis parti sans me retourner.

22.

Quand je suis arrivé au bureau, le mercredi matin, la petite femme était assise contre la porte. Il était près de 8 heures; il gelait à pierre fendre. J'ai d'abord cru qu'elle s'était mise à l'abri pour la nuit, utilisant le renfoncement de la porte pour se protéger du vent glacial. Mais dès qu'elle m'a vu approcher, elle s'est levée.

– Bonjour.

Je lui ai souri en sortant mon trousseau de clés.

– Vous êtes avocat?

– Oui.

– Pour les gens comme moi?

J'ai supposé qu'elle était sans domicile fixe, la seule chose que nous demandions à nos clients.

– Absolument, répondis-je en ouvrant la porte. Donnez-vous la peine d'entrer.

Il faisait plus froid à l'intérieur que dehors. J'ai réglé un thermostat qui, d'après ce que j'avais constaté, ne commandait rien. En faisant le café dans la cuisine, j'ai trouvé quelques beignets rassis. Je lui en ai proposé un; elle l'a mangé goulûment.

Nous nous sommes installés dans la grande pièce, devant le bureau de Sofia, en attendant le café et en priant pour que le chauffage fonctionne.

– Comment vous appelez-vous?

– Ruby.

– Moi, c'est Michael. Où habitez-vous, Ruby ?

– Un peu partout.

Maigre comme un clou, elle avait entre trentre et quarante ans. Elle portait un survêtement gris, de grosses chaussettes marron avec des tennis crasseuses.

– Allons, insistai-je en souriant, il faut que je sache où vous habitez. Dans un foyer ?

– J'étais dans un foyer. J'ai été obligée de partir ; j'ai failli me faire violer. Maintenant, j'ai une voiture.

Je n'en avais vu aucune garée près de la porte.

– Vous avez une voiture ?

– Oui.

– Vous la conduisez ?

– Je ne sais pas conduire. Je dors à l'arrière.

Je posais les questions sans prendre de notes, contrairement à mon habitude. Après avoir rempli de café deux grands gobelets en carton, j'ai entraîné Ruby dans mon bureau où, coup de chance, le radiateur gargouillait avec entrain. J'ai fermé la porte ; Mordecai n'allait pas tarder à arriver. Il n'avait jamais appris à faire une entrée discrète.

Ruby s'est assise sur le bord du fauteuil pliant destiné aux clients, les épaules tombantes, le haut du corps replié sur le café fumant, comme si ce devait être la dernière boisson chaude de sa vie.

– En quoi puis-je vous être utile ? demandai-je, armé d'une panoplie de blocs et de carnets.

– C'est mon fils, Terrence. Il a seize ans et ils me l'ont enlevé.

– Qui l'a enlevé ?

– Les services sociaux.

– Où est-il maintenant ?

– Ils le gardent.

Ses réponses brèves jaillissaient nerveusement.

– Essayez de vous détendre et parlez-moi de Terrence.

En évitant mon regard, les mains serrées sur le gobelet de café, elle a déballé son histoire. Quelques années auparavant – Terrence devait avoir dix ans –, elle vivait avec son fils dans un petit appartement. Arrêtée pour trafic de drogue, elle avait écopé de quatre mois de prison ; Terrence était allé vivre chez sa sœur. Après avoir récupéré l'enfant, elle avait vécu avec lui l'existence cauchemardesque de la rue. Ils dormaient dans des voitures, squattaient des bâtiments abandonnés, passaient la nuit sous les ponts à la belle saison et se réfugiaient dans les centres d'accueil au plus froid de l'hiver. Elle avait réussi à lui faire poursuivre sa scolarité. Elle faisait la manche et le trottoir, elle revendait un peu de crack, ce qu'il fallait pour que l'enfant soit correctement nourri et habillé, pour qu'il aille à l'école comme les autres.

Mais elle continuait de prendre du crack, incapable de décrocher. Elle tomba enceinte ; les services sociaux lui enlevèrent l'enfant dès la naissance.

Elle ne réclama pas son bébé ; seul Terrence comptait. Ils s'enfoncèrent de plus en plus dans la spirale du dénuement. En désespoir de cause, elle s'adressa aux Rowland, un couple chez qui elle avait fait des heures de ménage, dont les enfants volaient de leurs propres ailes. Ils avaient une petite maison près de l'université Howard ; elle leur proposa cinquante dollars par mois pour héberger Terrence. Il y avait une chambre à l'arrière, qui serait parfaite pour son fils. Les Rowland acceptèrent après bien des hésitations, en autorisant la mère à passer une heure tous les soirs avec son fils. Les notes de l'enfant s'améliorèrent, les conditions de sa nouvelle vie enchantaient Ruby.

Elle réorganisa sa vie de manière à être plus près de son fils, réussit à trouver chaque mois l'argent dont elle avait besoin, ne manqua pas une seule heure avec Terrence.

Jusqu'aux nouvelles arrestations : la première pour racolage sur la voie publique, la deuxième pour avoir dormi sur un banc du parc Farragut.

Peut-être y en avait-il eu une troisième, elle ne savait plus.

Un jour, on la trouva sans connaissance sur un trottoir ; elle fut transportée à l'hôpital, placée en cure de désintoxication. Elle abandonna au bout de trois jours ; Terrence lui manquait trop.

Un soir, en regardant le ventre de sa mère, il demanda si elle était de nouveau enceinte. Elle répondit qu'elle le croyait. Il voulut savoir qui était le père ; elle dit qu'elle n'en savait rien. Il l'insulta, fit un tel raffut que les Rowland demandèrent à Ruby de partir.

Pendant la grossesse, Terrence ne s'occupa pas d'elle. Elle en souffrit énormément, surtout le soir, quand elle le regardait faire ses devoirs sans qu'il lui adresse la parole.

À ce point du récit, Ruby s'est mise à pleurer comme une Madeleine. J'entendais Mordecai marcher pesamment dans la pièce voisine en houspillant Sofia.

Le bébé du crack lui fut aussitôt enlevé ; Terrence ne vint pas la voir à la maternité. C'était un excellent élève ; il jouait du trombone, faisait du théâtre scolaire, rêvait de l'École navale.

Ruby arriva un soir dans un état pitoyable ; Mme Rowland lui en fit le reproche, le ton monta. Terrence se rangea du côté des Rowland. Soit Ruby suivait une cure de désintoxication, soit elle était bannie de la maison. Elle déclara qu'elle allait emmener son fils et disparaître ; Terrence refusa net.

Le lendemain, une assistante sociale l'attendait ; la justice avait été saisie. Terrence était placé chez les Rowland ; il avait déjà passé trois ans avec eux. Les visites étaient interdites à Ruby tant qu'elle ne serait pas désintoxiquée et après une période de probation de soixante jours.

La séparation remontait à trois semaines.

– Je veux voir mon fils. Il me manque trop.

– Vous suivez une cure ?

Elle a secoué la tête, les yeux fermés.

– Pourquoi ?

– Je n'y arrive pas.

Je ne savais pas comment faire entrer quelqu'un dans un centre de désintoxication ; le moment était venu de me renseigner. Je me suis représenté Terrence dans sa petite chambre, bien nourri, bien habillé, faisant ses devoirs sous la surveillance attentive des Rowland qui s'étaient pris d'affection pour lui. Ou bien à la table familiale, devant un bol de céréales, en train de réciter ses leçons à M. Rowland qui avait posé son journal. Le garçon menait une existence stable, normale, contrairement à sa pauvre mère qui vivait un enfer.

Et qui comptait sur moi pour l'aider à récupérer son enfant.

– Cela prendra un peu de temps, vous savez.

Je n'avais pas la moindre idée du temps qu'il faudrait. Dans une ville où cinq cents familles attendaient une petite place dans un centre d'hébergement, il ne pouvait pas y avoir beaucoup de lits pour les toxicos.

– Vous ne verrez pas Terrence avant d'avoir décroché.

J'ai vu les larmes lui monter aux yeux ; elle a gardé le silence.

Je ne savais pas grand-chose sur l'univers des toxicos. Où se procurait-elle la drogue ? À quel prix ? Combien de doses par jour ? Combien de temps prendrait le sevrage ? Quand se terminerait la cure de désintoxication ? Quelles étaient ses chances de réussite après plus de dix ans de dépendance ?

Et que faisaient les autorités de tous les bébés du crack ?

Elle n'avait pas de papiers, pas d'adresse, rien d'autre qu'une histoire à fendre le cœur. Le gobelet de café était vide, mais elle semblait se plaire dans ce bureau. Comment allais-je m'y prendre pour lui demander de partir ?

Une exclamation de surprise de Sofia a rompu le fil de mes pensées. Des voix fortes ont retenti dans la pièce voisine. En me précipitant vers la porte, ma première idée fut qu'un détraqué du genre de Monsieur avait fait irruption dans nos locaux avec une arme à feu.

C'était encore le lieutenant Gasko ; il n'était pas venu seul. Trois policiers en uniforme s'approchaient du bureau de Sofia qui protestait vigoureusement mais en pure perte. Deux autres, en civil, étaient prêts à passer à l'action. Mordecai est sorti de son bureau en même temps que moi.

– Salut, Michael ! lança Gasko.

– Qu'est-ce que ça veut dire ? gronda Mordecai d'une voix qui fit trembler les murs.

Un des hommes en uniforme a posé la main sur son arme de service.

– C'est une perquisition, répondit Gasko en lançant des papiers à Mordecai qui les saisit au vol. Êtes-vous Me Green ?

– Oui.

– Qu'est-ce que vous cherchez, lieutenant ? demandai-je d'une voix vibrante.

– La même chose ! Donnez-le-nous et nous vous ficherons la paix !

– Il n'est pas là.

– Quel dossier ? demanda Mordecai en lisant le mandat.

– Le dossier de l'expulsion.

– À propos, lança Gasko, je n'ai pas eu de nouvelles de votre plainte. Des paroles en l'air, tout ça !

J'avais reconnu deux de ses collègues en uniforme : Lilly et Blower.

– Foutez le camp d'ici ! cria Sofia à Blower qui se penchait sur son bureau.

Gasko s'est retourné ; il tenait à montrer qu'il avait la situation en main.

– Écoutez, ma petite dame, fit-il avec un sourire suffisant, nous pouvons nous y prendre de deux manières. Soit vous restez dans votre fauteuil et vous la bouclez, soit nous vous passons les menottes et vous attendez deux heures dans la voiture.

Un des flics passait la tête par la porte de chacun des petits bureaux.

– Calmez-vous, dit Mordecai à Sofia.

– Qu'est-ce qu'il y a là-haut ? me demanda Gasko.

– Des documents, répondit Mordecai.

– Du cabinet ?

– Oui.

– Il n'est pas là, fis-je. Vous perdez votre temps.

– Eh bien, nous le perdrons ensemble.

Un client potentiel est entré sans frapper. Il a jeté un regard circulaire dans la pièce ; en voyant les uniformes, il a battu précipitamment en retraite vers la sécurité de la rue.

J'ai demandé à Ruby de partir aussi. Puis je suis entré dans le bureau de Mordecai.

– Où est le dossier ? demanda-t-il à mi-voix.

– Je vous jure qu'il n'est pas là. C'est du harcèlement.

– Le mandat semble valable. Il y a eu vol ; il est raisonnable de supposer que le dossier est entre les mains de celui qui l'a dérobé.

J'ai essayé de trouver quelque chose, une idée lumineuse qui arrêterait net la perquisition et ferait partir les flics séance tenante. Rien ne m'est venu à l'esprit. J'étais confus que la police vienne par ma faute fourrer son nez dans nos bureaux.

– Avez-vous une copie du dossier ? poursuivit Mordecai.

– Oui.

– Avez-vous pensé à leur remettre l'original ?

– Ce serait reconnaître ma faute. Ils n'ont pas la certitude que je détiens ce dossier ; même si je le rendais, ils sauraient que j'ai fait une copie.

Il a caressé sa barbe d'un air pensif ; il savait que j'étais dans le vrai. Au moment où nous sommes sortis, Lilly a trébuché devant le bureau voisin de celui de Sofia ; une pile de dossiers s'est répandue sur le parquet. Sofia l'a engueulé ; Gasko a ordonné à Sofia de la boucler. La tension était palpable ; si cela continuait, on allait en venir aux mains.

J'ai donné un tour de clé à la porte afin que nos clients n'assistent pas à la scène.

– Voici ce que nous allons faire, déclara Mordecai.

Les flics l'ont regardé d'un œil noir, mais ils attendaient que quelqu'un leur indique la voie à suivre. Il s'agissait d'une perquisition dans les locaux d'un cabinet juridique, pas d'une descente dans un bar accueillant des mineurs.

– Nous affirmons que le dossier n'est pas là. Partant de ce principe, vous pouvez regarder tous ceux que vous voulez, sans les ouvrir ; ce serait une violation du secret professionnel. Qu'en pensez-vous ?

Les regards des policiers se sont tournés vers Gasko ; d'un léger haussement d'épaules il a indiqué que c'était acceptable.

Nous nous sommes entassés dans mon bureau, les six flics, Mordecai et moi, en prenant soin de ne pas nous toucher. J'ai ouvert l'un après l'autre tous les tiroirs, au prix d'un violent effort. J'ai entendu Gasko murmurer entre ses dents : « Joli bureau. »

J'ai ensuite sorti tous les dossiers de mes classeurs pour les agiter sous le nez du lieutenant avant de les remettre à leur place. Comme je ne travaillais que depuis trois jours, il n'y avait pas grand-chose à voir.

Mordecai s'est éclipsé pour aller téléphoner dans la pièce voisine. Gasko a déclaré que la fouille de mon bureau était terminée ; au moment où nous sortions, nous avons entendu Mordecai dire au téléphone : « Oui, Votre Honneur, merci. Je vous le passe. »

Avec un sourire découvrant toutes ses dents, il a fourré le combiné dans la main du lieutenant.

– C'est le juge Kisner, le magistrat qui a signé le mandat de perquisition. Il voudrait vous parler.

Prenant le combiné du bout des doigts, comme s'il le recevait de la main d'un lépreux, Gasko l'a tenu à dix centimètres de sa tête.

– Messieurs, déclara Mordecai en se tournant vers les hommes du lieutenant, vous pouvez fouiller cette pièce, c'est tout. Interdiction d'entrer dans les autres ; ordres du juge.

– Bien, monsieur le juge, marmonna Gasko avant de raccrocher.

Pendant une heure, nous avons suivi tous leurs mouvements, tandis qu'ils fouillaient les quatre bureaux, y compris celui de Sofia. Ayant vite compris que leurs recherches seraient vaines, ils les ont prolongées en procédant aussi lentement que possible. Chaque bureau était couvert de dossiers classés depuis une éternité ; les ouvrages et revues juridiques n'avaient pas été ouverts depuis des années. La poussière s'était accumulée sur certaines piles ; il y avait même quelques toiles d'araignée.

Chaque dossier portait sur la couverture le nom de l'affaire dactylographié ou manuscrit.

Deux des policiers notaient tous les noms épelés par Gasko et leurs collègues ; une tâche fastidieuse, parfaitement inutile.

Ils ont gardé le bureau de Sofia pour la bonne bouche. Elle a pris les choses en main, épelant lentement chaque nom jusqu'au plus simple, tenant les flics à distance respectueuse, entrouvrant ses tiroirs, juste assez pour leur permettre d'y jeter un coup d'œil. Elle avait un tiroir contenant des objets personnels ; personne n'a demandé à voir ce qu'il renfermait. J'étais sûr qu'il y avait des armes.

Ils sont partis sans un mot. Je me suis excusé de cette intrusion auprès de Sofia et Mordecai avant de me réfugier dans mon bureau.

23.

Le numéro cinq sur la liste des expulsés était Kelvin Lam, un nom qui rappelait quelque chose à Mordecai. Il avait un jour estimé à dix mille le nombre des sans-abri de la capitale. Il y avait au moins autant de dossiers éparpillés dans les locaux du Centre d'assistance juridique; chacun disait quelque chose à Mordecai.

Il a mené son enquête dans les soupes populaires, les foyers d'accueil, les organisations caritatives, auprès des pasteurs, des flics et de ses confrères. À la nuit tombée, il m'a emmené dans une église coincée entre les immeubles de bureaux de grand standing et des hôtels de luxe. Dans un vaste sous-sol, un dîner des Cinq Miches battait son plein. Les tables alignées le long des murs étaient entourées d'affamés qui discutaient en mangeant. Ce n'était pas une soupe populaire. Au menu : maïs, pommes de terre, poulet et salade de fruits. Je n'avais pas dîné, les odeurs de cuisine m'ont donné faim.

– Je n'étais pas venu depuis des lustres, fit Mordecai à l'entrée de la salle. Savez-vous qu'ils servent trois cents repas par jour ?

– D'où vient la nourriture ?

– De la Cuisine centrale, une équipe installée dans les sous-sols de la CCNV. Ils ont mis en place un système admirable de ramassage de la nourriture excédentaire dans les restaurants de la ville ; pas les restes, mais les aliments préparés qui se perdront s'ils ne sont pas utilisés le jour même. Ils disposent d'une flotte de camions frigorifiques qui font la tournée des établissements et transportent les denrées qui seront préparées et congelées. Plus de deux mille repas par jour, vous vous rendez compte ?

– C'est appétissant.

– On peut dire que la tambouille est bonne.

Une jeune femme du nom de Liza, une nouvelle, est venue à notre rencontre. Tandis qu'elle évoquait avec Mordecai la bénévole qu'elle remplaçait, j'ai parcouru la salle du regard.

Une chose qui m'avait échappé jusqu'alors m'a sauté aux yeux : il existe différents niveaux de dénuement, des degrés distincts en bas de l'échelle sociale. Six hommes correctement vêtus parlaient joyeusement à une table d'un match de basket qu'ils avaient regardé à la télé. Ils auraient pu prendre un verre dans un bar fréquenté par des ouvriers sans qu'on leur colle aussitôt l'étiquette de sans-abri. Derrière eux un solitaire engoncé dans plusieurs couches de vêtements, le visage caché par de grosses lunettes noires, mangeait son poulet avec les mains. Il portait des chaussures de caoutchouc semblables à celles de DeVon Hardy le jour de sa mort, un manteau crasseux et effrangé. L'homme ne s'occupait absolument pas de ce qui se passait autour de lui ; il menait une existence singulièrement plus difficile que celle du groupe riant à la table voisine. Les six hommes avaient de l'eau chaude et du savon à leur disposition, lui ne s'en souciait pas. Ils étaient tous sans domicile fixe, mais, alors que les autres étaient hébergés dans un foyer d'accueil, lui dormait dans les parcs avec les pigeons.

Liza ne connaissait pas Kelvin Lam ; elle allait se renseigner. Nous l'avons suivie des yeux tandis qu'elle faisait le tour des tables, adressant de-ci de-là un sourire ou un mot gentil, prenant le temps de s'enquérir du bien-être d'une vieille dame. Elle s'est ensuite assise entre deux hommes qui lui ont parlé sans lever le nez de leur assiette, avant de passer à la table suivante.

Nous avons eu la surprise de voir arriver un confrère, un jeune collaborateur d'un gros cabinet, un bénévole du Centre d'assistance juridique pour les sans-abri de Washington. Il a reconnu Mordecai ; nous avons parlé boutique quelques minutes. Il venait offrir trois heures de son temps pour conseiller les démunis.

– Ce Centre d'assistance juridique peut compter sur cent cinquante bénévoles, expliqua Mordecai.

– C'est suffisant ?

– Ce n'est jamais suffisant. Je pense que nous devrions réactiver notre programme de bénévolat. Peut-être aimeriez-vous vous en charger ? Abraham vous fait confiance.

Cela faisait plaisir de savoir que Mordecai, Abraham et probablement Sofia avaient envisagé de me confier cette tâche.

– Ça permettrait d'élargir notre base, d'être plus présents dans les milieux judiciaires, de réunir des fonds.

J'ai acquiescé sans conviction.

– Kelvin Lam est au fond de la salle, annonça Liza à son retour. Avec la casquette des Redskins, à l'avant-dernière table. Il est en état de parler. Il dit qu'il est hébergé à la CCNV et qu'il a un boulot à mi-temps dans le ramassage des ordures ménagères.

– Y a-t-il une petite pièce où nous serions tranquilles ?

– Bien sûr.

– Dites-lui qu'un avocat des pauvres désire lui parler.

238

Lam est entré sans dire bonjour ni tendre la main. Mordecai s'était assis, je me tenais dans un coin de la pièce. Lam a pris le seul siège libre en me lançant un regard à donner la chair de poule.

– Vous n'avez rien à craindre, commença Mordecai d'un ton apaisant. Nous voulons seulement vous poser quelques questions.

Aucune réaction.

Lam avait la tenue d'un résident de foyer – jean, sweat-shirt, tennis, veste en laine – qui se distinguait des couches de vêtements superposés de ceux qui dormaient sous les ponts.

– Connaissez-vous une femme du nom de Lontae Burton ? demanda Mordecai qui allait mener la conversation.

Lam fit non de la tête.

– DeVon Hardy ?

Nouveau hochement de tête.

– Le mois dernier, habitiez-vous dans un entrepôt abandonné ?

– Ouais.

– À l'angle de New York Avenue et de Florida Avenue ?

– Affirmatif.

– Y avait-il un loyer à payer ?

– Ouais.

– Cent dollars par mois ?

– C'est ça.

– À Tillman Gantry ?

Le front plissé, Lam ferma les yeux pour mieux réfléchir.

– Quel nom, vous dites ?

– Qui était le propriétaire de l'entrepôt ?

– Je donnais l'argent à un certain Johnny.

– Pour qui travaillait Johnny ?

– J'en sais rien. Je m'en fichais, j'ai pas demandé.

– Combien de temps êtes-vous resté là-bas ?

– Quatre mois, à peu près.

– Quand êtes-vous parti ?

– On s'est fait expulser.

– Par qui ?

– J'en sais rien. Les flics se sont pointés un matin avec des types en civil. Ils nous ont virés et jetés sur le trottoir ; deux jours après, les bulldozers étaient là.

– Avez-vous expliqué à la police qu'on vous demandait un loyer pour dormir là-bas ?

– Tout le monde le disait... Il y avait une femme, avec des tout-petits, elle a essayé de résister, mais ça n'a servi à rien. Moi, je me bats pas avec les flics. C'était pas joli joli, vous savez.

– Vous a-t-on montré des papiers avant l'expulsion ?

– Non.

– Avez-vous reçu un préavis ?

– Que dalle ! Ils ont débarqué sans prévenir !

– Rien n'a été fait par écrit ?

– Rien de rien. Ils ont dit qu'on était des squatters, qu'on avait qu'à prendre nos cliques et nos claques.

– Vous vous êtes donc installé dans l'entrepôt à l'automne, vers le mois d'octobre.

– En gros, oui.

– Comment avez-vous trouvé cet endroit ?

– Je sais plus. Quelqu'un a dû me dire qu'il y avait des petits logements pas cher. J'ai été voir ; on installait des placards, des cloisons et tout. Il y avait un toit, des toilettes pas loin, de l'eau. C'était pas un mauvais plan.

– Alors, vous y êtes allé ?

– Voilà.

– Avez-vous signé un bail ?

– Non. Un type m'a dit que les appartements n'étaient pas déclarés, qu'on pouvait pas faire de papiers. Il m'a demandé de dire que je squattais, si quelqu'un me posait la question.

– Et il voulait de l'argent liquide ?

240

– Tout en liquide.

– Avez-vous payé tous les mois ?

– J'ai fait ce que j'ai pu. Il passait relever les compteurs le quinze du mois.

– Aviez-vous du retard au moment de l'expulsion ?

– Un peu.

– Combien ?

– Un mois, à peu près.

– Est-ce pour cette raison que vous avez été expulsé ?

– Aucune idée ; on m'a pas donné de raison. Ils ont expulsé tout le monde, dans la même charrette.

– Connaissiez-vous les autres locataires de l'entrepôt ?

– J'en connaissais deux, mais c'était chacun chez soi. Les appartements avaient une porte qui fermait à clé.

– La jeune mère dont vous avez parlé, celle qui a essayé de résister aux policiers, la connaissiez-vous ?

– Non. Je l'avais peut-être vue une ou deux fois. Elle habitait de l'autre côté.

– De l'autre côté ?

– Comme il n'y avait pas de canalisations au centre de l'entrepôt, ils ont construit les logements des deux côtés.

– Pouviez-vous voir son appartement de chez vous ?

– Non, c'était trop grand.

– Quelle surface faisait votre appartement ?

– La surface, j'en sais rien. Il y avait deux pièces.

– L'électricité ?

– Ils avaient tiré des câbles. On pouvait brancher une radio, des trucs comme ça. Il y avait de la lumière et l'eau courante, mais les toilettes étaient communes.

– Et le chauffage ?

241

– Pas génial. Il faisait froid, mais moins que dans la rue.

– Vous étiez donc satisfait du logement ?

– Ça allait. Pour cent dollars par mois, c'était plutôt bien.

– Vous avez dit que vous connaissiez deux personnes. Comment s'appelaient-elles ?

– Herman Harris et Shine Je-sais-pas-quoi.

– Que sont-ils devenus ?

– Je les ai jamais revus.

– Où logez-vous en ce moment ?

– À la CCNV.

Mordecai a pris une de ses cartes de visite, l'a tendue à Lam.

– Combien de temps y resterez-vous ?

– J'en sais rien.

– Voulez-vous me rappeler ?

– Pour quoi faire ?

– Vous aurez peut-être besoin d'un avocat. Passez-moi un coup de fil si vous changez de foyer d'accueil ou si vous trouvez un logement.

Lam a pris la carte sans un mot. Après avoir remercié Liza, nous sommes rentrés au bureau.

Comme pour toute action en justice, il y avait plusieurs manières de procéder. Les défendeurs étaient au nombre de trois – RiverOaks, Drake & Sweeney, TAG ; nous ne pensions pas en ajouter.

La première méthode était le guet-apens, l'autre le service-volée.

Dans le premier cas, nous allions mettre au point nos allégations, filer au tribunal pour déposer notre plainte et informer discrètement la presse en espérant être en mesure de prouver ce que nous affirmions. Outre l'effet de surprise, cette solution avait l'avantage de susciter l'embarras chez nos adversaires et, du moins l'espérions-nous, dans l'opinion publique. L'inconvénient était de nous mettre dans la situation de quelqu'un qui saute dans le vide avec la conviction profonde, mais sans aucune garantie, qu'il trouvera un filet pour amortir sa chute.

Le service-volée commencerait par un courrier aux défendeurs pour exposer les mêmes allégations. Mais, au lieu d'aller en justice, nous proposerions d'en discuter. Si leur responsabilité pouvait être prouvée, un arrangement discret permettrait certainement d'éviter de porter l'affaire devant les tribunaux.

Nous penchions, Mordecai et moi, pour la première solution, et ce, pour deux raisons. D'abord, le cabinet s'était montré déterminé à ne pas me lâcher ; les deux perquisitions indiquaient à l'évidence qu'Arthur, Rafter et la bande de chacals du contentieux iraient jusqu'au bout. Mon arrestation ferait certainement sensation ; ils s'en serviraient pour m'humilier et accentuer leur pression. Nous devions être prêts à attaquer les premiers.

La seconde raison touchait au fond du problème. Hector Palma et les autres témoins ne pouvaient être contraints de déposer si nous n'avions pas engagé une procédure. Nous aurions dans la période suivant le dépôt de la plainte la possibilité d'interroger les défendeurs, tenus de répondre sous serment, et de mettre Hector Palma sur la sellette, si nous le retrouvions. Nous pourrions aussi obliger à témoigner les expulsés dont nous aurions retrouvé la trace.

Nous devions établir ce que chacun savait ; les interrogatoires précédant l'audience étaient le seul moyen d'y parvenir.

L'affaire, en théorie, était simple. Les occupants de l'entrepôt payaient un loyer, en espèces et sans quittance, à Tillman Gantry ou quelqu'un travaillant pour son compte. Gantry avait l'occasion de vendre l'entrepôt à RiverOaks, mais le temps pressait ; il avait menti à l'acquéreur et au cabinet juridique en prétendant que les occupants étaient des squatters. Drake & Sweeney avait envoyé Hector Palma inspecter les lieux avant la démolition. Agressé la première fois, Hector avait découvert lors de sa deuxième visite que l'entrepôt n'était pas squatté, que ses occupants payaient un loyer ; il l'avait signalé dans son rapport. Informé de la situation, Braden Chance avait pris la funeste décision de ne pas en tenir compte et de poursuivre la procédure d'expulsion. Les locataires avaient ainsi été chassés au mépris de la loi.

Une expulsion en bonne et due forme aurait demandé au moins trente jours supplémentaires, du temps perdu pour les parties intéressées. Trente jours qui auraient suffi pour que le plus dur de l'hiver soit passé, pour que s'éloigne la menace d'une tempête de neige ou d'une vague de froid, pour qu'il ne soit plus besoin de laisser fonctionner le chauffage dans la voiture où certains dormaient.

Sans attestation de domicile, sans quittance de loyer, les expulsés disparaîtraient sans laisser de trace.

Rien de très compliqué donc, mais les obstacles étaient d'importance. Les dépositions des sans-abri pouvaient réserver de mauvaises surprises, surtout si Gantry décidait de jouer les gros bras. Il faisait la loi dans la rue et je ne tenais pas à l'affronter sur son terrain. Mordecai disposait d'un vaste réseau d'informateurs, mais il ne faisait pas le poids. Nous avons passé une heure à chercher comment éviter de citer TAG, Inc. Pour des raisons évidentes, le procès serait plus compliqué, plus dangereux si nous avions Gantry pour adversaire. Nous pouvions attendre et laisser aux autres défendeurs – RiverOaks et Drake & Sweeney – le soin de l'entraîner dans la bataille judiciaire.

Mais Gantry était un élément clé dans la recherche de la responsabilité. En évitant de porter plainte contre lui, nous risquions de nous mettre dans une situation difficile dans le courant du procès.

Il fallait à tout prix retrouver Hector Palma et le convaincre soit de produire le double du rapport envolé, soit de nous révéler ce qu'il contenait. Mettre la main sur lui serait assez facile ; l'obliger à témoigner risquait d'être impossible. Selon toute vraisemblance, il s'y refuserait ; je n'oubliais pas qu'il avait déjà tiré prétexte de sa femme et de ses quatre enfants pour ne pas trop m'en dire.

Il existait d'autres problèmes, le premier de nature procédurale. Nous n'étions pas en droit d'intenter une action au nom des héritiers de Lontae Burton et de ses enfants sans avoir été engagés par la famille. Sa mère et ses deux frères étant derrière les barreaux, l'identité de son père n'étant pas établie, Mordecai était d'avis de demander à la justice de désigner un administrateur des biens de Lontae Burton, ce qui nous permettrait, au moins dans un premier temps, de laisser la famille de côté. Si jamais nous devions obtenir des dommages-intérêts, ce serait un sac de nœuds. On pouvait raisonnablement supposer que les enfants de Lontae avaient des pères différents ; chacun devrait dans ce cas recevoir notification du dédommagement accordé.

– Nous verrons cela plus tard, fit Mordecai. Il faut d'abord gagner.

Nous nous étions installés au bureau voisin de celui de Sofia, où l'ordinateur obsolète fonctionnait capricieusement. Je saisissais ce que Mordecai dictait en faisant les cent pas.

Nous sommes restés jusqu'à minuit pour mettre au point la version définitive de la plainte en envisageant toutes les hypothèses, en discutant de questions de procédure, en rêvant des moyens de faire de cette action un procès retentissant. Aux yeux de Mordecai, ce serait un tournant, le moyen d'inverser la tendance dans une période de déclin de l'intérêt de la population pour le sort des sans-abri. Pour moi, ce serait simplement le moyen de réparer une injustice.

24.

J'ai repris le café du matin avec Ruby ; elle attendait devant la porte à mon arrivée. Elle était heureuse de me voir. Comment pouvait-on être si gai après avoir passé la nuit à essayer de dormir sur la banquette arrière d'une voiture abandonnée ?

– Il y a des beignets ? demanda-t-elle tandis que je donnais de la lumière dans les bureaux.

Une habitude se prend vite.

– Je vais voir. Asseyez-vous, je prépare un café.

J'ai nettoyé la cafetière et ouvert tous les placards de la cuisine pour trouver quelque chose à manger. Les beignets rassis de la veille étaient devenus durs, mais il n'y avait rien d'autre. Je me suis promis d'en acheter des frais le lendemain matin, pour le cas où Ruby viendrait pour la troisième journée d'affilée. Quelque chose me disait qu'elle serait là.

Elle a mangé du bout des dents le beignet qu'elle avait accepté par politesse.

– Où prenez-vous en général le petit déjeuner ?

– J'en prends pas.

– Et les autres repas ?

– À midi, je vais chez Naomi, dans la 10e Rue, le soir à la Mission du calvaire, dans la 15e.

– Que faites-vous dans la journée ?

Recroquevillée sur son gobelet fumant, elle

246

essayait d'apporter un peu de chaleur à son corps chétif.

– Le plus souvent, je reste chez Naomi.

– Combien de femmes y a-t-il?

– Je sais pas... beaucoup. On prend bien soin de nous, mais c'est seulement pour la journée.

– Il n'y a que des femmes sans domicile fixe?

– C'est ça. Ils ferment à 4 heures. La plupart des femmes sont dans un centre d'hébergement, d'autres vivent dans la rue. Moi, j'ai une voiture.

– Savent-ils que vous prenez du crack?

– Je crois; ils veulent m'envoyer à des réunions pour les alcooliques et les toxicos. Je suis pas la seule, vous savez. Il y a des tas de femmes comme moi.

– Vous étiez défoncée hier soir?

En m'entendant prononcer ces mots, j'ai eu du mal à en croire mes oreilles. Était-ce moi qui posais de telles questions?

Son menton s'abaissa sur sa poitrine; elle ferma les yeux.

– Dites-moi la vérité.

– Je ne peux pas m'en passer... J'en prends tous les soirs.

Pas question de lui adresser des reproches; je n'avais rien fait la veille pour l'aider à suivre un traitement. J'ai décidé d'en faire une priorité.

Elle a demandé un autre beignet. Je lui ai donné le dernier, enveloppé dans du papier d'alu. Elle avait quelque chose à faire chez Naomi; elle était en retard.

La manifestation a commencé devant l'hôtel de ville par un grand rassemblement pour la justice. Mordecai était une figure de proue du mouvement de soutien aux SDF; il m'a laissé au milieu de la foule pour aller prendre place à la tribune.

Un chœur d'église en robe rouge et or s'est déployé au pied de l'estrade pour entonner avec ardeur un chant religieux. Des policiers par centaines étaient disséminés le long de la rue ; des barrières interdisaient la circulation.

La CCNV avait promis d'envoyer un millier de fantassins. Ils se sont présentés en masse : une longue et imposante colonne de sans-abri et fiers de l'être. Je les ai entendus avant de les voir ; les slogans scandés à tue-tête étaient audibles à plusieurs centaines de mètres. Quand ils sont apparus, les journalistes et les caméramen se sont précipités au-devant d'eux dans le plus grand désordre.

Ils se sont rassemblés devant les marches de l'hôtel de ville, ont commencé à agiter des pancartes portant des inscriptions peintes à la main : Arrêtez le massacre. Sauvez les foyers. Droit au logement. Du travail, du travail.

Ils brandissaient leurs pancartes en dansant au rythme des gospels.

Des autobus affrétés par des églises se sont arrêtés devant les barrières pour déverser des centaines de passagers dont un grand nombre, à en juger par leur apparence, ne vivaient pas dans la rue. Les paroissiens bien habillés étaient en majorité des femmes. La foule ne cessait de grossir, l'espace autour de moi se resserrait. Je ne connaissais personne d'autre que Mordecai ; Sofia et Abraham se trouvaient probablement dans la cohue, mais je ne les voyais pas. C'était certainement la plus importante manifestation des sans-abri depuis dix ans : la Marche pour Lontae.

Une photo agrandie et bordée de noir de Lontae Burton avait été reproduite en série ; une inscription s'étalait sous le visage de la jeune femme qui montait et descendait au-dessus de la marée humaine : Qui a tué Lontae ?

Le hurlement d'une sirène, d'abord lointain, s'est rapproché. Les barrières se sont ouvertes pour laisser le passage à une camionnette escortée

248

par des motards ; le véhicule s'est arrêté devant les marches de l'hôtel de ville. Six hommes, des sans-abri, ont déchargé un cercueil factice peint en noir qu'ils ont posé sur leurs épaules. Quatre autres cercueils, semblables mais plus petits, ont suivi le même chemin.

La foule s'est écartée ; la procession s'est lentement avancée vers les marches tandis que le chœur entonnait un chant déchirant qui m'a fait monter les larmes aux yeux. C'était un cortège funèbre ; un des petits cercueils représentait Ontario.

La foule s'est refermée ; des bras se sont levés pour porter les cercueils qui se balançaient doucement, l'un derrière l'autre, au-dessus des têtes.

La scène était spectaculaire ; les caméras regroupées près de l'estrade n'en perdaient pas une miette. Les images seraient diffusées sur tous les écrans pendant quarante-huit heures.

Les cercueils ont été placés côte à côte au milieu des marches, à la hauteur de l'estrade. Les discours ont commencé.

Un militant a pris la parole pour remercier tous les groupes et associations qui avaient contribué à l'organisation de la manifestation. Une liste impressionnante d'églises, de missions, de foyers, de soupes populaires, de centres d'assistance médicale et juridique, d'organismes de formation continue, de centres de désintoxication. Il a même cité quelques élus locaux.

Avec de si nombreux soutiens, comment pouvait-il y avoir un problème des sans-abri ?

Les six orateurs suivants ont répondu à cette question, accusant pêle-mêle l'insuffisance du financement privé, les restrictions budgétaires, la mauvaise volonté du gouvernement fédéral et de la municipalité, l'égoïsme des nantis et la justice conservatrice.

Chaque orateur a développé les mêmes thèmes, à l'exception de Mordecai, le cinquième à prendre la parole, qui a fait taire la foule avec le récit des dernières heures de la famille Burton. Quand il est arrivé à l'épisode de la couche du bébé, il s'est fait un profond silence ; pas un murmure, pas une toux dans l'assistance.

Il a expliqué ensuite d'une voix grave et sonore que Lontae et les enfants avaient quitté l'église pour retrouver la rue où la tempête de neige faisait rage ; il ne leur restait que quelques heures à vivre. À ce moment du récit, Mordecai a pris des libertés avec les faits ; nul ne savait précisément ce qui s'était passé. La foule était comme magnétisée.

À l'évocation des derniers instants des malheureux, des cinq corps serrés les uns contre les autres pour essayer de se tenir chaud, j'ai entendu des femmes sangloter autour de moi.

Si cet homme, mon confrère et ami, était capable de tenir en haleine des milliers de personnes du haut d'une estrade, que ne pourrait-il accomplir face à douze jurés assez proches de lui pour le toucher ?

J'ai compris à cet instant que le procès Burton n'irait jamais jusque-là ; la défense ne laisserait pas Mordecai Green prêcher devant un jury à majorité noire. Si nos suppositions étaient exactes et si nous étions en mesure d'en apporter la preuve, le procès n'aurait pas lieu.

Au bout d'une heure et demie de discours, l'assistance a commencé à donner des signes d'impatience. Le cortège s'est mis en branle, les cercueils au premier rang. Venaient ensuite les principaux dirigeants, au nombre desquels figurait Mordecai, puis la foule des anonymes. Quelqu'un m'a donné une pancarte à l'effigie de Lontae ; je l'ai brandie à bout de bras.

Les nantis n'ont pas à défiler ni à manifester. Leur univers est propre et sans danger, régi par des lois conçues pour leur bien-être. Je n'avais jamais participé à une manifestation ; pourquoi l'aurais-je fait ? Les premières minutes, je me suis senti tout drôle au sein de cette marée humaine, agitant une pancarte sur laquelle s'étalait le visage d'une jeune Noire de vingt-deux ans, mère de quatre enfants illégitimes.

Mais je n'étais plus le même que quelques semaines auparavant ; si je l'avais voulu, je n'aurais pu revenir en arrière. L'homme que j'avais été ne pensait qu'à l'argent, aux biens matériels, à la position sociale, des valeurs pour lesquelles je n'éprouvais aujourd'hui que mépris.

J'ai réussi à me détendre, j'ai pris plaisir à me fondre dans la foule, à hurler les slogans des sans-abri, à agiter ma pancarte avec les autres, je me suis même surpris à chanter timidement ces gospels qui m'étaient étrangers. C'était ma première manifestation pour les droits civils ; ce ne serait pas la dernière.

Le trajet du cortège avait été soigneusement mis au point. Les barrières nous protégeaient ; l'ampleur de la manifestation attirait la curiosité. Les cercueils ont été déposés sur les marches du Capitole ; la foule immense s'est rassemblée autour d'eux pour écouter de nouveaux discours enflammés prononcés par plusieurs militants des droits civils et deux parlementaires.

Les discours devenaient lassants. Mes frères de la rue avaient tout leur temps ; j'avais ouvert trente et un dossiers depuis le lundi. Trente et un clients bien vivants attendaient que je leur procure des coupons alimentaires, que je leur trouve un logement, que j'engage des procédures de divorce, que je les défende au pénal, que je récupère des arriérés de salaire, que j'empêche une expulsion, que je les aide à se désintoxiquer, comme s'il suffisait de claquer des doigts pour obtenir justice. Au temps où je traitais des dossiers antitrust, je m'étais rarement trouvé en face de mes clients ; il n'en allait pas de même dans la rue.

J'ai acheté un cigare à un vendeur ambulant et me suis offert une petite balade sur le Mall.

25.

J'ai frappé à la porte de l'appartement voisin de celui des Palma. Une voix de femme a demandé qui était là, sans faire mine de tirer le verrou. J'avais longuement réfléchi à mon stratagème, j'en avais même répété les détails sur la route de Bethesda, mais je n'étais pas sûr d'être convaincant.

– Bob Stevens, répondis-je en prenant une voix timide. Je cherche Hector Palma.

– Qui ?

– Hector Palma. C'était votre voisin de palier.

– Qu'est-ce que vous voulez ?

– Je lui dois de l'argent. J'essaie de le retrouver, c'est tout.

Un quêteur se serait heurté à une méfiance naturelle des voisins ; je trouvais ma petite ruse assez habile.

– Il est parti, fit sèchement la voix.

– Je sais bien. Savez-vous où il est allé ?

– Non.

– A-t-il quitté la région ?

– Aucune idée.

– L'avez-vous vu déménager ?

Bien sûr qu'elle l'avait vu ; cela allait de soi. Mais au lieu de se montrer serviable, elle se retira dans les profondeurs de son appartement, sans doute pour appeler le service de sécurité. J'ai répété ma question, j'ai sonné à la porte : rien.

Il ne me restait qu'à tenter ma chance chez les autres voisins de palier. Au deuxième coup de sonnette, la porte s'est entrouverte ; la chaîne de sûreté l'a tenue entrebâillée. Un homme de mon âge, des traces de mayonnaise au coin de la bouche, a demandé ce que je voulais.

J'ai répété l'histoire de Bob Stevens ; il a écouté attentivement. Derrière lui, des cris de gosses turbulents couvraient le son de la télévision. Il était 20 heures passées ; j'avais interrompu le dîner familial. Mais l'homme m'écoutait de bonne grâce.

— Je ne le connaissais pas.

— Et sa femme ?

— Non plus. Je voyage beaucoup ; je suis rarement à la maison.

— Votre femme les connaissait-elle ?

— Non, répondit-il un peu trop vite.

— Vous ne les avez pas vus déménager ?

— Nous n'étions pas là ce week-end.

— Et vous ne savez pas où ils sont partis ?

— Pas du tout.

— Merci.

En me retournant, je suis tombé nez à nez avec un agent de sécurité, un costaud en uniforme tenant une matraque ; il frappait à petits coups répétés la paume de son autre main, comme les flics au cinéma.

— Qu'est-ce que vous faites là ?

— Je cherche quelqu'un. Vous pouvez ranger ça.

— Le démarchage est interdit.

— Vous êtes sourd ? Je ne fais pas du porte-à-porte, je cherche quelqu'un.

Je suis passé devant lui sans lui accorder un autre regard.

— Quelqu'un s'est plaint, lança l'homme dans mon dos. Je vous demande de partir.

— Je pars.

J'ai dîné d'un taco accompagné d'une bière, pas très loin de la résidence ; je me sentais plus en sécurité en banlieue. L'établissement faisait partie d'une chaîne de restauration rapide en pleine expansion, implantée à la périphérie des grandes villes. La clientèle était composée en majorité de jeunes fonctionnaires qui s'arrêtaient pour prendre un verre avant de rentrer chez eux. Ils parlaient politique devant une bière pression ou hurlaient en regardant un match de basket.

On se fait à la solitude. Je n'avais plus ni femme ni amis ; huit années de travail acharné chez Drake & Sweeney ne m'avaient ni permis d'entretenir des amitiés ni de sauver mon mariage. J'avais trente-deux ans et j'étais mal préparé à la vie de célibataire. En regardant du coin de l'œil le match et les filles, je me suis demandé s'il allait falloir reprendre la tournée des bistrots et des boîtes de nuit pour trouver de la compagnie. Il devait y avoir d'autres lieux, une autre méthode.

Le moral au plus bas, j'ai payé et je suis parti.

J'ai conduit lentement sur la route du retour ; je n'étais pas pressé de retrouver mon chez-moi. Mon nom figurait sur un bail, quelque part dans la mémoire d'un ordinateur ; la police devait pouvoir trouver mon adresse sans grande difficulté. Mon arrestation, si elle était décidée, aurait certainement lieu de nuit. Ils s'offriraient le plaisir d'une visite nocturne pour mieux me terrifier, avant de me passer les menottes en me bousculant un peu, de me pousser sans ménagement dans le couloir, de m'étreindre d'une poigne de fer dans l'ascenseur et enfin de me jeter à l'arrière d'une voiture de patrouille. On me conduirait à la prison municipale où je serais le seul jeune Blanc en état d'arrestation, avant de me boucler dans une cellule avec le ramassis habituel de voyous, me laissant me débrouiller seul.

En toute circonstance, je ne me séparais jamais de deux choses. Un téléphone portable pour appeler Mordecai dès que je serais arrêté, ainsi qu'une liasse de billets de vingt dollars destinés à payer une caution et, si tout se passait bien, échapper à la cellule.

Je me suis garé à cent mètres de l'entrée de mon immeuble et j'ai cherché à repérer des individus suspects dans les voitures en stationnement. J'ai regagné l'appartement sain et sauf.

Le séjour était maintenant meublé de deux fauteuils de jardin et d'un coffre en plastique faisant office de table basse et de tabouret. Le téléviseur était posé sur un autre coffre. Cet ameublement spartiate me plaisait et j'avais décidé que personne ne verrait comment je vivais.

Ma mère avait téléphoné ; j'ai écouté son message sur le répondeur. Mes parents s'inquiétaient pour moi et projetaient une visite. Ils en avaient parlé avec Warner ; mon frère les accompagnerait peut-être. Je les ai imaginés en train d'analyser ma nouvelle situation, de conclure qu'il fallait absolument me ramener à la raison.

Le rassemblement à la mémoire de Lontae a fait l'ouverture du journal télévisé. Il y avait des gros plans des cinq cercueils noirs sur les marches de l'hôtel de ville ; dans un plan général de la foule, on voyait Mordecai prêcher du haut de l'estrade. Les manifestants semblaient plus nombreux que je ne l'avais cru ; on estimait leur nombre à cinq mille. Le bureau du maire se refusait à toute déclaration.

J'ai éteint la télévision et composé le numéro de Claire sur le portable. Nous ne nous étions pas parlé depuis quatre jours ; il était temps de faire preuve de civilité, de donner de mes nouvelles. Aux yeux de la loi, nous étions encore mari et femme. Il serait agréable de dîner ensemble dans une ou deux semaines.

À la troisième sonnerie, une voix grave, une voix d'homme a grogné : « Allô ? »

Il était 23 h 30, un jeudi soir ; Claire avait amené un homme à la maison. J'avais fait mes valises depuis moins d'une semaine. J'ai failli raccrocher, mais je me suis repris au dernier moment.

– Pourrais-je parler à Claire ?

– De la part de qui ? fit la voix bourrue.

– Michael, son mari.

– Elle est sous la douche, dit l'inconnu avec une pointe de satisfaction.

– Dites-lui que j'ai appelé.

J'ai raccroché aussi sec.

Jusqu'à minuit, j'ai parcouru les trois pièces, comme un fauve en cage, puis je me suis habillé chaudement pour affronter le froid des rues. Quand un couple se dissout, on ne peut s'empêcher de passer en revue toutes sortes d'hypothèses. S'agissait-il simplement du fossé qui se creuse naturellement entre deux êtres ou était-ce plus compliqué ? Les signaux d'alerte m'avaient-ils échappé ? Était-ce l'homme d'une nuit ou se connaissaient-ils depuis des années ? S'agissait-il d'un médecin marié et père de famille, avide d'une aventure ou bien d'un carabin plein de sève qui lui apporterait ce que je n'avais su lui donner ?

Je me suis efforcé de me convaincre que cela n'avait pas d'importance. Notre séparation n'était pas la conséquence d'infidélités ; il était trop tard pour me demander si elle avait donné des coups de canif dans le contrat.

Tout était fini entre nous, tout simplement, quelles que fussent les raisons. Elle pouvait faire ce qu'elle voulait, je m'en balançais. Puisque je me sentais libre de courir le jupon, les mêmes règles s'appliquaient à Claire.

Voilà, nous étions libres.

À 2 heures du matin, je me suis retrouvé à Dupont Circle. Des homos racolaient sur les trottoirs, des hommes emmitouflés dans des manteaux et des couvertures dormaient sur les bancs. C'était dangereux, mais je m'en foutais.

Quelques heures plus tard, j'ai acheté une douzaine de beignets assortis, deux grands cafés et un journal. Ruby attendait, fidèle au poste, grelottante de froid. Ses yeux étaient plus rouges que d'habitude, son sourire contraint.

Nous nous sommes installés au bureau le moins chargé de dossiers poussiéreux ; j'ai fait de la place pour poser les beignets et les cafés. Elle n'aimait pas les beignets au chocolat.

– Vous arrive-t-il de lire le journal ? demandai-je en ouvrant mon quotidien.

– Non.

– Vous savez lire, Ruby ?

– Pas bien.

Je lui ai fait la lecture, en commençant par la première page où s'étalait une grande photo des cercueils qui semblaient flotter sur une mer humaine. L'article occupait la moitié inférieure de la une. Je l'ai lu intégralement à Ruby ; elle a écouté avec une grande attention. Elle avait entendu parler de la mort de la famille Burton ; elle était avide de détails.

– Je pourrais mourir comme ça ?

– Non. À moins que le moteur de votre voiture ne tourne et que vous ne mettiez le chauffage.

– Ce serait bien, s'il y avait le chauffage.

Elle s'est essuyé la bouche avant de prendre une gorgée de café. La nuit de la mort d'Ontario et des siens, le mercure était descendu à moins 12 °C. Comment Ruby avait-elle supporté cette température ?

– Où allez-vous quand il fait vraiment froid ?

– Nulle part.

– Vous restez dans la voiture ?

– Oui.

– Comment vous protégez-vous ?

– J'ai un tas de couvertures. Je m'enfouis dedans.

– Vous n'allez jamais dans un foyer d'accueil ?

257

– Jamais.

– Le feriez-vous si cela vous permettait de revoir Terrence ?

Elle a incliné la tête sur le côté, m'a regardé d'un drôle d'air.

– Vous pouvez répéter ?

– Vous voulez voir Terrence, oui ou non ?

– Oui.

– Il faudra d'abord décrocher. D'accord ?

– D'accord.

– Pour décrocher, il faudra passer quelque temps dans un centre de désintoxication. Êtes-vous prête à le faire ?

– Peut-être, répondit-elle. Je dis peut-être.

Ce n'était qu'un petit pas dans la bonne direction, mais il avait son importance.

– Je peux vous aider à revoir Terrence, à faire partie de sa vie. Pour cela, vous devez décrocher et ne pas replonger.

– Qu'est-ce que je dois faire ? demanda-t-elle, incapable de me regarder en face, le gobelet de café fumant serré contre la poitrine.

– Allez-vous chez Naomi aujourd'hui ?

– Oui.

– J'ai parlé à la directrice. Il y a deux réunions pour les alcooliques et les toxicomanes. Je veux que vous assistiez aux deux ; elle m'appellera pour le confirmer.

Elle a hoché la tête comme une enfant prise en faute ; j'ai décidé de ne pas aller plus loin, pour cette fois. J'ai encore lu à voix haute plusieurs articles qu'elle a écoutés avec attention en finissant ses beignets et son café. Les sports et l'actualité de l'étranger ne l'intéressaient pas, mais les nouvelles locales et les faits divers la passionnaient. Elle avait voté une fois, il y avait longtemps, et assimilait bien les sujets de politique.

Un long éditorial fustigeait le Congrès et la municipalité pour leur incapacité à débloquer des fonds publics en faveur des démunis; il se terminait par une mise en garde. D'autres Lontae suivraient, d'autres innocents mourraient dans les rues, à l'ombre du Capitole. Ruby en a approuvé chaque phrase.

Une pluie fine et glaciale s'est mise à tomber; j'ai donc conduit Ruby chez Naomi, un centre de jour pour les femmes en difficulté, dans un bâtiment de quatre étages de la 10e Rue. Le centre ouvrait à 7 heures, fermait à 16 heures. Les femmes privées de foyer y trouvaient au long de la journée des repas, une douche, des vêtements, différentes activités et des conseils. Ruby était une habituée; elle a reçu un accueil chaleureux à notre arrivée.

J'ai parlé en tête-à-tête avec la directrice, une jeune femme prénommée Megan; nous sommes tombés d'accord pour inciter Ruby à se libérer du crack. La moitié des femmes fréquentant le Centre souffrait de troubles mentaux, la moitié était dépendante de la drogue, une sur trois était atteinte du sida. De l'avis de Megan, Ruby ne souffrait pas d'une maladie contagieuse.

J'ai vu en partant les femmes se réunir dans la grande salle pour chanter.

J'étais plongé dans l'étude d'un dossier quand Sofia a frappé à la porte de mon bureau; elle est entrée sans me laisser le temps de répondre, s'est plantée devant moi, un carnet à la main.

– Mordecai m'a dit que vous cherchez quelqu'un.

Il m'a fallu quelques secondes de réflexion avant de penser à Hector.

– Oui, c'est vrai !

– Je peux vous aider. Dites-moi tout ce que vous savez sur cette personne.

Elle s'est assise pour prendre des notes tandis que j'indiquais le nom, l'adresse et le dernier employeur de Palma. J'ai donné son signalement, ajouté qu'il était marié, père de quatre enfants.

– Âge ?

– La trentaine.

– Salaire approximatif ?

– Trente-cinq mille dollars.

– S'il a quatre enfants, on peut supposer qu'au moins l'un d'eux est scolarisé. Vivant à Bethesda avec ce salaire, je doute que ce soit dans un établissement privé. Étant d'origine hispano-américaine, il doit être catholique. Autre chose ?

Rien d'autre ne m'est venu à l'esprit. Elle est repartie à son bureau où elle a commencé à feuilleter un gros classeur à trois anneaux ; j'ai laissé la porte ouverte pour regarder et écouter. Le premier appel a été pour quelqu'un de la Poste. La conversation s'est déroulée en espagnol ; j'ai été tout de suite perdu. Les appels se sont succédé. En obtenant la communication, elle parlait en anglais, demandait son contact, passait aussitôt à sa langue maternelle. Un coup de téléphone au diocèse catholique a déclenché une nouvelle série d'appels de courte durée. Je me suis désintéressé de la question.

Une heure plus tard, Sofia s'est présentée à la porte de mon bureau.

– Ils sont partis à Chicago, annonça-t-elle. Vous faut-il l'adresse ?

– Comment avez-vous... ?

Je suis resté bouche bée, incapable d'achever ma phrase.

– Un ami d'un ami de leur paroisse. Ils ont déménagé précipitamment le week-end dernier. Avez-vous besoin de leur nouvelle adresse ?

– Combien de temps cela prendra-t-il ?

– Ce ne sera pas facile. Je peux vous mettre sur la voie.

Elle avait au moins six clients alignés le long du mur, qui attendaient patiemment.

– Pas maintenant ; plus tard, peut-être. Merci, Sofia.

– Ce n'est pas grand-chose.

Pas grand-chose ! J'étais résigné, en sortant du bureau, à aller frapper à d'autres portes, bravant le froid, évitant les agents de sécurité, espérant que personne ne tirerait sur moi. Sofia venait de passer une heure au téléphone et elle avait retrouvé la trace de Palma !

Drake & Sweeney avait plus d'une centaine d'avocats dans ses bureaux de Chicago. J'y étais allé deux fois pour travailler sur des dossiers. Les bureaux se trouvaient dans une tour, au bord du lac. Dans l'immense hall de l'immeuble, décoré de grandes vasques et bordé de boutiques, des escaliers mécaniques s'entrecroisaient pour gagner les étages supérieurs. L'endroit idéal pour observer discrètement les allées et venues d'Hector Palma.

26.

Les sans-abri sont à la hauteur du caniveau, de la chaussée et du trottoir, ils vivent au niveau des bouches d'égout et d'incendie, des poubelles, des arrêts de bus et des vitrines. Ils vont d'un pas lent, jour après jour, sur un terrain familier, prennent le temps de s'arrêter pour se parler, pour observer une voiture engluée dans un embouteillage, un nouveau revendeur de drogue à un carrefour, un visage inconnu sur leur territoire. Assis sur le trottoir, cachés sous un chapeau ou une casquette, à l'abri d'un parasol, rien ne leur échappe. Ils sont à l'écoute des bruits de la rue, ils respirent les gaz d'échappement et les odeurs de friture. Quand le même taxi passe deux fois en une heure, ils le remarquent. Quand une détonation se fait entendre au loin, ils savent d'où elle provient. Quand une belle voiture est garée au bord d'un trottoir, ils ne la perdent pas de vue jusqu'à ce qu'elle parte.

Quand un policier en civil est en planque dans un véhicule banalisé, ils le voient.

Un de nos clients est venu avertir Sofia que les flics étaient là ; de la porte de la rue, elle a vu un véhicule en stationnement qui pouvait bien être une voiture banalisée de la police. Au bout d'une demi-heure, elle a vérifié que la voiture était toujours là avant d'en parler à Mordecai.

Je ne me suis rendu compte de rien ; j'étais aux prises avec un fonctionnaire des affaires sociales et le bureau du procureur. C'était un vendredi après-midi, les administrations fermaient encore plus tôt que d'habitude. Ils se sont présentés tous deux à la porte de mon bureau.

– Je crois que les flics sont dehors, annonça gravement Mordecai.

J'ai eu envie de me jeter sous le bureau.

– Où ? demandai-je, comme si cela avait de l'importance.

– Au coin de la rue. Ils surveillent la porte depuis plus d'une demi-heure.

– C'est peut-être après vous qu'ils en ont.

Mon humour est tombé à plat ; ils ont gardé un visage de marbre.

– Je me suis renseignée, glissa Sofia. Il y a un mandat d'arrêt contre vous : vol qualifié.

Les menottes ! La prison ! Un petit Blanc jeté dans la fosse aux lions. J'ai croisé nonchalamment les jambes en essayant de ne pas montrer ma peur.

– Ce n'est pas une surprise. Allez, qu'on en finisse !

– Je vais appeler le bureau du procureur, reprit Mordecai. Ce serait bien si on vous permettait de vous constituer prisonnier.

– Ce serait bien, approuvai-je, comme si cela n'avait pas vraiment d'importance. J'ai eu le bureau du procureur au téléphone tout l'après-midi ; personne n'écoute.

– Pas étonnant, ils ont deux cents avocats.

Les flics et les procureurs étaient les ennemis naturels de Mordecai.

Nous avons rapidement mis au point une stratégie. Sofia allait faire venir un ami à la prison pour la caution ; Mordecai essaierait de trouver un juge conciliant. Tout le monde a soigneusement évité d'aborder un point crucial; nous étions vendredi après-midi. Pourrais-je sortir indemne d'un week-end en cellule ?

Ils m'ont quitté pour aller téléphoner; je suis resté à mon bureau, incapable de bouger, de penser, de faire autre chose qu'écouter les grincements de la porte d'entrée. Je n'ai pas eu longtemps à attendre. À 16 heures tapantes, le lieutenant Gasko est entré, suivi de deux de ses hommes.

Lors de ma première rencontre avec Gasko, quand il était venu fouiller l'appartement de Claire, j'avais relevé les noms des policiers en les menaçant de les traîner en justice et de les faire condamner; j'étais l'avocat sûr de son fait, Gasko le petit flic. Jamais je n'aurais imaginé lui donner un jour le plaisir de m'arrêter. Il était pourtant là, plastronnant, un rictus moqueur aux lèvres, des papiers à la main, qu'il s'apprêtait à me fourrer sous le nez.

– Je viens voir Me Brock, annonça-t-il à Sofia.

Je suis sorti de mon bureau, souriant.

– Bonjour, Gasko. Toujours à la recherche de ce dossier ?

– Non. Pas cette fois.

Mordecai s'est approché; Sofia se tenait derrière son bureau. Tout le monde s'est regardé.

– Vous avez un mandat ? demanda Mordecai.

– Oui. Pour Me Brock.

– Allons-y, fis-je avec un haussement d'épaules.

Je me suis avancé vers Gasko. Un de ses sbires a détaché les menottes qui pendaient à sa ceinture; j'étais résolu à me montrer aussi calme que possible

– Je suis son avocat, intervint Mordecai. Montrez-moi ça.

Il a pris le mandat des mains de Gasko, l'a examiné tandis qu'on me passait les menottes. J'avais les mains dans le dos, les poignets pris dans l'étreinte froide de l'acier; les bracelets étaient trop serrés, mais c'était supportable.

– Je serais heureux de conduire mon client au poste de police, proposa Mordecai.

– Merci infiniment, répondit Gasko, mais je vais vous épargner le dérangement.

– Où l'emmenez-vous ?

– Commissariat central.

– Je vous suis, dit Mordecai en se tournant vers moi.

Sofia était au téléphone ; j'ai trouvé cela rassurant.

Trois de nos clients ont assisté à la scène ; trois représentants inoffensifs du peuple de la rue, venus présenter leurs doléances à Sofia. Assis à l'endroit où attendaient tous les clients, ils m'ont regardé passer en ouvrant de grands yeux.

Un des flics m'a pris par le coude pour me pousser vers la porte ; j'ai débouché sur le trottoir, pressé de gagner l'abri de la voiture de police d'un blanc sale garée au coin de la rue. Les sans-abri du quartier ont tout vu : la voiture en stationnement, l'entrée des flics, leur sortie avec l'avocat menotté.

Le bruit allait se propager de proche en proche, se répandre par les rues comme une traînée de poudre : un avocat s'est fait arrêter.

Gasko a pris place à l'arrière, à côté de moi ; je me suis enfoncé dans le siège, le regard vide, encore sous le choc.

– Quelle perte de temps, soupira Gasko en s'installant plus confortablement. Il y a dans cette ville cent quarante crimes de sang qui n'ont pas été résolus, de la dope à tous les coins de rue, des revendeurs à la sortie des écoles et il faut gaspiller du temps avec vous.

– Êtes-vous en train de m'interroger, Gasko ?

– Non.

Il ne s'était pas donné la peine de me lire mes droits ; il n'était pas tenu de le faire avant de commencer à poser des questions.

La voiture banalisée filait le long de la 14e Rue, sans gyrophare ni sirène, sans respect pour la signalisation et les piétons.

– Alors, relâchez-moi, Gasko.

– Si cela ne dépendait que de moi, je le ferais, mais vous avez chié dans les bottes de quelqu'un. Le procureur dit qu'on fait pression sur lui.

– Qui donc ?

Je connaissais la réponse. Drake & Sweeney n'allait pas perdre de temps avec la police, mais s'adresser directement au procureur.

– Les victimes, répondit Gasko d'un air sarcastique.

Je partageais son opinion : difficile d'imaginer une bande d'avocats riches à millions dans la peau d'innocentes victimes.

J'ai essayé de faire une liste des gens célèbres qui avaient été arrêtés. Martin Luther King avait tâté à plusieurs reprises de la prison. Il y avait aussi Boesky, Milken et d'autres escrocs de haut vol dont le nom m'échappait. Sans compter tous les acteurs et sportifs pris en état d'ivresse ou en possession de coke, jetés sur la banquette d'une voiture de police et conduits au poste comme de vulgaires délinquants. Il y avait un juge de Memphis condamné à perpétuité, un étudiant de ma promotion dans un centre de réadaptation, un de mes anciens clients qui tirait dix ans pour fraude fiscale. Tous avaient été menottés et conduits au bloc ; on avait pris leurs empreintes digitales et leur photo, avec le petit numéro sous le menton. Tous avaient survécu.

Mordecai aussi avait dû un jour sentir le froid des menottes se refermant sur ses poignets.

J'éprouvais un certain soulagement en me disant que c'était enfin terminé. Je n'aurais plus à fuir, à jouer à cache-cache avec la police, à me retourner sans cesse. Je ne vivrais plus dans l'incertitude. D'autre part, je n'avais pas été pris dans une rafle, ce qui m'aurait contraint à passer la nuit au poste. Il n'était pas trop tard ; avec un peu de chance, les formalités pouvaient être terminées et la caution versée avant la vague d'arrestations du week-end.

Mais il y avait au fond de moi une peur que je n'avais jamais ressentie. Bien des choses peuvent se passer dans une prison ; des documents peuvent se perdre, toutes sortes de retards se produire. Le versement de la caution pouvait être repoussé au lendemain, au surlendemain, voire au lundi ; je pouvais me retrouver enfermé dans une cellule avec des compagnons de la pire espèce.

La nouvelle de mon arrestation allait se répandre. Mes amis secoueraient la tête en se demandant ce que je pouvais faire de plus pour foutre ma vie en l'air ; mes parents seraient anéantis. Pour Claire, je ne savais pas, surtout maintenant qu'elle n'était plus seule.

J'ai fermé les yeux, essayé de me mettre à l'aise ; impossible quand on est assis sur ses mains.

Les formalités se sont déroulées dans une sorte de brouillard. Déplacements irréels d'un endroit à un autre, à la remorque de Gasko, comme un chien perdu. Les yeux obstinément baissés, je ne cessais de me dire : ne les regarde pas. D'abord vider ses poches, signer une décharge. Ensuite les photos, pieds nus, talons contre la toise, de face – vous n'êtes pas obligé de sourire, mais regardez l'appareil – et de profil. Puis les empreintes ; comme il y avait du monde, Gasko m'a attaché à une chaise du couloir pendant qu'il allait chercher un café. Des flics partout. Un autre Blanc, jeune, costume marine de bonne coupe, une ecchymose sur la joue gauche, soûl comme une bourrique. Comment peut-on être dans un tel état en milieu d'après-midi ? Il avait une grande gueule et proférait des menaces d'une voix pâteuse ; personne ne l'écoutait. On l'a emmené. Le temps passait, l'affolement me gagnait. La nuit était tombée, le week-end commençait, la prison allait se remplir. Gasko est revenu ; il a regardé son collègue appliquer de l'encre sur la pulpe de mes doigts et les presser sur le papier.

Pas besoin de téléphoner : mon avocat ne devait pas être loin. Gasko ne l'avait pas vu. Nous avons suivi un autre couloir ; les portes devenaient plus massives. Ce n'était pas la bonne direction ; la rue était derrière nous.

– Je ne peux pas verser une caution ? demandai-je en découvrant des barreaux sur les fenêtres et des gardiens armés.

– Je crois que votre avocat s'en occupe, répondit Gasko.

Il m'a remis entre les mains du sergent Coffey qui m'a plaqué contre un mur, m'a fait écarter les jambes pour me fouiller. N'ayant rien trouvé, il a indiqué d'un grognement un détecteur de métal. Je suis passé sans encombre. Un interphone, une porte coulissante, encore un couloir, cette fois avec des barreaux des deux côtés. La porte a claqué derrière moi ; mes prières étaient restées vaines.

Des mains et des bras se tendaient à travers les barreaux dans le couloir étroit, des regards nous suivaient. J'ai gardé les yeux baissés. Coffey jetait un coup d'œil dans chaque cellule ; il devait compter les prisonniers. Nous nous sommes arrêtés devant la troisième sur la droite.

Mes compagnons de cellule étaient des Noirs, tous bien plus jeunes que moi. J'en ai d'abord compté quatre avant d'en voir un cinquième sur la couchette du haut ; il y avait deux lits pour six personnes. Le local était petit et carré, fermé sur trois côtés par des barreaux, de sorte que je voyais les prisonniers dans les deux cellules adjacentes et de l'autre côté du couloir. Le mur du fond était en parpaings, avec des toilettes dans un angle.

Quand Coffey a refermé bruyamment la porte, le gars de la couchette du haut s'est assis en balançant les jambes sur le côté, devant le nez de celui qui occupait l'autre couchette. Cinq paires d'yeux durs étaient braquées sur moi. Je suis resté près de la porte, essayant de ne pas montrer ma peur, cherchant désespérément du regard un endroit où je pourrais m'asseoir sans risquer de toucher quelqu'un.

Heureusement qu'on avait installé un détecteur de métal ; ils n'avaient pas d'armes. Je n'avais rien d'autre sur moi que mes vêtements. Ma montre, mon portefeuille, les espèces et le téléphone portable, on ne m'avait rien laissé.

Je me sentirais plus en sécurité à l'avant qu'au fond. En évitant les regards des autres, je me suis assis, le dos contre la porte. Au bout du couloir, quelqu'un a demandé un gardien en hurlant.

Une bagarre a éclaté deux cellules plus loin ; à travers les barreaux, j'ai vu le Blanc au complet marine acculé dans un coin par deux grands Noirs qui le bourraient de coups de poing. Des voix les encourageaient, le vacarme augmentait. Ce n'était pas le moment d'être Blanc.

Un coup de sifflet a retenti, une porte s'est ouverte ; Coffey est revenu, une matraque à la main. La bagarre s'est arrêtée net ; étendu de tout son long, le Blanc ne bougeait plus. Coffey a demandé ce qui s'était passé ; personne n'en savait rien, personne n'avait rien vu.

Il est reparti en disant qu'il ne voulait plus de bordel.

Quelques minutes se sont écoulées. Le Blanc a commencé à gémir ; quelqu'un vomissait au loin. Un de mes compagnons de cellule s'est avancé vers moi. Ses pieds nus ont frôlé ma jambe. J'ai levé les yeux, les ai aussitôt baissés. J'ai su que c'était la fin.

– Jolie veste.
– Merci.

J'ai essayé de ne pas me montrer sarcastique ni provocant. La veste en question était un vieux blazer marine que je portais tous les jours avec un jean : ma tenue d'avocat engagé. Ça ne valait certainement pas la peine de se faire massacrer.

— Jolie veste, répéta-t-il, accompagnant sa phrase d'un petit coup de pied.

L'occupant de la couchette du haut sauta pour mieux voir ce qui allait se passer.

— Merci.

Grand et sec, sans un pouce de graisse, il avait dix-huit ou dix-neuf ans ; sans doute un membre d'un gang, qui n'avait pas connu autre chose que la rue. Il était sûr de lui, désireux d'impressionner les autres.

Jamais il ne trouverait victime plus consentante.

— J'ai pas une belle veste comme ça, poursuivit-il en me poussant un peu plus fort du pied.

Comme nous étions enfermés, il ne pouvait voler le blazer et s'enfuir avec.

— Voulez-vous que je vous la prête ? demandai-je sans lever les yeux.

— Non.

J'ai remonté les genoux jusqu'à mon menton pour me protéger ; s'il me frappait, je ne rendrais pas les coups. Toute résistance de ma part inciterait immédiatement les quatre autres à se joindre à la fête et à tabasser le petit Blanc.

— T'as entendu, mon pote ? fit l'occupant de la couchette du haut. Il dit que t'as une belle veste.

— Je l'ai remercié.

— Il dit qu'il a pas une belle veste comme ça.

— Que voulez-vous que je fasse ?

— Un cadeau serait le bienvenu.

Un troisième s'est avancé pour fermer le demi-cercle autour de moi. Le premier m'a donné un petit coup de pied ; ils se sont rapprochés un peu plus. Prêts à bondir, ils attendaient que l'un d'eux donne le signal. J'ai enlevé vite fait mon blazer, l'ai lancé à mes pieds.

— C'est un cadeau ? demanda le premier en le ramassant.

– Appelez ça comme vous voulez.

Comme j'évitais toujours de le regarder, je n'ai pas vu son pied arriver. Un coup vicieux qui m'a frappé à la tempe gauche et a projeté ma tête en arrière, contre les barreaux.

– Merde ! m'écriai-je en tâtant l'arrière de mon crâne, m'attendant à recevoir une grêle de coups. Vous pouvez la prendre.

– C'est un cadeau ?

– Oui.

– Merci beaucoup.

– N'en parlons plus.

Je me suis frotté la joue ; toute ma tête était engourdie. Ils ont reculé, me laissant roulé en boule contre les barreaux.

Plusieurs minutes se sont écoulées, mais j'avais perdu la notion du temps. L'ivrogne blanc reprenait lentement ses esprits ; une autre voix appelait un gardien. Celui qui avait piqué ma veste ne l'avait pas mise.

Tout le côté de ma tête m'élançait, mais il n'y avait pas de sang. Si je ne recevais pas d'autres coups, je pourrais m'estimer heureux. Quelqu'un a hurlé qu'il voulait dormir ; j'ai commencé à me demander ce que la nuit me réservait. Six détenus, deux lits étroits. Allions-nous dormir à même le sol, sans oreiller, sans couverture ?

J'ai jeté un coup d'œil furtif aux autres en me demandant quels crimes ils avaient commis. Pour ma part, j'avais seulement emprunté un dossier avec l'intention de le rendre. Et je me trouvais là, en compagnie de trafiquants de drogue, de voleurs de voitures, de violeurs, probablement de criminels.

Je n'avais pas faim, mais je me suis demandé quand j'allais manger. Je n'avais pas eu l'occasion de prendre une brosse à dents. Que se passerait-il quand j'aurais envie d'aller aux toilettes ? Où était l'eau potable ? Les choses élémentaires devenaient de la plus haute importance.

– Jolies chaussures.

La voix m'a fait sursauter. En levant la tête j'ai vu un des autres qui se dressait au-dessus de moi, en chaussettes blanches maculées de taches ; ses pieds étaient beaucoup plus grands que les miens.

– Merci.

Les chaussures en question étaient de vieilles Nike de joggeur, pas des baskets à tige haute ; elles n'auraient pas dû le tenter.

– Quelle pointure ?

– Quarante-deux.

Le voyou qui avait pris ma veste s'est approché lentement ; le message était clair.

– C'est justement ma pointure, affirma le premier.

– Les voulez-vous ? demandai-je en commençant à les délacer. Tenez, j'aimerais vous offrir mes chaussures.

Il les a prises. J'ai eu envie de demander : pourquoi pas mon jean et mes sous-vêtements, tant que vous y êtes ?

Mordecai ne s'est manifesté que vers 19 heures ; Coffey est venu me chercher.

– Où sont vos chaussures ? demanda-t-il dans le couloir.

– Dans la cellule. On me les a prises.

– J'irai les récupérer.

– Merci. J'avais aussi un blazer bleu marine.

Il a regardé le côté gauche de mon visage ; le coin de l'œil commençait à gonfler.

– Ça ira ?

– Tout va bien ; je suis libre.

Le montant de la caution avait été fixé à dix mille dollars ; j'ai donné mille dollars en espèces et signé des papiers. Coffey a rapporté les chaussures et le blazer ; mon incarcération était terminée. Je suis sorti avec Mordecai ; Sofia attendait dehors, au volant de sa voiture.

27.

Sur le plan purement physique, je commençais à payer cher ma dégringolade sociale. Les ecchymoses de l'accident de voiture avaient presque disparu, mais les muscles et les articulations restaient douloureux. Je perdais du poids, pour deux raisons : d'une part, je ne pouvais plus manger au restaurant comme avant, d'autre part, la nourriture ne m'intéressait pas. J'avais mal au dos à force de dormir par terre dans mon sac de couchage ; j'étais pourtant décidé à continuer pour voir si cela deviendrait supportable. Je n'y croyais guère.

Là-dessus, un voyou avait failli me fracasser le crâne d'un coup de pied. J'ai gardé une poche de glace jusqu'à mon coucher ; chaque fois que je me réveillais, j'avais l'impression que ma tête avait augmenté de volume.

Mais je m'estimais heureux d'être en vie, de m'être tiré sans dommage de ces quelques heures d'enfer.

Vol qualifié n'était pas un chef d'accusation à prendre à la légère, d'autant moins que j'étais coupable. La peine encourue était de dix ans ; je m'en préoccuperais plus tard.

Je suis sorti juste avant le lever du soleil, pressé de trouver le journal local. Dans une petite boulangerie ouverte jour et nuit, tenue par une bruyante famille de Pakistanais, je me suis faufilé jusqu'au comptoir pour commander un grand café au lait. J'ai ouvert le *Washington Post*, à la recherche de l'article qui m'intéressait au plus haut point.

Mes amis de chez Drake & Sweeney avaient bien fait les choses : j'ai découvert mon visage en page deux de la section Metro. La photo avait été prise l'année précédente, pour une brochure de recrutement réalisée par le cabinet ; personne d'autre n'avait le négatif.

L'article ne comportait que quatre paragraphes, succincts et précis, essentiellement alimentés par des renseignements fournis par le cabinet. Sept ans d'ancienneté, service antitrust, diplômé de Yale, pas d'antécédents judiciaires. Le cabinet était le cinquième du pays : huit cents avocats, des bureaux dans huit villes, etc. Aucune déclaration n'était rapportée. Inutile : l'unique but de cet article était de m'humilier. Un avocat arrêté pour vol, proclamait le titre à côté de la photo ; en guise d'explication, le journaliste indiquait que des documents avaient été emportés à l'occasion de mon récent départ.

Cela ressemblait bougrement à un règlement de comptes mesquin entre avocats se chamaillant pour quelques papiers. Qui cela pouvait-il intéresser d'autre que moi et les gens qui me connaissaient ? L'embarras se dissiperait rapidement ; il se passait trop de choses bien réelles dans le monde.

La photo et les renseignements avaient été transmis à un journaliste docile qui avait rédigé ses quatre paragraphes en attendant la confirmation de mon arrestation. Je n'avais aucune peine à imaginer Arthur, Rafter et consorts passant des heures à mettre au point cet acte et ses conséquences, des heures qui, à n'en pas douter, seraient facturées à RiverOaks, le client le plus impliqué dans l'affaire.

Brillante opération de relations publiques! Quatre paragraphes dans l'édition du samedi du *Washington Post*!

Les Pakistanais ne faisaient pas de beignets aux fruits; j'ai acheté des cookies aux flocons d'avoine avant de prendre la direction du bureau.

Ruby dormait dans le renfoncement de la porte; je me suis demandé en la voyant depuis combien de temps elle était là. Deux couvre-pieds élimés la protégeaient du froid, sa tête reposait sur un gros sac de toile contenant ses maigres possessions. J'ai toussoté, fait un peu de bruit; elle s'est dressée d'un bond.

— Pourquoi dormez-vous ici?

— Il faut bien dormir quelque part, répondit-elle, le regard fixé sur mon sac en papier.

— Je croyais que vous dormiez dans une voiture.

— Le plus souvent, pas toujours.

Une conversation avec un SDF à qui on demande pourquoi il dort à tel endroit plutôt qu'à tel autre ne peut rien donner. Ruby avait faim : j'ai ouvert la porte, allumé les lumières, préparé un café. Elle est allée droit à son bureau habituel et m'a attendu.

Nous avons pris le petit déjeuner devant le journal; j'ai lu en alternance un article de mon choix, puis un qui l'intéressait. J'ai soigneusement évité celui qui parlait de moi.

La veille, Ruby était partie au beau milieu de la réunion de l'après-midi pour les alcooliques et les toxicos; celle du matin s'était passée sans incident, mais elle n'avait pu supporter la seconde. Megan, la directrice de chez Naomi, m'avait appelé une heure avant la visite de Gasko.

— Comment vous sentez-vous, ce matin? demandai-je en posant le journal.

— Bien. Et vous?

— Très bien. Moi, je n'ai rien pris, et vous?

Son menton s'est légèrement abaissé, elle a dérobé les yeux.

– Moi non plus, répondit-elle après un instant d'hésitation.

– Ce n'est pas vrai, Ruby, ne mentez pas. Je suis votre ami et votre avocat, je vous aiderai à voir Terrence. Regardez-moi dans les yeux et dites-moi si vous vous êtes chargée.

– Oui, murmura-t-elle, les yeux baissés, en donnant l'impression de se rapetisser encore plus.

– Merci. Pourquoi avez-vous quitté la réunion hier après-midi ?

– Je n'ai pas quitté la réunion.

– C'est ce que la directrice m'a dit.

– Je croyais qu'ils avaient fini.

Je ne voulais pas me laisser entraîner dans une discussion dont je ne pourrais sortir vainqueur.

– Allez-vous chez Naomi aujourd'hui ?

– Oui.

– Bien. Je vais vous y conduire, mais il faut me promettre d'assister aux deux réunions.

– C'est promis.

– Vous arriverez la première et vous serez la dernière à partir, d'accord ?

– D'accord.

– Et la directrice vous aura à l'œil.

Elle a acquiescé d'un petit signe de tête en prenant un cookie, son quatrième. Nous avons parlé de Terrence et de désintoxication ; je me suis demandé encore une fois si elle n'avait pas atteint le point de non-retour. Ne rien prendre pendant vingt-quatre heures lui paraissait une épreuve insurmontable.

Elle était accro au crack ; je m'en doutais. Dépendance immédiate, une drogue à la portée de toutes les bourses.

Dans la voiture, Ruby a posé de but en blanc une question qui faillit me faire brûler un feu rouge.

– Vous avez été arrêté, n'est-ce pas ?

Comment cette femme que j'avais trouvée endormie au petit matin devant la porte du bureau

276

et qui savait à peine lire avait-elle eu connaissance de l'article du journal ?

– En effet.

– C'est bien ce qui me semblait.

– Comment l'avez-vous appris ?

– On entend des choses dans la rue.

Pas besoin de journaux ; les sans-abri colportent eux-mêmes les nouvelles. Le jeune avocat qui travaille avec Mordecai s'est fait arrêter. Les flics l'ont embarqué comme s'il était l'un de nous.

– C'était une erreur, dis-je, comme si cela changeait quelque chose.

Chez Naomi, les femmes avaient commencé à chanter sans Ruby ; nous les avons entendues en montant les marches. Megan nous a ouvert et m'a invité à prendre un café. Dans la grande salle du rez-de-chaussée qui avait été un beau salon, les femmes chantaient, écoutaient les malheurs des autres, partageaient leurs problèmes. Nous les avons observées quelques minutes ; j'avais le sentiment d'être un intrus dans cette assemblée féminine.

Megan a servi le café dans la cuisine et m'a entraîné dans une visite rapide. Il y avait des toilettes et des douches au rez-de-chaussée, près de la cuisine, et un petit jardin sur l'arrière, où les filles aimaient à se rendre seules dans les moments de dépression. Au premier étage se trouvaient des bureaux, des salles réservées aux entretiens et une pièce rectangulaire où se réunissaient ensemble les Alcooliques Anonymes et les Toxicomanes Anonymes. Un chant joyeux montant du rez-de-chaussée nous a accompagnés dans l'escalier étroit.

Le bureau de Megan était au deuxième étage ; elle m'a invité à prendre un siège. À peine assise, elle a lancé un exemplaire du *Washington Post* sur mes genoux.

– Vous avez dû passer un sale moment.

– Cela aurait pu être pire, dis-je en regardant ma photo.

– Et ça, qu'est-ce que c'est ? demanda-t-elle en indiquant ma tempe.

– Un compagnon de cellule qui voulait mes chaussures. Il les a prises.

– Celles-là ? fit-elle en regardant mes vieilles Nike.

– Oui. Elles sont belles, non ?

– Combien de temps êtes-vous resté en cellule ?

– Deux heures. Après, j'ai reconstruit ma vie, je me suis désintoxiqué. Je suis un homme neuf.

Elle a souri, découvrant des dents parfaites ; nous avons échangé un regard complice. Elle n'avait pas d'alliance ! Grande, un peu trop mince, ses cheveux acajou coupés court dégageaient les oreilles et lui donnaient une allure distinguée. Elle avait de grands yeux noisette dans lesquels il était agréable de se plonger. C'était une femme très séduisante ; comment ne l'avais-je pas remarqué la première fois ?

Était-ce un piège ? Y avait-il une autre raison à ma présence dans ce bureau que la visite guidée ? Pourquoi n'avais-je pas été frappé la veille par ce sourire et ce regard ?

Nous avons un peu parlé de nous. Son père était pasteur de l'Église épiscopalienne dans le Maryland ; il adorait Washington et l'équipe des Redskins. La décision de Megan de travailler avec les pauvres remontait à son adolescence ; il n'y avait pas de plus belle vocation.

J'ai avoué que je ne me préoccupais des pauvres que depuis une quinzaine de jours. Elle a été captivée par l'histoire de DeVon Hardy, intéressée par ses effets purificateurs.

Elle m'a invité à revenir à l'heure du déjeuner, pour voir où en était Ruby. Si le soleil était de la partie, nous pourrions prendre le repas dans le jardin.

Les avocats des pauvres ne sont pas différents des autres ; ils peuvent rencontrer l'amour dans un

278

endroit aussi inattendu qu'un foyer pour femmes sans ressources.

Après cette première semaine passée à parcourir les quartiers les plus mal famés de la capitale et à fréquenter les centres d'accueil, je n'éprouvais plus le besoin de me cacher derrière Mordecai chaque fois que je sortais. Si je voulais survivre dans la rue, je devais apprendre à me débrouiller seul.

Je disposais d'une liste d'une trentaine de foyers d'accueil, de soupes populaires et de centres d'hébergement où allaient et venaient les sans-abri. J'avais une autre liste : celle des dix-sept expulsés, sur laquelle figuraient DeVon Hardy et Lontae Burton.

Mon premier arrêt a été l'église du Mont Gilead, près de l'université Gallaudet ; d'après le plan, c'était la soupe populaire la plus proche de l'entrepôt rasé. La directrice était une jeune femme du nom de Gloria que j'ai trouvée seule dans la cuisine, s'inquiétant de l'absence des bénévoles.

Je me suis présenté, j'ai expliqué le pourquoi de ma visite. Elle a montré une planche à découper, m'a demandé d'émincer les oignons. Comment un avocat des pauvres aurait-il pu refuser ?

Je l'ai assurée que je l'avais déjà fait, le soir de la tempête de neige, dans la cuisine de Dolly. Elle était aimable, mais à la bourre pour son repas. Tout en éminçant les oignons et en m'essuyant les yeux, j'ai présenté l'affaire sur laquelle je travaillais et énuméré les expulsés que je recherchais.

– Nous n'avons pas de dossiers. Nous nous contentons de les nourrir ; je ne connais pas beaucoup de noms.

Un bénévole est arrivé avec un sac de pommes de terre ; je me suis disposé à partir. Gloria m'a remercié, a pris une copie de la liste et a promis de tendre l'oreille.

Le planning de ma tournée était fait ; j'avais de nombreux arrêts et peu de temps. J'ai téléphoné à un médecin qui travaillait dans une clinique pour les sans-abri, financée par des fonds privés ; chaque patient avait un dossier. Il demanderait le lundi matin à sa secrétaire de comparer ma liste avec celle de l'ordinateur. Si elle trouvait quelque chose, elle me rappellerait.

J'ai pris un thé avec un prêtre à la mission du Rédempteur, près de Rhode Island. Il a étudié attentivement la liste ; aucun nom ne lui disait rien.

La seule alerte de la matinée eut pour cadre le Hall de la liberté, une grande salle de réunion construite par une association depuis longtemps disparue et transformée en centre d'accueil. Il était 11 heures ; une file d'attente se formait à l'entrée. Comme je n'étais pas venu pour manger, je me suis dirigé vers la porte sans m'occuper de la queue. Plusieurs personnes dans la file d'attente, croyant que je voulais resquiller, m'ont lancé des obscénités. Ils avaient faim, ils étaient prompts à s'emporter ; la couleur de ma peau n'arrangeait pas les choses. Comment pouvaient-ils me prendre pour un des leurs ? La porte était gardée par un bénévole ; il a cru, lui aussi, que je voulais faire le malin. Il m'a repoussé sans ménagement ; j'étais furieux.

– Je ne suis pas venu manger ! Je suis avocat pour les sans-abri !

Tout le monde s'est calmé ; j'étais devenu un frère de race blanche. J'ai réussi à entrer sans rencontrer d'autre obstacle. Le responsable du centre était le pasteur Kip, un petit homme nerveux portant un béret rouge et un col noir. Nous n'avons pas eu de sympathie l'un pour l'autre. Quand il a compris que j'étais avocat, que mes clients étaient les Burton, que je travaillais sur leur affaire et qu'il pouvait y avoir des dommages-intérêts à récolter, il a commencé à penser à l'argent. Il m'a fait perdre une demi-heure ; je me suis juré en partant d'envoyer Mordecai lui dire deux mots.

J'ai appelé Megan pour me décommander, sous le prétexte que j'étais à l'autre bout de la ville et qu'il me restait beaucoup de monde à voir. La véritable raison était que je me demandais si elle cherchait à me séduire. Elle était jolie, vive, tout à fait à mon goût ; je n'avais surtout pas besoin de ça. Je n'avais pas flirté depuis près de dix ans ; j'avais oublié les règles.

Megan avait d'excellentes nouvelles. Non seulement Ruby avait surmonté l'épreuve de la réunion du matin, mais elle avait promis de ne rien prendre pendant vingt-quatre heures. Cela faisait douze ans qu'elle prenait des saloperies jour après jour ; il fallait absolument éviter de la laisser sortir ce soir.

Je ne voyais pas en quoi je pouvais être utile ; Megan avait quelques idées sur la question.

Mes recherches de l'après-midi furent aussi infructueuses que celles du matin. Elles me permirent pourtant de connaître l'emplacement de tous les foyers d'accueil, de rencontrer des gens, de donner mes coordonnées à des responsables que je serais probablement amenés à revoir.

Kelvin Lam était à ce jour le seul expulsé dont nous avions retrouvé la trace. DeVon Hardy et Lontae Burton étaient morts. Il restait quatorze personnes qui semblaient avoir disparu dans les lézardes des trottoirs.

Les sans-abri les plus endurcis ne s'aventurent que de loin en loin dans les foyers pour y recevoir un repas, des chaussures ou une couverture, mais ils ne laissent pas de traces de leur passage. Ils ne veulent pas d'aide ; ils fuient les contacts humains. Il était pourtant difficile de croire que tous ceux que je cherchais appartenaient à cette catégorie ; un mois plus tôt, ils avaient un toit et payaient un loyer.

Mordecai ne cessait de m'exhorter à la patience ; un avocat de la rue se devait d'être patient.

Ruby m'attendait devant chez Naomi, le visage rayonnant : elle était allée au bout des deux séances. Megan avait établi le programme pour les douze heures à venir. Elle ne laisserait pas Ruby ressortir ; Ruby avait donné son consentement.

J'ai pris avec Ruby la route de la Virginie. Dans un centre commercial de banlieue, nous avons acheté une brosse à dents, du savon, du shampooing et assez de friandises pour tenir jusqu'à Halloween. À la sortie de l'agglomération de Gainesville, j'ai trouvé un motel flambant neuf qui proposait la chambre à un lit à vingt-deux dollars. J'ai réglé avec une carte de crédit.

Je l'ai laissée seule, avec interdiction formelle de quitter la chambre avant que je ne vienne la chercher, le lendemain matin.

28.

Samedi soir, 1er mars. J'étais jeune, libre, certainement pas aussi riche que quinze jours plus tôt, mais pas encore fauché. Mon armoire était remplie de vêtements de bonne qualité que je ne portais pas. Et dans une ville d'un million d'habitants les femmes jeunes et séduisantes fascinées par le siège du pouvoir politique ne manquaient pas.

Seul dans l'appartement, pas malheureux au fond, j'ai dîné d'une pizza et d'une bière en regardant un match de basket universitaire à la télé. Je ne voulais pas courir le risque en sortant de rencontrer quelqu'un qui m'aurait forcément lancé : « Vous n'êtes pas l'avocat qui s'est fait arrêter ? J'ai lu ça dans le journal, ce matin. »

J'ai appelé Ruby ; elle n'a décroché qu'à la huitième sonnerie, au moment où je commençais à m'affoler. Elle s'éclatait : après une longue douche, elle était restée scotchée des heures devant la télé en piochant dans les poches de friandises. Elle n'était pas sortie de la chambre.

À trente kilomètres de Washington, près d'une petite ville de la Virginie où elle ne connaissait personne, loin de ses pourvoyeurs habituels, Ruby ne pouvait se procurer de la drogue. Je m'en suis une nouvelle fois félicité.

Pendant la mi-temps du match Duke-Caroline, le grelottement du téléphone cellulaire posé sur le coffre en plastique me fit sursauter.

– Bonjour, gibier de potence, susurra une voix mélodieuse.

C'était Claire, sans sa sécheresse coutumière.

– Bonsoir, fis-je en baissant le son de la télé.

– Comment vas-tu ?

– On ne peut mieux. Et toi ?

– Très bien. En ouvrant le journal ce matin, j'ai vu ton visage souriant. Je me suis inquiétée.

Claire ne lisait que l'édition dominicale du quotidien. Si elle avait vu l'article, c'est que quelqu'un le lui avait donné, sans doute l'étalon qui avait répondu au téléphone la dernière fois. Était-elle seule ce soir, comme moi ?

– C'était une drôle d'expérience.

Je lui ai raconté toute l'histoire, depuis l'arrivée de Gasko jusqu'à ma sortie de prison. Elle avait envie de parler. Au fil de mon récit, j'ai acquis la conviction qu'il n'y avait personne avec Claire, qu'elle devait s'ennuyer et se sentir seule. Peut-être aussi était-elle sincèrement inquiète à mon sujet.

– Que risques-tu ?

– La peine maximale pour vol qualifié est de dix ans, répondis-je d'un ton grave. Mais cela ne me préoccupe pas.

J'aimais la sentir inquiète.

– Ce n'est qu'un dossier, non ?

– Oui. Et ce n'était pas un vol.

Bien sûr que si, mais je n'étais pas encore prêt à le reconnaître.

– Pourrais-tu perdre ton autorisation d'exercer ?

– Si je suis jugé coupable de vol, ce sera automatique.

– C'est affreux, Mike ! Qu'est-ce que tu ferais ?

– Franchement, je n'ai pas réfléchi à la question. Cela ne se produira pas.

J'étais sincère : je n'avais pas sérieusement envisagé cette éventualité. Peut-être aurais-je dû le faire, mais je n'avais pas trouvé le temps.

Nous avons poliment demandé des nouvelles de nos familles respectives ; je n'ai pas oublié de m'enquérir de la santé de son frère James. Le traitement avait commencé, son entourage était optimiste.

Je l'ai remerciée de son coup de fil ; nous avons promis de nous rappeler. En reposant le téléphone, j'ai regardé fixement l'écran muet du téléviseur ; il m'a fallu reconnaître qu'elle me manquait.

Ruby m'attendait, pomponnée, dans les vêtements que Megan lui avait donnés la veille. La chambre du motel donnait sur le parking ; elle a fait un pas dans la lumière, s'est jetée dans mes bras.

– Ça y est ! s'écria-t-elle avec un large sourire. J'ai tenu vingt-quatre heures !

Je l'ai serrée contre moi en la félicitant.

Un couple d'une soixantaine d'années sortant de la chambre voisine nous a regardés avec des yeux ronds.

Nous sommes retournés chez Naomi où Megan et son équipe attendaient avec impatience ; des hourras ont retenti quand Ruby annonça la bonne nouvelle. Megan m'avait dit que les vingt-quatre premières heures étaient les plus difficiles.

Les femmes se sont rassemblées dans la grande salle pour prier et chanter des cantiques sous la houlette d'un pasteur. J'ai pris un café avec Megan dans le jardin en planifiant la deuxième journée de Ruby ; après les prières, elle assisterait à deux autres réunions des Alcooliques anonymes et des Toxicomanes anonymes. Nous étions prudemment optimistes. Megan vivait au milieu des droguées ; elle était convaincue que Ruby replongerait dès qu'elle retournerait dans la rue.

Je pouvais encore payer quelques nuits de motel et j'avais envie de le faire, mais je devais partir pour Chicago dans l'après-midi pour me lancer sur la piste d'Hector ; je ne savais pas combien de temps je serais absent.

Nous avons décidé de gérer la situation au jour le jour. Megan conduirait Ruby dans un motel de banlieue dont je paierais la chambre et l'y laisserait pour la nuit. Elle irait la chercher le lundi matin et déciderait à ce moment-là de la conduite à tenir.

Megan s'attellerait aussi à une tâche ardue : convaincre Ruby de quitter la rue. La première étape serait une cure de désintoxication, suivie d'un séjour de six mois dans un centre de réinsertion pour femmes, où elle mènerait une vie stable et suivrait une formation professionnelle.

– Vingt-quatre heures, c'est un premier pas encourageant, dit Megan, mais il reste une montagne à gravir.

Quand je me suis levé pour partir, elle m'a invité à déjeuner. Nous pourrions manger dans son bureau, en tête-à-tête, et parler de choses importantes. Son regard pétillant me mettait au défi d'accepter. J'ai dit oui.

Les avocats de chez Drake & Sweeney voyageaient toujours en première ; ils avaient le sentiment que cela leur était dû. Ils descendaient dans des hôtels quatre-étoiles, fréquentaient des restaurants tape-à-l'œil, mais n'allaient pas jusqu'à la limousine. Ils se contentaient de louer une Lincoln. Tous les frais de déplacement étaient facturés aux clients qui disposaient des meilleurs spécialistes et n'avaient pas à gémir sur les faux frais.

Ma place sur le vol de Chicago était en classe économique ; réservée à la dernière minute, elle était évidemment au centre de la rangée de trois sièges. J'avais pour voisin côté hublot un obèse aux genoux de la taille d'un ballon de basket ; côté allée, mon voisin était un jeune homme aux cheveux de jais coiffés à l'iroquois, en blouson de cuir noir clouté et pantalon assorti. Je me suis fait tout petit et j'ai gardé les yeux fermés pendant deux heures en m'efforçant de ne pas penser aux m'as-tu-vu vautrés dans leur siège de première classe.

Il m'était interdit de quitter la ville sans l'autorisation du juge, mais nous avions estimé, Mordecai et moi, que c'était une infraction mineure, sans conséquence du moment que je revenais à Washington.

De l'aéroport un taxi m'a conduit à un hôtel bon marché du centre-ville.

Sofia n'avait pas réussi à dénicher la nouvelle adresse des Palma. Si je ne trouvais pas Hector chez Drake & Sweeney, les carottes étaient cuites.

La succursale de Chicago de Drake & Sweeney, la troisième par ordre d'importance après Washington et New York, employait cent six avocats. Le service immobilier pléthorique en comptait dix-huit, plus qu'à Washington. Ce devait être pour cette raison qu'on avait envoyé Hector à Boston ; il y avait une place pour lui et le travail ne manquait pas. J'avais vaguement entendu parler, au début de ma carrière, de l'absorption par Drake & Sweeney d'une société immobilière prospère.

Je suis arrivé devant la tour le lundi matin, peu après 7 heures. Le ciel était gris et maussade, un vent cinglant soufflait sur le lac Michigan. C'était mon troisième séjour à Chicago ; les deux autres fois, le temps était aussi pourri. Un café et un journal à la main, j'ai trouvé un excellent poste d'observation à une table d'angle du vaste atrium. Des escaliers mécaniques menaient au deuxième et au troisième niveau où se trouvaient les batteries d'ascenseurs.

À 7 h 30, le rez-de-chaussée a commencé à grouiller de gens pressés. Une demi-heure et deux

287

cafés plus tard, tous mes sens en éveil, je m'attendais à voir apparaître mon homme à tout instant. Les escaliers mécaniques étaient chargés de centaines de cadres d'entreprise, d'avocats et de secrétaires, tous emmitouflés dans d'épais vêtements.

À 8 h 20, Hector Palma est entré par la porte sud ; il a débouché dans l'atrium au milieu d'un groupe pressé. En passant la main dans sa chevelure ébouriffée, il s'est dirigé vers le premier escalier mécanique. D'un pas aussi nonchalant que possible, je me suis avancé vers un autre escalator qui m'a transporté au premier niveau. Je l'ai vu du coin de l'œil attendre devant une cabine d'ascenseur. C'était bien Hector ; je n'allais pas courir le risque de le suivre.

Mes suppositions étaient exactes : il avait été transféré du jour au lendemain à Chicago où on pourrait le surveiller, acheter son silence et, si nécessaire, employer la menace.

Je savais où il serait pendant les huit ou dix heures à venir. D'une cabine du deuxième niveau, avec une vue magnifique sur le lac, j'ai téléphoné à Megan. Ruby avait franchi sans encombre le cap de la deuxième nuit ; nous en étions à quarante-huit heures. J'ai aussi appelé Mordecai pour l'informer que j'avais retrouvé Palma.

D'après le dernier annuaire de Drake & Sweeney, le service immobilier de Chicago comptait trois associés. La plaque de l'atrium de la tour indiquait qu'ils travaillaient tous les trois au cinquante et unième étage. J'en ai pris un au hasard : Dick Heile.

Un ascenseur bourré à craquer m'a conduit au cinquante et unième étage ; j'ai trouvé en sortant de la cabine un cadre familier : marbre et cuivre rutilant, boiseries en noyer, lumière d'ambiance et tapis d'Orient.

En avançant tranquillement vers le bureau de la réceptionniste, j'ai cherché des toilettes du regard ; je n'en ai pas vu.

Elle répondait au téléphone, un casque sur les oreilles. Grimaçant, je me suis efforcé de prendre un air souffrant.

– Oui, monsieur ? fit la jeune femme avec un large sourire.

J'ai serré les dents, respiré un grand coup.

– J'ai rendez-vous à 9 heures avec Dick Heile, mais je crois que je vais être malade. J'ai dû manger quelque chose d'indigeste. Avez-vous des toilettes ?

Les genoux fléchis, je me suis tenu l'estomac ; j'ai dû la convaincre que j'allais vomir sur son bureau.

Son sourire s'est effacé, elle s'est levée précipitamment.

– Là-bas, fit-elle en indiquant le fond du couloir. Juste après l'angle, sur votre droite.

J'étais déjà en route, plié en deux, comme si je ne pouvais plus me retenir.

– Merci ! lançai-je d'une voix sourde.

– Avez-vous besoin de quelque chose ?

J'ai secoué la tête sans répondre. Après avoir tourné l'angle, je me suis engouffré dans les toilettes pour hommes où je me suis enfermé dans un cabinet.

À la cadence où son téléphone sonnait, elle serait trop occupée pour se préoccuper de mon sort. Vêtu comme un avocat prospère, je n'attirais pas l'attention. Au bout de dix minutes, je suis sorti des toilettes pour suivre le couloir en m'éloignant de la réceptionniste. J'ai saisi une liasse de papiers agrafés dans le premier bureau vide et poursuivi mon chemin en griffonnant d'un air affairé. Rien ne m'échappait de l'activité des bureaux : les noms sur les portes, les secrétaires trop occupées pour lever le nez, des avocats grisonnants en manches de chemise, d'autres, plus jeunes, au téléphone, aperçus dans l'entrebâillement d'une porte, des dactylos prenant sous la dictée de leur patron.

Tout cela m'était tellement familier !

Hector avait son bureau à lui, une petite pièce sans plaque sur la porte entrouverte. Dès que je l'ai vu, je suis entré et j'ai claqué la porte.

Il a repoussé son fauteuil, les mains levées, comme s'il se trouvait nez à nez avec un pistolet.

– Qu'est-ce que vous voulez ?

– Bonjour, Hector.

Pas de pistolet, pas d'agression, juste un mauvais souvenir. Il a reposé les mains sur le bureau en ébauchant un sourire.

– Qu'est-ce que vous voulez ? répéta-t-il.

– Comment est la vie à Chicago ? demandai-je en m'asseyant sur le bord de son bureau.

– Qu'est-ce que vous faites là ?

– Je pourrais vous poser la même question.

– Je travaille, fit-il en se grattant la tête.

À cent cinquante mètres au-dessus de la rue, planqué dans ce petit bureau anonyme et sans fenêtre, isolé par sa hiérarchie, Hector avait devant lui l'homme qu'il avait fui.

– Comment avez-vous fait pour me retrouver ?

– Très facile, Hector. Je suis devenu un avocat de la rue, un malin, un débrouillard. Si vous changez encore d'adresse, je vous retrouverai.

– Je ne bouge plus, fit-il en détournant les yeux.

– Demain, nous engageons une procédure contre RiverOaks, TAG et Drake & Sweeney. Vous ne pourrez plus vous cacher.

– Qui sont les plaignants ?

– Lontae Burton et sa famille. Nous ajouterons par la suite les autres expulsés, quand nous les aurons retrouvés.

Il a fermé les yeux en se pinçant l'arête du nez.

– Vous vous souvenez de Lontae, Hector ? La jeune mère de famille qui s'est battue avec les flics le jour où vous avez mis tout le monde dehors. Vous avez assisté à la scène. Vous étiez mal dans votre peau ; vous saviez qu'elle payait un loyer à

Gantry. Vous avez consigné tout cela dans votre rapport en date du 27 janvier et vous vous êtes assuré qu'il était indexé dans le dossier. Vous saviez que Braden Chance ferait tôt ou tard disparaître le rapport. C'est ce qui s'est passé et c'est la raison de ma présence, Hector : je veux le double de ce rapport. Le reste du dossier est en ma possession ; il sera bientôt remis à la justice. Maintenant, je veux votre double.

– Qu'est-ce qui vous fait croire que j'ai un double ?

– Vous êtes trop prudent pour ne pas en avoir un. Vous saviez que Chance ferait disparaître l'original pour se mettre à l'abri. La vérité va éclater ; ne plongez pas avec lui.

– Que pourrais-je faire ?

– Rien. Vous êtes coincé.

Il le savait. Comme il connaissait la vérité sur les expulsions, il serait contraint, à un moment ou à un autre, de faire une déposition. Son témoignage serait accablant pour Drake & Sweeney ; il lui coûterait son poste. Nous en avions parlé avec Mordecai ; nous ne pouvions que lui permettre de limiter les dégâts.

– Si vous me remettez ce double, je ne révélerai pas sa provenance et ne produirai votre témoignage que contraint et forcé.

– Je pourrais mentir, fit-il en secouant la tête.

– Bien sûr, mais vous ne le ferez pas ; vous n'avez aucune chance de vous en sortir. Il sera facile de prouver que votre rapport a été indexé dans le dossier avant de disparaître. Nous aurons aussi les dépositions de ceux que vous avez expulsés ; des témoins de choix devant un jury à majorité noire. Et nous avons parlé à l'agent de sécurité qui vous accompagnait le 27 janvier.

Chaque phrase était assenée comme un coup de poing au visage ; Hector était sonné. En réalité, nous n'avions pas réussi à retrouver l'agent de sécurité; son nom n'était pas mentionné dans le dossier.

— Ne pensez plus à mentir; cela ne ferait qu'aggraver les choses.

Hector était trop honnête pour cela; je n'oubliais pas que je lui devais la liste des expulsés et les clés qui m'avaient permis de dérober le dossier. Il avait une âme et une conscience; il ne pouvait être heureux de vivre à Chicago pour fuir son passé.

— Chance leur a-t-il dit la vérité?

— Je ne sais pas; j'en doute. Il aurait fallu du cran et Chance est un lâche... Ils vont me virer, vous savez.

— Peut-être, mais vous intenterez une action contre eux. Nous porterons l'affaire devant les tribunaux; je ne vous demanderai pas un centime.

Un coup léger frappé à la porte nous a fait sursauter; notre conversation nous avait ramenés dans le passé.

— Oui? lança Hector.

Une secrétaire est entrée

— M. Peck attend, annonça-t-elle en me jaugeant d'un coup d'œil.

— Je suis là dans une minute, dit Hector.

La secrétaire est sortie à reculons, en laissant la porte ouverte.

— Il faut que je vous laisse.

— Je ne partirai pas sans le double du rapport.

— Attendez-moi à midi devant la fontaine de l'esplanade.

— J'y serai.

J'ai adressé un clin d'œil à la réceptionniste en passant devant son bureau.

— Ça va beaucoup mieux. Merci.

— De rien.

De la tour, nous avons remonté Grand Avenue jusqu'à la boutique d'un traiteur juif. Pendant que nous faisions la queue devant le comptoir, Hector m'a tendu une enveloppe.

– J'ai quatre enfants, dit-il tout bas. Ne me mouillez pas, je vous en prie.

J'ai pris l'enveloppe. Je m'apprêtais à dire quelque chose quand il a reculé et disparu dans la cohue. Il a atteint la porte en se frayant un chemin parmi les clients ; je l'ai vu s'élancer sur le trottoir, les pans de son manteau flottant derrière lui.

J'ai renoncé à mon sandwich. J'ai regagné mon hôtel à pied, payé la chambre et pris le premier taxi qui passait. Enfoncé dans la banquette arrière, les portières verrouillées, le chauffeur à moitié endormi, j'ai ouvert l'enveloppe.

Le rapport avait la présentation propre à Drake & Sweeney. Saisi sur le PC d'Hector, portant dans l'angle inférieur gauche le code du client et le numéro du dossier, il était daté du 27 janvier. Adressé par Hector Palma à Braden Chance, le document concernait l'expulsion des occupants d'un entrepôt en bordure de Florida Avenue, à la demande de RiverOaks/TAG. Ce jour-là, Hector Palma s'était rendu à l'entrepôt accompagné de Jeff Mackle, un agent de sécurité armé de la société Rock Creek. Arrivée 9 h 15 ; départ 12 h 30. L'entrepôt avait trois niveaux ; après avoir constaté la présence de squatters au rez-de-chaussée, Hector était monté au premier niveau où il n'y avait aucune trace d'occupation des lieux. Au dernier niveau il avait vu des détritus, quelques vieux vêtements et les restes d'un feu allumé par quelqu'un pour se réchauffer.

Du côté ouest de l'entrepôt, il avait compté onze logements provisoires ; montées à la hâte, les cloisons en contre-plaqué et carreaux de plâtre n'avaient pas reçu de peinture. C'était à l'évidence l'œuvre d'une seule et même personne. À en juger par les dimensions extérieures, tous les appartements avaient à peu près la même surface ; Hector n'avait pas été autorisé à entrer dans un seul. Les portes, toutes semblables, faites d'une matière synthétique légère et creuse, probablement en plastique, étaient munies d'un bouton et d'un verrou de sûreté.

Les sanitaires étaient mal entretenus ; il n'y avait pas trace de travaux récents.

Hector avait rencontré un homme qui s'était présenté sous le nom d'Herman ; il était peu loquace. À la question d'Hector sur le montant du loyer, Herman avait répondu qu'il n'en payait pas, qu'il squattait un logement. L'arrivée de l'agent de sécurité en uniforme avait mis un terme à la brève conversation.

De l'autre côté du bâtiment, Hector avait trouvé dix autres logements construits sur le même modèle, avec les mêmes matériaux. Les pleurs d'un petit enfant derrière une porte avaient attiré son attention ; il avait demandé à son ange gardien de ne pas se montrer. Il avait frappé ; une voix de femme l'avait invité à entrer. La jeune mère avait un bébé dans les bras et trois autres enfants serrés contre elle. Hector l'avait informée qu'il représentait un cabinet juridique, que le bâtiment avait été vendu et qu'on lui demandait de vider les lieux dans quelques jours. Elle avait affirmé dans un premier temps qu'elle squattait l'appartement avant de changer de stratégie. Elle était chez elle, elle payait un loyer de cent dollars à un certain Johnny qui passait vers le quinze du mois. Rien ne se faisait par écrit. Elle ignorait qui était le propriétaire ; Johnny était son seul contact. Elle vivait ici depuis trois mois et ne pouvait pas partir : elle n'avait nulle part où aller.

Quand Hector lui avait dit de faire ses bagages et de se préparer à partir – l'entrepôt devant être rasé dans les dix jours –, elle avait commencé à paniquer. Il avait demandé si elle était en mesure de prouver qu'elle payait un loyer. Elle avait fouillé dans son sac, lui avait tendu un bout de papier, un ticket de caisse d'une épicerie. Au dos une main malhabile avait écrit : Reçu de Lontae Burton cent dollars de loyer, le 15 janvier.

Le rapport faisait deux pages ; une troisième feuille y était jointe : la photocopie du reçu à peine lisible. Hector avait gardé le ticket de caisse et l'avait joint à l'original de son rapport. L'écriture était irrégulière, l'orthographe mauvaise, la photocopie floue, mais ce document n'avait pas de prix. J'ai dû pousser un cri de joie ; le chauffeur a tourné la tête pour m'observer dans le rétroviseur.

Le rapport était le récit sans fioriture de ce qu'Hector avait vu, dit et entendu. Il n'y avait ni conclusion ni avertissement à ses supérieurs. Hector avait dû se dire qu'ils se passeraient eux-mêmes la corde au cou. Il occupait un poste subalterne, n'était pas en position de donner un avis personnel ni de s'opposer à une transaction.

De l'aéroport, j'ai faxé le document à Mordecai. Si mon avion s'écrasait ou si je me faisais dévaliser en chemin, je tenais à ce qu'une copie soit en sécurité dans les bureaux du Centre d'assistance juridique de la 14e Rue.

29.

Comme l'identité du père de Lontae Burton nous était inconnue, comme sa mère et ses frères étaient derrière les barreaux, nous avions pris la décision de nous passer de la famille. Dans la matinée du lundi, pendant que je me trouvais à Chicago, Mordecai était allé demander à un juge de désigner un curateur chargé de prendre soin des biens de Lontae Burton et de chacun de ses enfants. Le juge était une vieille connaissance de Mordecai; en quelques minutes, il avait satisfait à sa requête. Nous avions une nouvelle cliente, une assistante sociale du nom de Wilma Phelan. Son rôle dans le procès serait mineur, sa rétribution modeste, si jamais nous touchions quelque chose.

La fondation Cohen souffrait peut-être d'une mauvaise gestion sur le plan financier, mais elle avait mis en place un ensemble de règles couvrant toutes les activités concevables d'un Centre d'assistance juridique à but non lucratif. Même si la fondation voyait la chose d'un mauvais œil, le Centre pouvait intenter une action pour négligence criminelle. La commission était limitée à vingt pour cent des dommages-intérêts alloués, au lieu du tiers en usage.

Sur ces vingt pour cent, le Centre gardait la moitié, l'autre moitié allant à la Fondation. En quatorze ans, Mordecai n'avait saisi un tribunal que de deux affaires de cette nature. Il avait perdu la première par la faute d'un jury hostile. La seconde – une SDF renversée par un bus de la ville – lui avait permis d'obtenir cent mille dollars. Avec les dix mille dollars revenant au Centre, il avait changé les téléphones et acquis des machines de traitement de texte.

Le juge a accepté sans enthousiasme notre contrat à vingt pour cent ; nous étions prêts à descendre dans l'arène.

Le coup d'envoi du match opposant Georgetown à Syracuse devait être donné à 19 h 15 ; Mordecai avait réussi à se procurer deux billets. L'avion en provenance de Chicago est arrivé à 18 h 20 à l'aéroport National ; une demi-heure plus tard, j'ai retrouvé Mordecai à la porte est de la salle de la base aérienne de Landover, dans une foule de vingt mille fans de basket. Après m'avoir tendu un billet, Mordecai a sorti d'une poche de son manteau une grosse enveloppe cachetée. Elle m'était adressée en recommandé par le barreau de Washington.

– Elle est arrivée ce matin, fit Mordecai, qui se doutait de ce qu'elle contenait. Je vous attends dans les tribunes.

Il a disparu dans la cohue des étudiants.

J'ai trouvé un endroit où la lumière était suffisante et j'ai ouvert l'enveloppe. Mes amis de Drake & Sweeney faisaient flèche de tout bois.

C'était une plainte en bonne et due forme m'accusant d'un comportement contraire à l'éthique professionnelle. Les trois pages d'allégations auraient pu aisément être concentrées en un paragraphe. J'étais accusé du vol d'un dossier et de violation du secret professionnel. Je serais en conséquence soit définitivement rayé du barreau, soit suspendu pour une longue durée. Au minimum, je recevrais un blâme. Comme le dossier n'avait pas été rendu à son propriétaire, l'affaire était urgente et devait être traitée dans les plus brefs délais. Il y avait un tas d'autres documents que j'ai à peine parcourus.

Je me suis adossé à un mur pour reprendre mes esprits et réfléchir à la situation. Bien sûr, je m'attendais à une intervention de mes anciens employeurs ; il eût été irréaliste d'imaginer qu'ils n'exploreraient pas toutes les voies pour récupérer le dossier. Mais j'avais cru que mon arrestation les calmerait provisoirement.

À l'évidence, il n'en était rien ; ils voulaient ma peau. Une stratégie typique d'un gros cabinet : pas de quartier ! Je comprenais parfaitement. Mais ils ignoraient que le lendemain, à 9 heures, je m'offrirais le plaisir de leur réclamer en justice dix millions de dollars pour la mort des Burton.

Je ne voyais pas ce qu'ils pourraient faire d'autre contre moi ; ils avaient abattu leurs atouts. D'une certaine manière, c'était un soulagement d'avoir ces documents devant les yeux.

Il y avait aussi de quoi être effrayé. Depuis la première année de fac, je n'avais jamais envisagé une autre carrière que juridique. Que ferais-je si on me retirait l'autorisation d'exercer ?

Certes, Sofia n'en avait pas et elle était mon égale.

Mordecai m'attendait au contrôle d'accès aux gradins. Je lui ai résumé le courrier du barreau ; il m'a présenté ses condoléances.

La rencontre promettait d'être tendue et équilibrée, mais nous n'étions pas venus pour cela. Jeff Mackle avait un emploi à mi-temps chez Rock Creek Security ; il assurait aussi la surveillance des matches de basket dans cette salle. Sofia s'était assurée de sa présence. Il devait être l'un des cent agents de sécurité en uniforme qui patrouillaient autour de la salle, regardaient le match à l'œil ou lorgnaient les filles. Nous ignorions s'il était jeune ou vieux, noir ou blanc, gros ou maigre, mais les agents de sécurité portaient un badge sur la poche de poitrine de leur uniforme. Nous avons déambulé dans les allées, rôdé autour des portes d'accès aux gradins pendant la majeure partie de la première mi-temps. Mordecai l'a trouvé en train de baratiner une jolie guichetière de la porte D, un endroit où j'étais passé deux fois.

Mackle était un grand costaud, un Blanc assez jeune au visage ingrat. Il avait un cou de taureau, de gros biscoteaux, une large poitrine. Après un bref conciliabule, nous avons décidé qu'il était préférable que je l'aborde.

Une carte à la main, je me suis avancé vers lui d'un pas nonchalant.

– Bonsoir, monsieur Mackle. Permettez que je me présente : Michael Brock, avocat.

Il m'a gratifié du regard que l'on réserve aux gens de justice, a pris la carte sans un mot ; j'avais interrompu son flirt avec la guichetière.

– Pourrais-je vous poser quelques questions ? commençai-je sur le ton d'un inspecteur de la Crime.

– Posez toujours, fit-il avec un clin d'œil à la guichetière, je ne sais pas si je répondrai.

– Avez-vous travaillé comme agent de sécurité pour le cabinet Drake & Sweeney ?

– Peut-être.

– Les avez-vous aidés à l'occasion d'une expulsion ?

La question a fait mouche. Son visage s'est instantanément fermé ; la conversation était presque terminée.

– Je ne pense pas, grommela-t-il en détournant les yeux.

– En êtes-vous sûr ?

– J'ai déjà dit non.

– Vous n'avez pas aidé ce cabinet à déloger des squatters d'un entrepôt, le 4 février ?

Il a secoué la tête, les mâchoires serrées, le regard mauvais. Quelqu'un de chez Drake & Sweeney lui avait déjà rendu une petite visite ; plus probablement, le cabinet avait usé de menaces avec son employeur.

Mackle a gardé un visage impénétrable ; la guichetière s'est absorbée dans la contemplation de ses ongles.

– Tôt ou tard, il vous faudra répondre à mes questions.

Les muscles de la mâchoire parcourus de tressaillements, il a gardé le silence.

J'ai préféré ne pas insister. Cet être mal dégrossi devait avoir le sang chaud ; il aurait facilement écharpé un pauvre avocat. J'avais eu mon compte de blessures en tout genre depuis quinze jours.

J'ai regardé dix minutes de la deuxième mi-temps avant de repartir, le dos raide ; j'avais encore des séquelles de l'accident de voiture.

Le motel était un autre établissement flambant neuf, cette fois dans les faubourgs de Bethesda. La chambre était à quarante dollars ; au bout de trois nuits, mes moyens ne me permettaient plus de poursuivre la thérapie d'isolement de Ruby. Megan estimait que le moment était venu pour elle de rentrer ; si elle voulait vraiment décrocher, elle devait se soumettre à l'épreuve de la rue.

Le mardi matin, à 7 h 30, conformément aux instructions de Megan, j'ai frappé à la porte de la chambre 220. Pas de réponse. J'ai recommencé, essayé en vain de tourner la poignée. Affolé, je suis descendu dans le hall pour demander au réceptionniste d'appeler la chambre. Toujours pas de réponse. Le client n'avait pas signalé son départ ; il ne s'était rien passé d'anormal.

J'ai fait appeler la directrice adjointe ; je l'ai convaincue que c'était une urgence. Elle a fait venir un agent de sécurité ; nous sommes montés tous les trois au deuxième étage. J'ai expliqué en chemin ce que nous faisions pour Ruby. La directrice adjointe a été choquée d'apprendre que nous utilisions son motel tout neuf pour aider une droguée à se désintoxiquer.

La chambre était vide, le lit, impeccable, n'avait pas été défait. Rien n'avait été dérangé ; Ruby n'avait rien laissé derrière elle.

Je suis parti en les remerciant. Le motel était à plus de quinze kilomètre du bureau. Après avoir appelé Megan pour la mettre au courant, je suis rentré en essayant d'éviter les embouteillages provoqués par l'afflux des banlieusards. À 8 h 15, immobilisé par un bouchon, j'ai appelé Sofia au bureau pour savoir si Ruby était passée. Elle ne l'avait pas vue.

Wilma Phelan, curatrice des biens de Lontae Burton et de ses enfants, intentait une action contre RiverOaks, Drake & Sweeney et TAG, Inc. pour avoir fait exécuter de concert une expulsion illégale. La logique était simple, l'enchaînement des causes et des effets évident. Nos clients n'auraient pas dormi dans la voiture s'ils n'avaient été expulsés de leur logement ; ils ne seraient pas morts s'ils n'avaient pas passé la nuit dans cette voiture. Une belle théorie de la responsabilité que sa simplicité rendait encore plus séduisante. N'importe quel jury était en mesure de suivre ce raisonnement.

La négligence et/ou les actes intentionnels des défendeurs avaient entraîné la mort de plusieurs personnes, ce qui était prévisible. Il arrive toutes sortes de malheurs à ceux qui vivent dans la rue, surtout des mères célibataires avec des enfants en bas âge. Celui qui les déloge au mépris de la loi doit payer le prix en cas d'accident.

Nous avions envisagé d'engager une procédure distincte pour DeVon Hardy. Lui aussi avait été expulsé illégalement, mais sa mort ne pouvait être considérée comme prévisible. Un preneur d'otages abattu par un policier n'avait rien pour émouvoir un jury. Nous y avons définitivement renoncé.

Drake & Sweeney allait immédiatement demander au juge d'exiger que je rende le dossier. Si le juge accédait à cette requête, ma culpabilité serait établie. Non seulement je risquais une sanction disciplinaire, mais toutes les preuves contenues dans le dossier deviendraient irrecevables.

Le mardi matin, avant de nous rendre au tribunal, Mordecai m'a demandé si j'étais décidé à continuer. Pour me protéger, il aurait accepté de tout laisser tomber; nous en avions parlé à plusieurs reprises. Nous avions même envisagé de renoncer au procès Burton, de trouver avec Drake & Sweeney un arrangement qui me laverait de l'imputation de vol, d'attendre un an que les choses se tassent et de refiler l'affaire à un de ses amis. Une mauvaise stratégie que nous avions aussitôt écartée.

Tout dépendrait des négociations. Le scandale serait une véritable humiliation pour Drake & Sweeney, un cabinet qui s'enorgueillissait d'une réputation bâtie sur la crédibilité et la confiance. Je connaissais leur tournure d'esprit; ils avaient le culte du grand avocat qui ne fait pas le mal. L'idée d'être perçus comme des méchants provoquait chez eux une véritable paranoïa. Ils éprouvaient un sentiment de culpabilité de gagner tant d'argent et un désir tout aussi fort de donner d'eux l'image d'hommes accessibles à la compassion.

Drake & Sweeney avait mal agi; savait-on à quel point? J'imaginais Braden Chance tremblant de peur dans son bureau, priant pour que les choses s'arrangent.

Moi aussi, j'avais mal agi. Peut-être pourrions-nous trouver un terrain d'entente. Sinon, Mordecai Green aurait le plaisir d'exposer l'affaire Burton à un jury réceptif à ses arguments et de demander de gros dommages-intérêts. Et le cabinet irait jusqu'au bout de sa procédure, avec des conséquences auxquelles je n'osais penser.

Tim Claussen, un copain de fac d'Abraham, journaliste au *Washington Post*, attendait à la porte du greffe ; nous lui avons remis une copie de la plainte. Il a posé quelques questions auxquelles nous avons été heureux de répondre, à titre officieux, bien entendu.

La fin tragique de la famille Burton était en train de devenir un sujet brûlant à Washington. Chacun en rejetait la responsabilité sur les autres ; chaque chef de service voulait faire porter le chapeau à un collègue. Le conseil municipal le reprochait au maire qui lui renvoyait la balle et s'en prenait au Congrès.

L'idée de mettre cette affaire sur le dos d'une bande d'avocats fortunés avait de quoi exciter les imaginations. Claussen, caustique, blindé, blasé par une longue carrière de journaliste, ne pouvait contenir son enthousiasme.

La presse pouvait tirer à boulets rouges sur Drake & Sweeney, je n'en avais cure. Ils avaient établi les règles du jeu en informant les médias de mon arrestation. Je n'avais aucune peine à imaginer Rafter et ses acolytes décidant autour d'une table qu'il était parfaitement logique de tuyauter le journaliste et, pour faire bonne mesure, de lui glisser en douce une photo du coupable. Cela me mettrait dans une situation intenable, humiliante, cela me forcerait à faire amende honorable et à rendre le dossier.

Je connaissais leur mentalité, je savais comment ils procédaient.

J'ai donné sans états d'âme à Claussen les précisions qu'il demandait.

30.

Consultations à la CCNV, seul, deux heures de retard. Les clients attendaient patiemment dans le hall à la propreté douteuse ; certains somnolaient, d'autres lisaient le journal. Ernie, l'homme aux clés, n'a pas caché son mécontentement de me voir arriver si tard ; il a ouvert la salle des consultations, m'a tendu sans un mot la liste des treize clients du jour. J'ai appelé le premier.

Je n'en revenais pas de voir le chemin parcouru en une semaine. J'étais entré dans le bâtiment sans craindre d'être la cible d'un voyou ; j'avais attendu Ernie dans le hall sans penser à la couleur de ma peau. J'écoutais les clients avec patience : je savais ce que j'avais à faire. J'étais entré dans la peau de mon personnage, avec une barbe de huit jours, les cheveux un peu trop longs, débordant légèrement sur les oreilles, un jean qui faisait des poches aux genoux, un blazer froissé, la cravate desserrée. Il ne manquait que les lunettes à monture d'écaille pour faire de moi le parfait avocat d'intérêt public.

Les clients n'y attachaient pas d'importance. Ils voulaient seulement quelqu'un qui les écoute ; c'était mon rôle. La liste s'est allongée jusqu'à dix-sept noms ; j'ai passé quatre heures en consultations. Je n'ai plus pensé à la bataille à venir contre Drake & Sweeney, ni à Claire, mais cela devenait

304

plus facile. Je n'ai même plus pensé à Hector Palma.

Mais je pensais toujours à Ruby Simon ; chacun des clients qui se succédaient devant moi me la rappelait d'une manière ou d'une autre. Je n'avais pas d'inquiétudes pour sa sécurité ; elle vivait depuis si longtemps dans la rue. Mais je ne comprenais pas pourquoi elle avait quitté une jolie chambre d'hôtel, avec douche et télévision, pour aller retrouver sa carcasse de voiture.

La vérité était simple, implacable : Ruby ne pouvait renoncer à la drogue. Le crack était comme un aimant qui l'attirait irrésistiblement dans la rue. Si je n'avais pas réussi à la tenir enfermée trois nuits dans un motel de banlieue, que faudrait-il que je fasse pour l'aider à décrocher ?

La décision ne m'appartenait pas.

Un coup de fil de mon frère aîné a interrompu le train-train de l'après-midi. Warner était à Washington pour affaires, un voyage impromptu ; il voulait appeler plus tôt, mais avait perdu mon nouveau numéro. Où pouvions-nous dîner ensemble ? Sans me laisser le temps de dire ouf, il a ajouté qu'il m'invitait. Il avait entendu dire le plus grand bien d'un nouveau resto, le Danny O, où un de ses amis avait dîné la semaine précédente ; la cuisine était fameuse ! L'idée d'un bon repas ne m'avait pas traversé l'esprit depuis longtemps.

D'accord pour le Danny O. Un établissement branché, bruyant, des prix scandaleux.

J'ai gardé les yeux fixés sur le combiné longtemps après la fin de notre conversation. Je ne voulais pas voir Warner ; je ne voulais pas écouter Warner. Il n'était pas à Washington pour affaires ; cela n'arrivait qu'une fois par an. J'étais sûr que mes parents l'envoyaient ; ils devaient être aux cent coups, accablés par un autre divorce dans la famille, attristés par ma chute.

Quelqu'un devait s'occuper de moi ; c'était toujours Warner.

Nous nous sommes retrouvés dans la bousculade du bar du Danny O. Avant de me taper dans la main ou de me serrer dans ses bras, il a fait un pas en arrière pour m'inspecter des pieds à la tête.

– L'image parfaite du radical ! lança-t-il avec un mélange d'humour et de sarcasme.

– Je suis content de te voir, dis-je, comme si de rien n'était.

– On dirait que tu as perdu du poids.

– Pas toi.

Il s'est tapoté la panse, comme si quelques kilos s'y étaient déposés à son insu.

– Je le perdrai.

À trente-huit ans, mon frère avait du charme et était encore fier de son physique. Ma petite remarque allait l'inciter à maigrir séance tenante.

Warner était célibataire depuis trois ans ; les femmes comptaient beaucoup pour lui. Il y avait eu des accusations d'adultère pendant son divorce, mais des deux côtés.

– Tu es très chic.

Il portait un complet et une chemise sur mesure, une cravate coûteuse ; j'en avais une pleine armoire.

– Toi aussi. C'est ta nouvelle tenue de travail ?

– Le plus souvent. Il m'arrive d'ôter la cravate.

Nous avons bu nos Heineken debout, devant le bar.

– Comment va Claire ? reprit Warner, indiquant que les préliminaires étaient terminés.

– Bien, je suppose. Nous sommes en instance de divorce ; à l'amiable. J'ai fait mes valises.

– Est-elle heureuse ?

– Sans doute. Je pense qu'elle est soulagée d'être débarrassée de moi. Je dirais que Claire est plus heureuse aujourd'hui qu'il y a un mois.

– Elle a trouvé quelqu'un ?

306

– Je ne crois pas.

La prudence était de rigueur ; notre conversation serait fidèlement rapportée à mes parents, en particulier tout ce qui pouvait les éclairer sur les raisons du divorce. Ils voulaient en attribuer la responsabilité à Claire ; s'il était établi qu'elle avait eu une liaison, l'issue leur semblerait logique.

– Et toi ? poursuivit Warner.

– Rien de rien.

– Alors, pourquoi divorcez-vous ?

– Pour des tas de raisons sur lesquelles je préférerais ne pas revenir.

Ce n'était pas la réponse que Warner attendait. Son divorce avait été une sale période de sa vie, les deux parents se battant pour obtenir la garde des enfants. Il ne m'avait fait grâce d'aucun détail, au point d'en devenir assommant ; il attendait la même chose de moi.

– Comme ça, un beau matin, tu as décidé de divorcer ?

– Tu es passé par là, Warner. Tu sais que ce n'est jamais si simple.

Le maître d'hôtel nous a conduits au fond de la salle. À une table était assis Wayne Umstead en compagnie de deux hommes que je ne connaissais pas. Wayne était un des otages, celui que DeVon Hardy avait envoyé chercher la soupe dans le couloir. Il ne m'a pas vu.

À 11 heures ce matin-là, pendant que j'étais à la CCNV, une copie de la plainte avait été remise à Arthur Jacobs, président du comité exécutif. Umstead n'étant pas un associé, je me suis demandé s'il était au courant.

Évidemment qu'il l'était ! La nouvelle avait éclaté comme une bombe au fil des réunions qui s'étaient succédé dans l'après-midi. Il fallait préparer une ligne de défense, élaborer une stratégie, donner des directives. Pas un mot à quiconque en dehors du cabinet ; en surface, tout le monde faisait comme s'il ne s'était rien passé. Par chance, Umstead ne voyait pas notre table de sa place. J'ai lancé un coup d'œil alentour pour m'assurer qu'il n'y avait pas d'autres méchants dans la salle. Warner a commandé deux Martini ; j'ai refusé. Pour moi, ce serait de l'eau.

Avec Warner, tout allait à cent à l'heure. Le travail, les loisirs, la bouffe, l'alcool, les femmes, même les livres et les vieux films. Il avait failli périr de froid dans une tourmente de neige au Pérou ; il s'était fait mordre par un serpent d'eau venimeux en faisant de la plongée en Australie. Après son divorce, la phase d'adaptation de Warner avait été étonnamment facile : il adorait les voyages, le deltaplane et l'escalade, combattre les requins et conquérir les cœurs.

Associé dans un gros cabinet d'Atlanta, il gagnait énormément d'argent et en dépensait beaucoup. C'est le sujet qu'il comptait aborder au cours du repas.

– De l'eau ? fit-il d'un air dégoûté. Allez, prends un apéro.

– Pas question.

Warner allait passer du Martini au vin et nous sortirions tard du restaurant. À 4 heures du matin, il serait debout, en train de tapoter sur son ordinateur portable pour évacuer la légère gueule de bois de la veille.

– Chochotte, marmonna-t-il entre ses dents.

J'ai parcouru le menu ; il a passé les femmes en revue.

Le serveur a apporté son Martini et nous avons commandé.

– Parle-moi un peu de ton boulot, reprit-il, en s'efforçant de donner l'impression que cela l'intéressait.

– Pourquoi ?

– Ce doit être passionnant.

– Pourquoi dis-tu ça ?

– Tu as renoncé à faire fortune ; il doit y avoir une excellente raison.

– Il y en a plusieurs ; elles me suffisent.

Warner avait préparé cette rencontre. Il y avait un but, un objectif à atteindre ; il allait poser des jalons pour y arriver. Mais je ne savais pas très bien où il voulait en venir.

– J'ai été arrêté il y a quelques jours, tu sais.

J'ai joué sur l'effet de surprise pour faire dévier la conversation.

– Quoi ?

J'ai raconté toute l'histoire, sans lui épargner aucun détail. À mon tour de mener la conversation.

Il réprouvait le vol du dossier ; je n'ai pas essayé de me disculper. Quant à son contenu, c'était une question épineuse que nous ne voulions aborder ni l'un ni l'autre.

– Tu as donc coupé les ponts avec Drake & Sweeney ?

– Définitivement.

– Combien de temps envisages-tu de faire du droit d'intérêt public ?

– Je commence juste. Je ne me suis pas posé la question.

– Combien de temps pourras-tu travailler pour des clopinettes ?

– Aussi longtemps que j'aurai de quoi vivre.

– C'est ton critère ?

– Pour l'instant. Quel est ton critère, à toi ?

La question était ridicule.

– L'argent. Combien je gagne, combien je dépense, combien je peux mettre de côté et faire fructifier jusqu'au jour où je n'aurai plus à m'inquiéter de rien.

C'était toujours le même topo : la cupidité élevée au rang de vertu. Une version à peine plus crue que ce qu'on nous avait inculqué dans l'enfance. Travaillez dur, gagnez de l'argent et la société, d'une manière générale, en profitera.

Il me mettait au défi de le critiquer ; je ne voulais pas l'affronter sur ce terrain. Ce serait un combat dont personne ne sortirait vainqueur.

– Combien as-tu aujourd'hui ? demandai-je, sachant que mon frère était fier de son compte en banque.

– À quarante ans, j'aurai un million de dollars en fonds communs de placement. À quarante-cinq ans, trois millions. À cinquante ans, j'aurai dix millions, et salut la compagnie !

Nous connaissions ces chiffres par cœur ; tous les gros cabinets se ressemblaient.

– Et toi ? demanda-t-il en attaquant son poulet de grain.

– Voyons voir. À trente-deux ans, j'ai cinq mille dollars de côté. À cinquante ans, si je travaille beaucoup, je devrais arriver à vingt mille dollars en fonds communs de placement.

– Une perspective grisante. Après dix-huit années de vie dans la pauvreté.

– Tu ne connais rien à la pauvreté.

– Peut-être que si. Pour des gens comme nous, la pauvreté, c'est un appartement minable, une vieille guimbarde cabossée, des vêtements bon marché, pas de quoi voyager, s'amuser, voir le monde, pas de bas de laine, pas de retraite, rien.

– Parfait. C'est bien ce que je disais, tu ne connais absolument rien à la pauvreté. Combien vas-tu gagner cette année ?

– Neuf cent mille dollars.

– Et moi trente. Que ferais-tu si on t'obligeait à travailler pour trente mille dollars ?

– Je me tuerais.

– Je veux bien te croire. Je suis convaincu que tu préférerais te faire sauter la cervelle plutôt que de travailler pour trente mille dollars.

– Tu te trompes : j'avalerais des cachets.

– Lâche !

– Jamais je ne travaillerais pour si peu.

– Tu pourrais, mais jamais tu ne vivrais avec si peu.

– C'est pareil.

– Voilà en quoi nous sommes différents.

– Tu as raison, Michael, mais comment sommes-nous devenus différents ? Il y a un mois, nous étions pareils... Regarde-toi aujourd'hui, avec cette barbe et ces fringues avachies ! Quelle idée de vouloir se mettre au service des gens et sauver l'humanité ! Qu'est-ce qui t'est tombé sur la tête ?

J'ai respiré un grand coup ; j'appréciais l'humour de sa question. J'ai vu son visage se détendre : nous étions trop bien élevés pour nous donner en spectacle.

– Quel crétin tu fais ! poursuivit-il à mi-voix, en se penchant vers moi. Tu es un mec intelligent, jeune, libre, sans enfant. À trente-cinq ans, tu aurais empoché un million par an ; fais le calcul.

– J'ai pensé à tout ça, Warner. J'ai perdu le goût de l'argent ; une malédiction s'est abattue sur moi.

– Comme c'est original ! Et que feras-tu quand tu auras, disons soixante ans, et que tu seras fatigué de sauver le monde, parce qu'il ne peut être sauvé. Tu n'auras rien à toi, pas un fifrelin, pas de femme chirurgien pour faire bouillir la marmite, personne pour t'aider. Qu'est-ce que tu feras, hein ?

– J'y ai pensé, imagine-toi, et me suis dit qu'il y aurait toujours ce grand frère plein aux as. Alors, je te passerai un coup de fil.

– Et si je ne suis plus là ?

– Couche-moi sur ton testament. Sois le frère prodigue.

Nous nous sommes penchés sur notre assiette ; la conversation s'est faite languissante.

Warner était assez arrogant pour s'imaginer qu'il suffirait de quelques vérités bien senties pour me ramener à la raison. De quelques jugements sans concession sur les conséquences de ma conduite pour que je fasse une croix sur la défense des pauvres et que je trouve un vrai boulot. Je le voyais en train de dire à mes parents : « Je vais lui parler. »

Il lui restait quelques cartouches à tirer. Il m'interrogea sur ma couverture sociale ; elle était mince. Avais-je une caisse de retraite ? Pas à ma connaissance. Il était d'avis que je ne devais pas passer plus de deux ans à sauver les âmes avant de retrouver le monde réel. En guise de conclusion, il me conseilla de trouver une femme partageant mes idées, mais fortunée, et de l'épouser.

Nous nous sommes séparés sur le trottoir. Je l'ai assuré que je savais ce que je faisais et que tout irait bien. Il devait se montrer optimiste en rapportant notre conversation aux parents.

– Ne les inquiète pas, Warner. Dis-leur que tout baigne.

– Appelle-moi quand tu auras faim, lança-t-il avec un humour grinçant.

Je l'ai salué d'un signe de la main et j'ai tourné les talons.

Le Pylône était un café de nuit à Foggy Bottom, près de l'université George Washington, le rendez-vous des insomniaques et des drogués de la politique. La première édition du *Washington Post* arrivait juste avant minuit dans la salle bondée comme un bon restaurant à l'heure du déjeuner. Un exemplaire du quotidien sous le bras, je me suis installé au bar, seul ; tous les clients était plongés dans la lecture du journal. Le silence régnait dans la salle. Le quotidien avait été livré quelques minutes avant mon arrivée ; tout le monde le lisait avec avidité, comme si la guerre venait d'être déclarée.

L'article commençait à la une, sous un titre accrocheur, et se poursuivait en page dix, où se trouvaient les photos. Une de Lontae – celle des pancartes de la manifestation –, une de Mordecai, où il avait dix ans de moins, et trois autres accolées, qui allaient faire bouillir de colère les huiles de chez Drake & Sweeney. Arthur Jacobs était au centre, encadré par deux photos des archives de la police. Celles de Tillman Gantry et de DeVon Hardy, qui n'avait sa place dans l'article que parce qu'il s'était fait expulser et que sa mort avait eu un grand retentissement dans la presse.

Arthur Jacobs et deux délinquants – leur numéro matricule sur la poitrine –, côte à côte en page dix du *Washington Post*.

Je les imaginais calfeutrés dans les bureaux et les salles de réunion, les portes verrouillées, les téléphones débranchés, tous les rendez-vous annulés. Ils allaient préparer leur riposte, élaborer mille et une stratégies, lancer des opérations de relations publiques. Ce seraient les heures les plus sombres de leur carrière.

La guerre des fax n'allait pas tarder. Des copies des trois photos seraient envoyées à des cabinets juridiques aux quatre coins du pays et dans le monde entier.

Gantry avait une mine patibulaire ; je n'étais pas rassuré à l'idée de me frotter à lui.

Il y avait aussi une photo de moi, celle que le quotidien avait publiée le samedi en annonçant mon arrestation. On me présentait comme le lien entre Drake & Sweeney et Lontae Burton, mais le journaliste ne pouvait savoir que je l'avais connue en chair et en os.

Long et détaillé, l'article commençait par le récit de l'expulsion ; il passait en revue les principaux acteurs, expliquait les raisons de la prise d'otages dont j'avais été une des victimes. Le journaliste parlait ensuite de Mordecai, puis de la mort des Burton et mentionnait mon arrestation. J'avais pris soin de lui en dire le moins possible sur le dossier explosif.

Il avait tenu parole. Ses renseignements provenaient d'une source bien informée ; jamais nous n'étions cités nominalement. Je n'aurais pas fait mieux.

Il n'y avait aucune déclaration des défendeurs ; le journaliste ne donnait pas l'impression d'avoir vraiment cherché à prendre contact avec eux.

31.

Warner a appelé à 5 heures du matin en me demandant si j'étais réveillé. Il téléphonait de sa chambre d'hôtel, surexcité, avide d'en savoir plus sur la plainte ; il avait lu le journal.

En essayant de rester au chaud dans mon sac de couchage, je l'ai écouté exposer en détail comment il fallait conduire l'affaire. Warner était un spécialiste du contentieux. Nous n'avions pas demandé des dommages-intérêts assez élevés ; dix millions, ce n'était pas suffisant. Avec un bon jury, tout était possible. Comme il aurait aimé se charger lui-même du dossier ! Et Mordecai ? Avait-il l'habitude de ce genre d'affaires ?

Et nos honoraires ? Nous avions certainement un contrat à quarante pour cent ; mon cas n'était peut-être pas désespéré.

– Dix pour cent, murmurai-je dans l'obscurité.

– Quoi ? Dix pour cent ! Tu es tombé sur la tête !

J'ai essayé d'expliquer que le Centre d'assistance juridique était une association à but non lucratif, mais il n'écoutait pas.

Il a déclaré avec force que le vol du dossier était un gros problème, comme si nous ne le savions pas.

– Es-tu en mesure, sans le dossier, d'apporter la preuve de ce que tu avances ?

– Oui.

Il a ensuite éclaté de rire devant la photo d'Arthur Jacobs encadré par les deux repris de justice. Son vol pour Atlanta partait deux heures plus tard ; il serait au bureau à 9 heures. Il brûlait d'impatience de faire circuler les photos et allait commencer à les faxer vers la Côte Ouest.

Il raccrocha au beau milieu d'une phrase.

J'avais dormi trois heures. Je me suis tourné et retourné, mais le sommeil m'avait fui. Il se passait trop de choses dans ma vie pour que je puisse trouver le repos.

Après une bonne douche, je suis sorti. J'ai bu des cafés chez les Pakistanais jusqu'au lever du jour, acheté des cookies pour Ruby.

Deux voitures louches stationnaient au carrefour, près de la porte du bureau. Je suis passé en roulant lentement ; mon instinct m'a dit de ne pas m'arrêter. Ruby n'était pas assise sur les marches.

Si Tillman Gantry estimait que la violence pouvait arranger ses affaires, il n'hésiterait pas à y avoir recours. Mordecai m'avait mis en garde. J'ai appelé chez lui pour dire ce que j'avais vu ; nous nous sommes donné rendez-vous à 8 h 30. Il allait avertir Sofia ; Abraham ne devait pas venir ce jour-là.

Au long des deux semaines qui venaient de s'écouler, j'avais fait de notre plainte mon objectif premier. Les événements d'importance n'avaient pas manqué – Claire, le déménagement, l'apprentissage des ficelles de mon nouveau métier –, mais jamais l'action en justice contre RiverOaks et mes anciens employeurs n'était passée au second rang de mes préoccupations. À la fièvre précédant le dépôt de la plainte a succédé le grand calme suivant l'explosion de la bombe. Gantry n'a pas essayé de nous faire la peau ; la journée au bureau s'est déroulée normalement. Le téléphone n'a pas fonctionné plus qu'à l'accoutumée, les clients n'ont pas été plus nombreux. N'ayant plus à me préoccuper de la plainte, je me suis plus facilement concentré sur les autres affaires.

J'imaginais l'atmosphère dans les couloirs de marbre de Drake & Sweeney. Pas de sourires, pas de papotages autour des machines à café, pas de blagues ni de discussions sportives. Un funérarium était plus bruyant.

Ceux de mon service qui m'avaient bien connu seraient particulièrement touchés. Polly prendrait un air stoïque et détaché, elle ferait montre de son efficacité coutumière. Rudolph ne quitterait son bureau que pour aller s'entretenir avec ses supérieurs.

Quelque chose me chagrinait. L'action intentée contre le cabinet éclaboussait les quatre cents avocats : la plupart d'entre eux non seulement n'avaient rien fait de mal mais étaient ignorants des faits. Personne ne s'occupait de ce qui se passait dans le service immobilier ; rares étaient ceux qui connaissaient Braden Chance. J'étais navré pour tous les innocents, les vieux de la vieille qui avaient bâti un cabinet prospère et nous avaient bien formés, ceux de ma catégorie appelés à perpétuer la tradition de qualité, les nouveaux qui allaient découvrir avec stupéfaction que le grand patron portait une part de responsabilité dans des morts injustes.

Mais je n'avais pas la moindre compassion pour Braden Chance, Arthur Jacobs ou Donald Rafter. Ils ne m'avaient pas fait de quartier ; à eux de payer.

Megan ayant décidé de s'éloigner un moment des quatre-vingts femmes sans foyer qui venaient chercher du réconfort dans son centre de jour, nous avons pris la voiture pour faire un tour dans le Nord-Est. Elle ignorait quels quartiers fréquen-

316

tait Ruby; nous n'espérions pas vraiment la trouver. C'était en tout cas un excellent prétexte pour passer un moment ensemble.

– La situation n'a rien d'exceptionnel, dit-elle pour me rassurer. Il est impossible de prévoir le comportement des sans-abri, surtout des toxicos.

– Cela vous est déjà arrivé ?

– Tout m'est arrivé ; on finit par faire la part des choses. Quand une femme réussit à décrocher, quand elle trouve un boulot et un logement, on dit une petite prière. Mais on ne s'emballe pas ; une autre Ruby viendra et vous brisera le cœur. Il y a plus d'échecs que de réussites.

– Comment faites-vous pour ne pas vous décourager ?

– Je tire ma force des femmes ; elles sont admirables. Dès leur naissance, elles n'ont aucune chance de s'en sortir, mais elles parviennent à survivre. Elles trébuchent, elles tombent, mais se relèvent et ne renoncent jamais.

À quelques centaines de mètres du bureau, nous avons vu un garage derrière lequel était entassé tout un assortiment d'épaves. Un molosse aux crocs luisants était attaché devant la porte. Je n'avais pas l'intention de regarder à l'intérieur de vieilles carcasses de voitures ; la présence du chien a facilité ma décision de passer mon chemin. Nous supposions que Ruby vivait dans la zone comprise entre le centre d'assistance juridique et chez Naomi.

– On ne sait jamais, dit Megan. Je suis toujours surprise par leur mobilité. Certains peuvent faire des kilomètres à pied ; ils ont tout leur temps.

Nous avons observé le peuple de la rue en roulant lentement ; nous avons cherché à voir le visage de chaque mendiante. Nous avons traversé des parcs à pied, donné quelques pièces à ceux qui tendaient la main. Nos espoirs sont restés vains.

J'ai déposé Megan devant chez Naomi en promettant de l'appeler dans l'après-midi. Ruby était devenu un merveilleux prétexte pour nous voir régulièrement.

Le parlementaire était un élu de l'Indiana, un Républicain du nom de Burkholder. Il habitait dans une lointaine banlieue, mais aimait courir autour du Capitole en fin de journée. Ses collaborateurs ont informé les médias qu'il s'était douché et changé dans un des petits gymnases aménagés au sous-sol d'un des bâtiments administratifs du Congrès.

Burkholder était l'un des quatre cent trente-cinq membres de la Chambre des représentants, resté dans l'anonymat malgré ses dix années de présence à Washington. Modérément ambitieux, d'une moralité irréprochable, adepte d'une vie saine, il avait quarante et un ans.

Burkholder a été blessé par balle le mercredi, en début de soirée, en faisant son jogging. Il courait en survêtement, n'avait ni portefeuille, ni espèces, ni même une poche dans laquelle il aurait pu avoir glissé un objet de valeur. Il ne semblait y avoir aucun mobile. Peut-être avait-il heurté son agresseur, peut-être avaient-ils eu des mots ensemble ; deux coups de feu avaient retenti. La première balle avait raté sa cible, la seconde avait touché le parlementaire au bras gauche avant de traverser l'épaule et de s'arrêter près du cou.

Le drame avait eu lieu à la tombée de la nuit, sur le trottoir, dans une rue où la circulation était encore dense. Les quatre témoins avaient donné de l'agresseur le même signalement : un Noir habillé comme un SDF. La description manquait pour le moins de précision. Le temps que le premier témoin immobilise sa voiture, en descende et se précipite au secours de Burkholder, l'homme s'était fondu dans l'obscurité.

Burkholder avait été transporté au Centre hospitalier universitaire George Washington où la balle avait été retirée. L'intervention avait duré deux heures ; l'état de la victime était stable.

On n'avait pas tiré sur un parlementaire à Washington depuis de nombreuses années. Plusieurs membres du Congrès avaient été victimes d'agressions sans gravité qui leur avaient fourni l'occasion de dénoncer la criminalité, la perte des valeurs morales et la décadence générale. La faute en incombait évidemment à leurs adversaires politiques.

Quand j'ai vu le reportage, aux informations de 23 heures, Burkholder n'était pas en état de dénoncer quoi que ce fût. J'avais somnolé, lu quelques pages d'un roman, regardé distraitement un match de boxe. Devant une photo du parlementaire, le présentateur du bulletin d'information a fait son annonce d'une voix haletante. Il a résumé les faits en quelques phrases avant de donner l'antenne, en direct, à une journaliste grelottant de froid devant l'entrée des urgences de l'hôpital où Burkholder avait été transporté quatre heures auparavant. Il y avait une ambulance à l'arrière-plan, un gyrophare tournait ; pas de sang ni de cadavre à montrer, mais il fallait faire du sensationnel.

L'intervention s'était bien passée ; la victime se reposait. Les médecins avaient publié un communiqué qui n'apprenait rien. Plusieurs collègues de la victime s'étaient précipités à l'hôpital ; la journaliste avait su les convaincre de passer devant la caméra. Trois d'entre eux, filmés ensemble, faisaient une figure de circonstance, bien que la vie de Burkholder n'eût jamais été en danger. Les yeux plissés pour se protéger des éclats du gyrophare, ils cherchaient à donner l'impression d'hommes bouleversés. Sans qu'on le leur demande, ils ont ressorti le couplet sur la décadence de la société.

Le direct qui suivait était tourné sur la scène du crime ; la journaliste se tenait à l'endroit exact où la victime était tombée. Cette fois, il y avait quelque chose à voir : une tache d'un brun rougeâtre qu'elle a montrée d'un geste théâtral, accroupie, le doigt à quelques centimètres du trottoir. Un policier est entré dans le champ ; il a donné une version assez floue de ce qui s'était passé.

Le reportage était censé être un direct, mais on voyait à l'arrière-plan les lumières rouge et bleu des voitures de police.

Une rafle était en cours. La police municipale ratissait tout le quartier, chargeait les sans-abri dans ses voitures et ses fourgons. Au long de la nuit, autour du Capitole, ils ont ramassé tous ceux qui dormaient sur un banc, se reposaient dans un parc ou faisaient la manche, tous ceux qui semblaient ne pas avoir d'endroit où dormir.

Tous n'étaient pas conduits en prison. Deux paniers à salade ont pris la direction du Nord-Est pour déverser leur chargement sur le parking jouxtant une soupe populaire de nuit. Un autre fourgon transportant onze personnes s'est arrêté devant la Mission du calvaire, à quelques centaines de mètres de nos bureaux. On leur a donné le choix entre finir la nuit en prison ou retrouver la rue ; le véhicule est reparti à vide.

32.

J'ai fait le serment d'acheter un lit. Je perdais trop de temps à me tourner et me retourner en cherchant le sommeil. Assis sur mon sac de couchage, bien avant le lever du jour, je me suis promis de trouver quelque chose de plus confortable. Et je me suis encore une fois demandé comment on pouvait, nuit après nuit, dormir sur un trottoir.

La fumée des cigarettes flottait en lourdes volutes au-dessus des tables du Pylône ; l'arôme des cafés en provenance des quatre coins du monde accueillait le client à la porte. À 4 h 30, comme toutes les nuits, l'établissement était bondé.

On ne parlait que de Burkholder. Sa photo s'étalait à la une du *Washington Post* ; plusieurs articles relataient les faits et retraçaient la carrière du politicien. Pas une ligne sur la grande rafle ; j'en apprendrais les détails quelques heures plus tard, de la bouche de Mordecai.

Une agréable surprise m'attendait dans les pages locales. Tim Claussen se sentait à l'évidence investi d'une mission ; notre plainte l'inspirait.

Dans un long article le journaliste se penchait sur les trois défendeurs, en commençant par River-Oaks. Fondée vingt ans auparavant, la société appartenait à un groupe d'investisseurs au nombre desquels se trouvait Clayton Bender, un requin de l'immobilier dont la fortune était estimée à deux cents millions de dollars. L'article présentait une photo de Bender, à côté de celle du siège de la société, à Hagerstown, Maryland. RiverOaks avait bâti onze immeubles de bureaux ainsi que de nombreux centres commerciaux dans les faubourgs de Baltimore et de Washington.

L'historique du projet de centre de tri était exposé dans ses moindres détails. Le journaliste passait ensuite à Drake & Sweeney.

Aucun renseignement – comment s'en étonner ? – ne provenait du cabinet. Les coups de téléphone étaient restés sans réponse. Claussen publiait deux graphiques extraits d'une revue professionnelle. L'un présentait les dix plus gros cabinets du pays par ordre d'importance, l'autre indiquait la rémunération moyenne des associés. Avec ses huit cents avocats, Drake & Sweeney figurait au cinquième rang ; avec neuf cent dix mille dollars, les associés étaient en troisième position.

Avais-je vraiment fait une croix sur une telle fortune ?

L'article abordait pour finir le cas de Tillman Gantry, un régal pour un journaliste d'investigation. Des policiers se souvenaient de lui ; un codétenu chantait ses louanges ; un pasteur expliquait que Gantry avait fait installer des paniers de basket pour les gamins de la rue ; une ancienne prostituée évoquait un passé douloureux. Par l'intermédiaire de ses deux sociétés – TAG et Gantry Group –, il possédait trois casses, deux supérettes, un immeuble de rapport où deux personnes avaient été assassinées, six appartements, un bar où une femme avait été violée, un vidéoclub et de nombreux terrains inoccupés, acquis pour une bouchée de pain.

Gantry avait été le seul à répondre aux questions du journaliste. Il reconnaissait avoir versé onze mille dollars en juillet de l'année précédente pour l'achat de l'entrepôt de Florida Avenue et l'avoir revendu deux cent mille à RiverOaks, le 31 janvier. Il estimait avoir eu de la chance. Le bâtiment était inutilisable, mais le terrain valait bien plus de onze mille dollars; il l'avait acheté pour cette raison.

Gantry affirmait que l'entrepôt avait toujours attiré les squatters; il avait même été obligé d'en chasser. Jamais il n'avait fait payer de loyer; il ne savait pas d'où venait cette rumeur. Il avait des avocats qui sauraient le défendre vigoureusement.

L'article ne parlait pas de moi, ni de DeVon Hardy et de la prise d'otages. Il ne comportait que quelques mots sur Lontae Burton et la plainte que nous avions déposée.

Pour le deuxième jour d'affilée, le respectable cabinet Drake & Sweeney était associé à un ancien souteneur. En fait, l'article présentait les avocats sous un jour encore moins flatteur que Tillman Gantry. Le journaliste annonçait pour le lendemain un nouvel épisode, consacré cette fois à la triste vie de Lontae Burton.

Combien de temps Arthur Jacobs permettrait-il que l'on traîne le cabinet dans la boue? C'était une cible tellement facile. Le quotidien n'allait pas lâcher prise; le journaliste travaillait vingt-quatre heures sur vingt-quatre. Un article en amènerait un autre.

Il était 9 h 20 quand je suis arrivé, acompagné de mon avocat, au tribunal de grande instance, à l'angle de la 6e Rue et d'Indiana Avenue. Mordecai connaissait les lieux. La queue qui s'était formée à l'entrée avançait lentement; les avocats et les plaideurs étaient fouillés et passaient au détecteur de métal. Une foule nerveuse emplissait le hall; sur quatre niveaux des couloirs desservaient les salles d'audience.

Le juge Norman Kisner officiait au rez-de-chaussée, salle 114. Mon nom était inscrit au rôle sous la rubrique : Audiences préliminaires. Quatorze autres noms de prévenus y figuraient. L'estrade était vide ; quelques avocats bavardaient au pied de l'estrade. Mordecai a disparu au fond de la salle ; je me suis assis au deuxième rang. J'ai ouvert une revue en m'efforçant de prendre un air blasé.

– Bonjour, Michael, lança une voix derrière moi.

C'était Donald Rafter, tenant sa serviette à deux mains. Il y avait avec lui un visage qui ne m'était pas inconnu, un confrère du contentieux dont le nom m'échappait.

– Bonjour, murmurai-je avec un petit signe de tête.

Ils sont allés s'asseoir de l'autre côté. Ils représentaient les victimes, ce qui leur donnait le droit d'être présents à chaque étape de la procédure.

Ce n'était qu'une première comparution. J'écouterais le juge lire les charges qui pesaient sur moi, j'annoncerais que je plaidais non coupable et je ressortirais libre de la salle d'audience. Que venait donc faire Rafter ici ?

La réponse ne m'est pas venue tout de suite à l'esprit. Les yeux fixés sur la revue, essayant de donner une impression de sérénité, j'ai fini par comprendre que sa présence n'avait d'autre but que de me rappeler que l'affaire était grave et qu'ils ne me lâcheraient pas. Rafter était le plus rusé et le plus vicieux d'entre eux ; j'étais censé trembler comme une feuille en le voyant dans la salle d'audience.

À 9 h 30, Mordecai est revenu et m'a fait signe d'approcher ; le juge attendait dans son bureau. Mordecai a fait les présentations ; nous nous sommes installés autour d'une petite table.

Le juge Kisner était un septuagénaire à la tignasse grise et à la barbe clairsemée ; il avait des yeux bruns perçants comme des vrilles. Mordecai et lui se connaissaient depuis de longues années.

– J'étais en train de dire à Mordecai, commença-t-il en agitant la main, que cette affaire n'est pas banale.

J'ai acquiescé de la tête ; elle ne me paraissait pas banale non plus.

– Je connais Arthur Jacobs depuis trente ans. En fait, je connais un tas d'avocats de son cabinet ; ils sont bons.

Le juge avait raison : Drake & Sweeney recrutait les meilleurs et leur donnait une excellente formation. Je me suis senti mal à l'aise en découvrant qu'il avait une telle admiration pour les victimes.

– Déterminer la valeur d'un dossier dérobé dans le bureau d'un avocat n'est pas chose aisée. C'est un ensemble de documents qui n'ont de valeur que pour cet avocat ; leur vente ne rapporterait rien. Je ne vous accuse pas d'avoir volé ce dossier, vous comprenez.

– Oui, Votre Honneur.

Je n'étais pas sûr de comprendre, mais je voulais qu'il continue.

– Imaginons que ce dossier soit en votre possession, imaginons que vous l'ayez dérobé. Si vous le rendez aujourd'hui, j'estimerais sa valeur, disons à moins de cent dollars. Il s'agirait d'un simple délit sur lequel on pourrait passer l'éponge. Il vous faudrait naturellement accepter de ne pas utiliser les renseignements qu'il contient.

– Et si je ne le rends pas ? C'est toujours une supposition, bien sûr.

– Dans ce cas, il a infiniment plus de valeur. L'accusation de vol qualifié tient et nous allons au procès. Si le procureur parvient à prouver ses allégations et si le jury vous reconnaît coupable, il m'appartiendra de prononcer une sentence.

Son front creusé de rides, l'éclat dur de ses yeux et le ton de sa voix indiquaient clairement qu'il valait mieux que j'échappe à cette sentence.

– J'ajoute que si le jury vous déclare coupable de vol qualifié, l'autorisation d'exercer vous sera retirée.

– Oui, Votre Honneur, fis-je piteusement.

Mordecai se gardait d'intervenir ; il ne perdait pas un mot de ce qui se disait.

– Dans l'affaire qui nous occupe, poursuivit le juge, le temps est de la plus haute importance. Le procès au civil pourrait amener la divulgation du contenu du dossier ; j'aimerais que notre affaire soit réglée avant d'en arriver là. En supposant toujours que vous déteniez le dossier.

– Combien de temps ? demanda Mordecai.

– Je pense que deux semaines vous suffiront pour prendre une décision.

Nous avons reconnu que deux semaines étaient un délai raisonnable. Après avoir regagné la salle d'audience, nous avons attendu une heure sans que rien ne se passe.

Tim Claussen est entré avec un groupe d'avocats. Il nous a vus, mais n'a pas osé s'approcher. Mordecai s'est levé, l'a pris à part pour lui parler. Il a expliqué que deux avocats de chez Drake & Sweeney, Donald Rafter et un autre, étaient dans la salle. Peut-être auraient-ils quelque chose à déclarer au journaliste.

Claussen s'est dirigé vers eux sans hésiter. Des éclats de voix se sont élevés au fond de la salle ; Claussen et Rafter sont sortis pour poursuivre leur discussion à l'extérieur.

Comme prévu, la comparution devant le juge Kisner a été de courte durée. J'ai déclaré que je plaidais non coupable, j'ai signé quelques papiers et je suis parti.

– De quoi avez-vous parlé avec Kisner avant que je vous rejoigne ? demandai-je à Mordecai dès que nous nous sommes retrouvés seuls dans la voiture.

– De ce qu'il vous a dit.

– Il est intraitable.

– C'est un bon juge qui a longtemps été avocat, Michael. Avocat au criminel, un des meilleurs. Il n'a pas d'indulgence pour un avocat qui vole le dossier d'un confrère.

– Quelle sera la peine si je suis reconnu coupable ?

– Il ne l'a pas dit, mais il y aura de la prison ferme.

Nous étions arrêtés à un feu rouge ; par bonheur, j'avais pris le volant.

– Alors, demandai-je après un silence, qu'allons-nous faire ?

– Nous disposons de deux semaines ; prenons notre temps avant de décider.

33.

Il y avait deux articles dans le *Washington Post* du jour, tous deux en bonne place et accompagnés de photos.

Le premier, un long récit de la vie tragique de Lontae Burton, avait été annoncé dans l'édition de la veille. Sa grand-mère était la principale source d'information, mais le journaliste avait aussi interrogé deux tantes, une assistante sociale, un ancien employeur ainsi que sa mère et ses deux frères, toujours incarcérés. Avec la pugnacité qui caractérisait le quotidien et son budget illimité, le journaliste s'attachait à réunir les faits dont nous aurions besoin pour notre affaire.

Sa mère avait seize ans quand Lontae était venue au monde, la deuxième de ses trois enfants naturels, tous de père différent. Elle avait grandi dans les quartiers défavorisés du Nord-Est, vivant périodiquement chez sa grand-mère ou ses tantes, au gré des séjours en prison d'une mère instable. Lontae avait arrêté ses études à la fin de l'école primaire pour commencer à mener une existence chaotique. La drogue, les garçons, les bandes, la petite délinquance, tel était son quotidien. Les petits boulots s'étaient succédé; elle manquait totalement de sérieux, ne tenait jamais longtemps.

Son casier judiciaire en disait long. Première arrestation à l'âge de quatorze ans pour vol à l'étalage : tribunal pour enfants. D'autres avaient suivi pour ivresse sur la voie publique, possession de marijuana. Prostitution à l'âge de seize ans : condamnation avec sursis ; vol d'un lecteur de CD dans une boutique : condamnation avec sursis. À dix-huit ans : naissance d'Ontario, de père inconnu. Arrestation pour prostitution deux mois plus tard : condamnation avec sursis. À vingt ans : naissance des jumeaux, Alonzo et Dante, de père inconnu. Un an plus tard : naissance de Temeko.

Une lueur d'espoir venait éclairer ce catalogue de malheurs. Après la naissance de Temeko, Lontae avait commencé à fréquenter la Maison de Marie, un centre de jour pour femmes seules, où elle avait fait la connaissance d'une assistante sociale du nom de Nell Cather.

À en croire l'assistante sociale, Lontae était décidée à quitter la rue et à mettre de l'ordre dans sa vie. Elle avait commencé à prendre la pilule, essayé de toutes ses forces de se libérer de l'empire de l'alcool et de la drogue. Elle avait lutté avec courage, sans véritable réussite. Elle rêvait d'un emploi stable qui lui permettrait de nourrir sa famille, de s'en sortir.

Nell Cather lui avait trouvé un emploi à mi-temps dans une épicerie. Vingt heures hebdomadaires, à quatre dollars soixante-quinze cents de l'heure. Elle n'avait pas manqué une seule journée.

Quelques mois avant sa mort, elle avait confié à Nell Cather qu'elle avait trouvé un logement, mais qu'il fallait garder le secret. Nell avait demandé à le visiter ; Lontae avait refusé, expliquant que la location était illégale. Un petit logement de deux pièces, un toit, des sanitaires ; elle payait cent dollars par mois, de la main à la main.

J'ai noté le nom de Nell Cather. J'ai souri en l'imaginant à la barre des témoins, racontant à un jury l'histoire de Lontae Burton.

Lontae était terrifiée à l'idée qu'on lui enlève ses enfants, comme cela arrivait si souvent ; c'était le cas de la plupart des femmes qui fréquentaient la Maison de Marie. Plus Lontae entendait de récits poignants de séparation, plus elle était déterminée à préserver l'unité de sa famille. Elle avait continué à étudier avec acharnement, avait même appris les rudiments de l'informatique. Elle avait tenu quatre jours sans toucher à la drogue.

Puis elle s'était fait expulser, jeter à la rue avec ses enfants et ses maigres possessions. Nell Cather l'avait vue le lendemain : elle était défoncée, les enfants étaient sales et affamés. L'accès à la Maison de Marie étant interdit à toute personne manifestement sous l'empire de l'alcool ou de la drogue, la directrice avait été forcée de renvoyer Lontae. Nell Cather ne l'avait jamais revue ; elle avait appris sa mort par le journal.

En terminant la lecture de l'article, j'ai pensé à Braden Chance. J'espérais qu'il le lisait aussi, dans le confort douillet de sa belle maison en Virginie. J'étais sûr qu'il était debout à cette heure matinale ; je me demandais même s'il pouvait fermer l'œil dans sa situation.

Je voulais qu'il souffre, qu'il comprenne que son mépris de la dignité humaine et des droits fondamentaux de l'individu était à l'origine de tous ces malheurs. Dans son élégant bureau où il gérait les affaires de ses clients fortunés et lisait les rapports des sous-fifres chargés de faire le sale boulot, Chance avait froidement décidé de poursuivre une procédure d'expulsion qui aurait dû être suspendue. Ce n'était qu'une bande de squatters, des Noirs miséreux vivant comme des animaux. Sans bail, sans quittance de loyer, donc sans droits. À la rue ! Tout retard pouvait faire obstacle à la réalisation du projet.

J'ai eu envie de l'appeler chez lui, de le surprendre devant son bol de café et de lui demander :

« Alors, Braden, comment vous sentez-vous maintenant ? »

L'autre article était une agréable surprise, du moins d'un point de vue juridique ; il annonçait aussi des complications.

Le journaliste avait retrouvé un ex-ami de Lontae, un petit dur de dix-neuf ans, du nom de Kito Spires, dont la photographie avait de quoi effrayer tout citoyen respectueux des lois. Il prétendait être le père des trois derniers enfants de Lontae, les jumeaux et le bébé. Ils avaient plus ou moins vécu ensemble les trois dernières années – plutôt moins que plus.

Kito était un pur produit de la ville, sans emploi, avec un casier fourni. Sa crédibilité était sujette à caution.

Il avait vécu dans l'entrepôt avec Lontae et les enfants, l'avait aidée à payer le loyer dans la mesure de ses moyens. Un peu après Noël, ils s'étaient querellés ; Kito avait fait sa valise. Il vivait à présent avec une femme dont le mari était en prison.

Il n'était pas au courant de l'expulsion. Interrogé sur les conditions de vie dans l'entrepôt, Kito donnait assez de détails pour me convaincre qu'il connaissait les lieux. Il ignorait que l'entrepôt appartenait à Tillman Gantry ; il n'avait eu de rapports qu'avec un certain Johnny qui venait encaisser les loyers.

Il fallait interroger Kito. Notre liste de témoins s'allongeait ; il pouvait devenir un atout majeur.

Kito se disait profondément attristé par la mort de ses enfants et de leur mère. J'avais suivi avec attention la cérémonie funèbre ; Kito ne se trouvait pas dans l'assistance.

Notre plainte avait un retentissement que nous n'aurions osé espérer. Nous demandions dix millions de dollars de dommages-intérêts, un chiffre rond mentionné dans les colonnes des journaux, répété de bouche à oreille dans la rue. Lontae avait eu des amants à la pelle. Kito était le premier père putatif à se faire connaître ; d'autres suivraient, proclamant leur chagrin pour les chers disparus. L'occasion était trop belle.

Jamais nous ne devions avoir la possibilité d'interroger Kito.

J'ai téléphoné chez Drake & Sweeney en demandant à parler à Braden Chance. Une secrétaire a pris la communication, j'ai répété ma demande.

– De la part de qui ?

J'ai donné un nom fictif, me suis présenté comme un client potentiel envoyé par Clayton Bender, de RiverOaks.

– M. Chance n'est pas joignable.

– Dites-moi quand je pourrai lui parler.

– Il est en vacances.

– Très bien. Quand sera-t-il de retour ?

– Je ne sais pas exactement.

J'ai raccroché. Les vacances dureraient un mois, se transformeraient en arrêt de travail, puis en congé sabbatique avant qu'on reconnaisse que Chance avait été invité à partir.

L'appel téléphonique n'avait fait que confirmer ce que je soupçonnais.

Le cabinet avait été toute ma vie pendant sept ans ; il ne m'était pas difficile de prévoir ses réactions. Il y avait trop d'orgueil, trop d'arrogance pour supporter ces outrages.

J'imaginais qu'ils avaient fait avouer la vérité à Braden Chance dès qu'ils avaient reçu la copie de la plainte. Qu'il eût tout déballé de son propre chef ou qu'on lui eût fait cracher le morceau était de peu d'importance. Il avait menti depuis le début ; le prestige du cabinet était maintenant en jeu. Peut-être avait-il montré l'original du rapport d'Hector et le reçu de Lontae. Plus vraisemblablement, il les avait détruits et avait été obligé d'en décrire le contenu. Arthur Jacobs et le comité exécutif savaient enfin à quoi s'en tenir. L'expulsion n'aurait pas dû avoir lieu ; l'accord verbal donné aux locataires aurait dû être dénoncé par écrit, de la main de Braden Chance, au nom de RiverOaks, avec un préavis de trente jours.

Trente jours qui auraient mis en péril la réalisation du projet de centre de tri.

Trente jours qui auraient permis à Lontae et aux autres de passer au chaud le plus dur de l'hiver.

Chance avait été contraint de partir, probablement avec de coquettes indemnités. Hector avait dû être rappelé à Washington ; Chance n'étant plus là, il pouvait dire la vérité sans perdre son poste. Mais il ne révélerait en aucun cas notre rencontre à Chicago.

Dans le secret de ses bureaux cossus, le comité exécutif avait regardé la réalité en face : le cabinet risquait gros. Une ligne de défense avait été élaborée avec Rafter et ses confrères du contentieux, selon laquelle l'affaire Burton reposait sur des documents volés. Si ces preuves ne pouvaient être admises, l'action en justice était irrecevable. Un raisonnement imparable du point de vue judiciaire.

Mais l'intervention de la presse ne leur avait pas laissé le temps de mettre leur défense en place. Des témoins pouvaient confirmer les éléments contenus dans le dossier ; nous pouvions apporter la preuve de nos allégations en l'absence du rapport subtilisé par Braden Chance.

La plus grande confusion devait régner chez Drake & Sweeney. Quatre cents avocats furieux refusaient de garder leur opinion pour eux ; le cabinet était au bord de l'insurrection. Si j'avais été des leurs, devant la menace d'un scandale de cette ampleur, j'aurais fait des pieds et des mains pour que l'affaire soit réglée discrètement et la presse tenue à l'écart. Il n'était pas question de faire le gros dos, de laisser passer l'orage. Les articles du *Washington Post* n'étaient qu'un avant-goût de ce qui les attendait au cours d'un procès. Un procès qui n'aurait pas lieu avant un an.

D'autres pressions s'exerçaient sur le cabinet. Le dossier n'indiquait pas dans quelle mesure River-Oaks était au courant de la situation des squatters. La correspondance entre Chance et son client était des plus réduites. Il semblait que l'associé avait reçu pour instructions de boucler le dossier dans les meilleurs délais. RiverOaks poussait les feux ; Chance écartait les obstacles.

Dans l'hypothèse où RiverOaks ignorait l'illégalité des expulsions, la société pouvait se retourner contre Drake & Sweeney. Le cabinet avait salopé le travail qu'on lui avait confié ; le client n'avait pas à payer les pots cassés. RiverOaks avait les reins assez solides pour contraindre le cabinet à réparer ses erreurs.

D'autres clients de poids devaient aussi s'interroger. Dans le monde implacable des gros cabinets d'affaires, les vautours de la concurrence commençaient à tournoyer.

Drake & Sweeney soignait sa réputation et son image de marque ; il en allait de même partout. Aucun cabinet, aussi puissant fût-il, ne pouvait résister à des coups si rudes.

Burkholder s'était remis à une vitesse stupéfiante. Le lendemain de l'intervention chirurgicale, il avait convoqué la presse dans le hall de l'hôpital pour une conférence soigneusement mise en scène. On avait poussé son fauteuil roulant jusqu'à l'estrade improvisée ; il s'était levé, avec l'aide de sa ravissante épouse, s'était avancé vers le micro pour faire une déclaration. Il avait des bandages sur le cou, le bras gauche en écharpe.

Il s'était dit en bonne santé, prêt à reprendre ses fonctions dans les jours qui venaient. Il avait salué au passage ses électeurs de l'Indiana.

Il s'était ensuite lancé dans une attaque en règle contre la criminalité, fléau des grandes agglomérations ; c'était une honte de voir la capitale de la nation dans un tel état. Ayant regardé la mort en face, il allait, à compter de ce jour, consacrer toutes ses forces au rétablissement de la sécurité dans les rues. Tel serait le but de sa vie.

L'agression contre Burkholder avait déclenché des pressions considérables sur la police de la ville, sommée de nettoyer les rues. Sénateurs et membres de la Chambre des représentants avaient passé la journée à dénoncer l'insécurité régnant dans le centre de la capitale.

Les rafles ont repris dès la tombée de la nuit. Clodos, ivrognes, mendiants et sans-abri, tous ont été éloignés du Capitole. Certains ont été arrêtés, d'autres entassés comme du bétail dans les fourgons de police et déchargés dans de lointaines banlieues.

À 23 h 40, la police a reçu un appel du propriétaire d'un magasin de vins et spiriteux de la 4ᵉ Rue, près de Rhode Island. Il avait entendu des coups de feu ; un client disait avoir vu un homme tomber.

Dans le terrain vague contigu à la boutique, derrière un tas de gravats et de briques cassées, les policiers ont découvert le corps d'un jeune Noir. Le sang était encore frais ; deux balles lui avaient fait exploser le crâne.

La victime a été rapidement identifiée. Son nom était Kito Spires.

34

Ruby est réapparue le mardi matin, avide de cookies et de nouvelles. Elle m'a accueilli sur le pas de la porte avec un sourire chaleureux ; il était 8 heures, un peu plus tard que d'habitude. Sachant que Gantry pouvait rôder dans les parages, je préférais que le jour soit levé et qu'il y ait un peu d'animation dans les rues.

Elle ne semblait pas différente. Je me suis dit qu'en étudiant son visage, je découvrirais peut-être les stigmates du crack ; je n'ai rien remarqué d'inhabituel. Elle avait un regard dur et triste, mais était d'excellente humeur. J'ai ouvert la porte du bureau, nous nous sommes installés à notre place. Il était rassurant de savoir que je n'étais pas seul dans les bureaux.

– Comment ça va, Ruby ?

– Bien, répondit-elle en plongeant la main dans une poche de cookies.

Il y en avait trois, achetés pour elle les jours précédents ; j'avais vu des miettes laissées par Mordecai.

– Où dormez-vous ?

– Dans ma voiture, où voulez-vous que j'aille ? Je suis bien contente que l'hiver se termine.

– Moi aussi. Êtes-vous retournée chez Naomi ?

– Pas encore, tout à l'heure. Ça n'allait pas très fort, ces derniers temps.

– Je vous y conduirai.

– Merci.

Elle paraissait mal à l'aise. Elle redoutait que je l'interroge sur sa dernière nuit au motel ; j'en mourais d'envie, mais je me retenais.

J'ai rempli deux gobelets de café, les ai posés sur le bureau. Elle en était à son troisième cookie, qu'elle grignotait comme une souris.

Comment aurais-je pu me montrer sévère avec cette pauvre femme ?

– Si nous passions à la lecture du journal ?

– Ce serait bien.

Il y avait une photographie du maire à la une ; comme Ruby s'intéressait à la politique locale, j'ai commencé par cet article. Il s'agissait d'une interview réalisée le samedi, dans laquelle le maire et son conseil municipal, alliés pour l'occasion, demandaient au ministère de la Justice d'ouvrir une enquête sur la mort de Lontae Burton et de ses enfants. Y avait-il eu violation des droits civils ? Le maire le donnait clairement à entendre mais s'en remettait aux conclusions des enquêteurs.

Depuis le dépôt de notre plainte, un nouveau groupe de coupables était montré du doigt. Les accusations dirigées contre l'hôtel de ville avaient considérablement diminué ; les reproches adressés au Congrès ou émanant du corps législatif avaient cessé. Ceux qui avaient essuyé les premières attaques rejetaient vigoureusement la responsabilité du drame sur le gros cabinet juridique et ses clients.

Ruby était fascinée par l'histoire de Lontae ; je lui ai donné un aperçu de la situation après le dépôt de la plainte et les premières retombées.

Drake & Sweeney était en butte à de nouvelles attaques du quotidien. Mes anciens confrères devaient se demander quand cela cesserait. Pas de sitôt.

Au bas de la une, un entrefilet annonçait que le Service postal avait décidé de geler le projet de

construction du centre de tri. Une décision moti-
vée par les controverses entourant l'acquisition du
terrain et la démolition de l'entrepôt ainsi que par
l'action intentée contre RiverOaks et Tillman
Gantry.

Contraint de renoncer à son projet d'un montant
de vingt millions de dollars, RiverOaks allait réagir
comme tout promoteur immobilier ayant englouti
près d'un million dans l'achat de terrains inutili-
sables. RiverOaks allait se retourner contre ses
avocats.

La pression irait en s'accentuant.

Un tremblement de terre au Pérou a retenu
l'attention de Ruby dans la rubrique Étranger. En
arrivant aux pages locales, j'ai eu un coup au cœur
en découvrant un titre en gros caractères, placé
sous la photographie de la veille, deux fois plus
grande et encore plus menaçante : Kito Spires
retrouvé mort. L'article mentionnait le rôle joué
par la victime dans la tragédie des Burton et expo-
sait les circonstances de la mort. Pas de témoins,
pas d'indices, rien. Encore un voyou abattu dans
les rues de Washington.

La voix de Ruby m'a arraché au tourbillon de
mes pensées.

– Ça va ?

– Oui, bien sûr, murmurai-je, en essayant de
reprendre mes esprits.

– Pourquoi vous ne lisez plus ?

J'étais trop abasourdi pour continuer à lire à
voix haute. J'ai parcouru l'article pour voir si le
nom de Tillman Gantry était mentionné ; je ne l'ai
pas vu.

Je n'avais guère de doutes sur ce qui s'était
passé. Placé sous les projecteurs de l'actualité, Kito
en avait trop dit ; son témoignage pouvait être
décisif. Il faisait une cible facile.

J'ai lu l'article à Ruby, lentement, à l'affût des
bruits de la rue, en surveillant la porte d'entrée, en
espérant que Mordecai allait arriver sans tarder.

338

Le message de Gantry était clair. Les autres témoins garderaient le silence ou disparaîtraient si nous les retrouvions. Éliminer des témoins gênants était une chose ; que ferais-je si Gantry décidait de s'attaquer aux avocats ?

Tout bien considéré, ce drame faisait nos affaires. Nous avions certes perdu un témoin clé, mais la crédibilité de Kito était par trop douteuse.

On parlait aussi de Drake & Sweeney dans cet article. Un lien était établi entre le nom prestigieux et l'assassinat d'un délinquant de dix-neuf ans. Le cabinet pourrait-il se relever d'une telle infamie ?

Je me suis imaginé un mois plus tôt, avant la prise d'otages et tout ce qui avait suivi, en train de lire le même quotidien à mon arrivée au bureau. J'avais appris dans les articles précédents que les plus graves allégations de la plainte étaient vraies. Comment aurais-je réagi ?

J'aurais évidemment harcelé Rudolph de questions ; il s'en serait pris à son tour au comité exécutif. J'en aurais parlé avec les autres collaborateurs ; nous aurions exigé que l'affaire soit réglée au plus vite afin de limiter les dégâts. Il fallait à tout prix éviter le procès.

Selon toute vraisemblance, la plupart des collaborateurs et tous les associés faisaient précisément la même chose. Impossible de travailler avec tout ce remue-ménage ; le cabinet était en plein chaos.

– Continuez, fit Ruby.

Je n'ai rien trouvé d'autre sur notre affaire, mais je suis tombé sur un article faisant état du grand nettoyage effectué par la police, à la suite de l'agression de Burkholder. Un représentant des sans-abri critiquait vertement ces opérations et menaçait d'intenter une action. Ruby s'est régalée en m'écoutant ; elle trouvait merveilleux que l'on parle aussi longuement de ses frères et sœurs de la rue.

Je l'ai accompagnée chez Naomi où on lui a fait un accueil enthousiaste. Tout le monde voulait la serrer dans ses bras ; j'ai même vu quelques larmes furtives. Je suis resté quelques minutes dans la cuisine avec Megan, mais je n'avais pas la tête à ça.

Il était 9 heures quand je suis revenu au bureau. Sofia avait du pain sur la planche ; cinq clients étaient alignés contre le mur. Elle était au téléphone, terrorisant quelqu'un en espagnol. Je suis entré dans le bureau de Mordecai pour m'assurer qu'il avait vu le journal ; il était en train de le lire, un sourire aux lèvres. Nous sommes convenus de nous revoir une heure plus tard.

Après avoir tiré discrètement la porte de mon bureau, j'ai sorti quelques dossiers. En quinze jours, j'en avais ouvert quatre-vingt-onze et fermé trente-huit. Je prenais du retard ; il m'aurait fallu toute une matinée au téléphone pour le rattraper. Je ne l'ai pas eue.

Sofia a frappé en poussant la porte ; elle est entrée sans un bonjour, sans s'excuser.

– Où est la liste des expulsés de l'entrepôt ?

Elle avait un stylo coincé derrière chaque oreille, ses lunettes sur le bout du nez. Elle n'était pas là pour bavarder.

Je gardais la liste à portée de main. Un coup d'œil lui a suffi.

– Gagné !

– Qu'est-ce qu'il y a ? demandai-je en me dressant derrière le bureau.

– Numéro huit : Marquis Deese. Ce nom me disait quelque chose.

– Et alors ?

– Il est là. Il s'est fait ramasser hier soir dans le parc Lafayette, près de la Maison-Blanche, et s'est retrouvé à Logan Circle. Pris dans une rafle. C'est votre jour de chance.

Elle est ressortie ; je l'ai suivie. Marquis Deese était assis à côté du bureau. Il ressemblait étonnamment à DeVon Hardy – la quarantaine bien avancée, cheveux et barbe poivre et sel, grosses lunettes noires, engoncé dans plusieurs couches de vêtements. Je l'ai examiné de loin avant d'aller annoncer la nouvelle à Mordecai.

Nous l'avons abordé prudemment ; Mordecai se chargeait de poser les questions.

– Excusez-moi, commença-t-il courtoisement. Je m'appelle Mordecai Green, je suis un des avocats du centre d'assistance juridique. Pourrais-je vous poser quelques questions ?

Nous étions debout devant Deese ; il a levé la tête.

– Allez-y.

– Nous travaillons sur une affaire concernant des gens qui vivaient dans un vieil entrepôt, à l'angle de Florida Avenue et de New York Avenue.

– J'étais là-bas.

J'ai retenu mon souffle.

– C'est vrai ? fit Mordecai.

– Oui. Je me suis fait virer.

– C'est pour cela que nous nous intéressons à l'affaire ; nous représentons d'autres personnes qui se sont fait virer. Nous pensons que l'expulsion était illégale.

– Et comment !

– Combien de temps y avez-vous vécu ?

– Trois mois, à peu près.

– Il y avait un loyer ?

– Tu parles !

– Qui touchait l'argent ?

– Un gars qui s'appelait Johnny.

– Combien ?

– Cent dollars, en liquide.

– Pourquoi ?

– Ça ne laisse pas de traces.

– Savez-vous qui était le propriétaire ?

– Aucune idée.

Les réponses venaient sans hésitation ; j'avais du mal à contenir ma joie. Si Deese ignorait à qui appartenait l'entrepôt, pourquoi aurait-il eu peur de Gantry ?

Mordecai a pris un siège, s'est penché vers Deese.

– Nous aimerions vous prendre comme client.

– Pour quoi faire ?

– Nous avons déposé une plainte au sujet de ces expulsions. Notre position est que vous avez subi un préjudice quand on vous a chassé de l'entrepôt. Nous aimerions vous représenter, porter plainte en votre nom.

– Mais ce n'était pas légal ; c'est pour ça que je payais en liquide.

– Aucune importance. Cela peut même vous rapporter de l'argent.

– Combien ?

– Je ne sais pas encore, mais qu'avez-vous à perdre ?

– Rien, j'imagine.

J'ai donné un petit coup discret sur l'épaule de Mordecai. Nous nous sommes excusés et retirés dans son bureau.

– Qu'y a-t-il ?

– Compte tenu de ce qui est arrivé à Kito Spires, je pense qu'il serait préférable d'enregistrer sa déposition.

– Pas une mauvaise idée, fit Mordecai en se grattant la barbe. Nous pouvons faire une déclaration écrite sous serment, authentifiée par Sofia. S'il lui arrive malheur, nous nous battrons pour la faire recevoir en justice.

– Avons-nous un magnétophone ?

– Oui, répondit Mordecai en regardant autour de lui. Il y en a un quelque part.

À l'évidence, il ne savait pas où ; il faudrait un mois pour trouver l'appareil.

– Et un caméscope ?

– Pas ici.

– Je vais aller chercher le mien, proposai-je après un instant de réflexion. Essayez de l'occuper.

– Il ne bougera pas.

– Parfait. Donnez-moi quarante-cinq minutes.

J'ai sauté dans la voiture et filé en direction de Georgetown. J'ai essayé plusieurs numéros sur mon portable ; au troisième, je suis tombé sur Claire, entre deux cours.

– Qu'est-ce qui se passe ?

– Il faut que j'emprunte le caméscope ; je suis pressé.

– Personne n'y a touché, répondit-elle lentement, en essayant d'analyser la situation. Que veux-tu en faire ?

– Enregistrer une déposition. Ça t'ennuie si je l'emprunte ?

– Je ne vois pas pourquoi ça m'ennuierait.

– Il est resté dans le séjour ?

– Oui.

– As-tu changé les serrures ?

– Non.

Cela m'a fait plaisir. J'avais conservé une clé ; je pouvais retourner dans l'appartement si je le voulais.

– Et le numéro de code ?

– C'est le même.

– Merci. Je te rappelle.

Nous avons installé Marquis Deese dans un bureau meublé en tout et pour tout de classeurs métalliques bourrés de dossiers. Il était assis dans un fauteuil, devant un mur blanc. Je tenais le caméscope, Sofia faisait office de notaire, Mordecai posait les questions. Les réponses n'auraient pu être plus satisfaisantes.

Au bout d'une demi-heure, tout était terminé ; nous n'avions plus de questions. Deese croyait savoir où trouver deux autres expulsés ; il a promis de chercher.

Notre plan consistait à déposer une plainte distincte au nom de chaque expulsé dont nous aurions recueilli le témoignage, en prenant soin d'avertir chaque fois nos amis du *Washington Post*. Nous savions où était hébergé Kelvin Lam, mais, avec Deese, il était le seul dont nous avions retrouvé la trace. Nous n'attendions pas grand-chose sur le plan financier – vingt-cinq mille dollars par plaignant nous auraient pleinement satisfaits –, mais chaque affaire s'ajouterait à la charge pesant sur les défendeurs.

J'en étais presque à espérer que la police poursuive ses rafles.

En raccompagnant Deese à la porte, Mordecai lui a conseillé de ne parler à personne de ce qui s'était passé. Je me suis installé au bureau voisin de celui de Sofia pour saisir la plainte de trois pages au nom de notre nouveau client, Marquis Deese, contre les mêmes défendeurs accusés d'expulsion illégale. J'ai fait la même chose pour Kelvin Lam. J'ai mis les deux dossiers en mémoire. Il suffirait de changer le nom du plaignant à mesure que nous retrouverions les expulsés.

Le téléphone a sonné un peu avant midi. Sofia était en communication sur l'autre poste ; j'ai décroché.

– Centre d'assistance juridique.

– Arthur Jacobs, avocat chez Drake & Sweeney, annonça une voix grave. J'aimerais parler à Me Mordecai Green.

– Bien sûr, marmonnai-je, incapable d'articuler autre chose.

Je l'ai mis en attente, en regardant fixement le combiné, puis je me suis lentement dirigé vers la porte de Mordecai. Il était plongé dans le code civil.

– Qu'est-ce que c'est ? lança-t-il sans lever le nez.

– Arthur Jacobs au téléphone.

– Qui est-ce ?

– Drake & Sweeney.

344

Nous avons échangé un long regard; il a souri.

– Peut-être l'appel que nous attendions.

J'ai acquiescé en silence; Mordecai a décroché.

La conversation a été brève. J'ai cru comprendre qu'Arthur souhaitait voir Mordecai pour parler de la plainte. Le plus tôt serait le mieux.

Après avoir raccroché, Mordecai m'a répété la teneur de leurs propos.

– Ils veulent s'asseoir autour d'une table demain pour discuter de notre affaire.

– Où ?

– Dans leurs bureaux, à 10 heures. Sans vous.

Je ne m'attendais pas à être invité à la fête.

– Ils sont inquiets ?

– Bien sûr qu'ils sont inquiets. Il ont encore vingt jours devant eux, mais ils cherchent déjà un arrangement. On peut dire qu'ils sont très inquiets.

35.

J'ai passé la matinée du lendemain à la mission du Rédempteur, à conseiller des clients avec l'habileté de celui qui a consacré de longues années de sa vie à la défense des sans-abri. À 11 heures, mon impatience étant trop forte, j'ai appelé Sofia pour savoir si elle avait des nouvelles de Mordecai. Rien. Nous avions pensé que la réunion chez Drake & Sweeney serait longue. J'espérais qu'il aurait passé un coup de fil pour dire que tout marchait comme sur des roulettes.

J'avais mal dormi, comme d'habitude, mais la difficulté à trouver le sommeil n'était due ni à des douleurs physiques ni à l'inconfort de ma position. Un long bain chaud et une bouteille de vin n'avaient pas réussi à apaiser mon anxiété à l'approche de la réunion ; j'avais les nerfs à fleur de peau.

Il était difficile de me concentrer sur les problèmes des clients – coupons alimentaires, allocations de logement, défaillances paternelles – quand mon avenir était en jeu sur un autre front. Je suis parti dès que le déjeuner a été prêt ; ma présence était moins importante que le pain quotidien. Un paquet de cookies et une bouteille d'eau à côté de moi, j'ai roulé une heure sur le boulevard de ceinture.

À mon retour au bureau, j'ai vu la voiture de Mordecai devant la porte. Il m'attendait.

La réunion s'était tenue dans la salle privée d'Arthur Jacobs, au huitième étage, le Saint des Saints. Traité par le personnel comme un visiteur de marque, Mordecai avait pris place d'un côté de la table, face à Arthur Jacobs, Donald Rafter, un représentant de la compagnie d'assurances du cabinet et un avocat de RiverOaks. Les conseils juridiques de Tillman Gantry n'avaient pas été invités ; si un accord devait être trouvé, nul ne s'attendait qu'il verse un centime.

Le seul sujet d'étonnement venait de la présence de l'avocat de RiverOaks. Les intérêts de la société immobilière s'opposaient à ceux du cabinet ; Mordecai avait perçu une tension très nette.

La majeure partie de la conversation avait été menée par Arthur ; Mordecai avait eu du mal à croire qu'il avait un octogénaire en face de lui.

Ils s'étaient mis d'accord pour que tout de ce qui se dirait au cours de la réunion demeure strictement confidentiel. Aucune proposition de règlement à l'amiable n'aurait de valeur juridique avant d'être mise par écrit.

Arthur a commencé en déclarant que les défendeurs avaient été pris de court par le dépôt de la plainte ; ils étaient secoués par une telle humiliation et l'acharnement de la presse. Il a évoqué avec franchise le malheur qui s'était abattu sur le cabinet. Mordecai s'est contenté d'écouter.

Arthur a fait remarquer qu'il y avait plusieurs questions distinctes. En abordant le cas de Braden Chance, il a révélé que Drake & Sweeney s'était débarrassé de lui. Il n'était pas parti de son plein gré ; on l'avait viré. Il a évoqué les méfaits de Chance qui avait l'entière responsabilité des dossiers de RiverOaks et avait probablement commis une faute professionnelle en menant à son terme la procédure d'expulsion.

– Probablement ? fit Mordecai.

D'accord, plus que probablement ; Chance n'avait pas été à la hauteur de ses responsabilités. Il avait trafiqué le dossier, tenté d'étouffer le scandale ; il leur avait menti, purement et simplement. Si Chance avait déballé la vérité après la prise d'otages, le cabinet aurait été en mesure d'échapper à l'humiliation et au déchaînement des médias. Chance les avait mis dans une position intenable ; il était fini.

– Comment a-t-il trafiqué le dossier ? demanda Mordecai.

Les autres ont voulu savoir s'il avait vu ce fichu dossier. Où se trouvait-il exactement ? Mordecai est resté évasif.

Arthur a expliqué que certains papiers avaient été soustraits du dossier.

– Avez-vous eu connaissance du rapport d'Hector Palma en date du 27 janvier ?

En face, tout le monde s'est figé sur son siège.

– Non, répondit Arthur.

Chance l'avait bel et bien subtilisé, ainsi que le reçu de Lontae, et les avait détruits. Cérémonieusement, sans chercher à dissimuler son plaisir, Mordecai a sorti de sa serviette plusieurs copies du rapport et du reçu. D'un geste théâtral, il les a fait glisser sur la table en direction des avocats qui n'osaient plus respirer.

Dans le long silence qui suivit, chacun a lu le rapport, l'a relu et analysé en essayant désespérément d'y trouver une faille ou un passage qui, sorti de son contexte, pourrait leur être favorable. Rien à faire. Le vocabulaire d'Hector était trop précis, la narration trop descriptive.

– Puis-je demander où vous vous êtes procuré ce document ? fit Arthur avec une exquise courtoisie.

– Ce n'est pas important, du moins pour l'instant.

À l'évidence, ce rapport les avait obnubilés. Avant de prendre la porte, Chance leur avait fait part de son contenu et l'original avait été détruit. Mais si des copies avaient été faites ?

Ces copies qu'ils contemplaient d'un regard incrédule.

En professionnels chevronnés, ils ont rapidement repris leurs esprits, poussé négligemment le rapport de côté, comme un sujet sur lequel il leur serait loisible de revenir.

— J'imagine que cela nous amène au dossier disparu, reprit Arthur, impatient de trouver un terrain plus sûr.

Un témoin m'avait vu près du bureau de Chance le soir où j'avais emporté le dossier. Ils avaient aussi mes empreintes digitales et la mystérieuse chemise trouvée sur mon bureau. Sans compter que j'avais demandé à Chance de me montrer le dossier RiverOaks/TAG.

— Il n'y a pas de témoin oculaire, objecta Mordecai. Ce ne sont que des preuves indirectes.

— Savez-vous où est ce dossier ? demanda Arthur.

— Non.

— Nous n'avons aucun intérêt à voir Michael Brock en prison.

— Alors, pourquoi l'accusez-vous ?

— Jouons cartes sur table, maître Green. Si nous trouvons un arrangement pour votre plainte, nous pourrons retirer la nôtre.

— Excellente nouvelle. Que proposez-vous ?

Rafter lui a fait passer un rapport de dix pages bourré de diagrammes multicolores destinés à prouver que la vie des enfants et des jeunes mères sans éducation ne vaut pas cher aux yeux de la justice. L'étude portait sur des verdicts rendus dans tout le pays. Une analyse sur un an, cinq ans et dix ans. Région par région, État par État. La moyenne des compensations accordées pour la mort d'enfants d'âge préscolaire s'établissait à quarante-cinq mille dollars, sensiblement moins dans le Sud et le Middlewest, un peu plus en Californie et dans les grandes agglomérations. L'estimation des manques à gagner de Lontae était assez large. Elle était morte à vingt-deux ans. En admettant qu'elle eût rapidement trouvé un emploi stable, payé au salaire minimum, en supposant qu'elle eût suivi une formation professionnelle lui permettant de gagner deux fois plus et en imaginant qu'elle eût travaillé jusqu'à soixante-cinq ans, Rafter arrivait, compte tenu de l'inflation, à un total de cinq cent soixante-dix mille dollars.

Il n'y avait eu ni blessures, ni brûlures, ni souffrances. Les victimes étaient mortes dans leur sommeil.

Pour régler l'affaire sans reconnaître ses torts, le cabinet offrait généreusement cinquante mille dollars par enfant, pour un montant total de sept cent soixante-dix mille dollars.

– Nous sommes loin du compte, fit Mordecai. Je peux obtenir cette somme d'un jury pour un seul des enfants.

Tout le monde s'est tassé dans son fauteuil.

Mordecai a entrepris de démolir point par point tout ce qui figurait dans le rapport de Rafter. Il n'avait pas à tenir compte de verdicts rendus aux quatre coins du pays. Il savait ce qu'il pouvait obtenir d'un jury à Washington ; rien d'autre ne comptait. Si Rafter croyait pouvoir s'en sortir à si bon compte, il était inutile de poursuivre la discussion.

Arthur s'est interposé.

– C'est négociable... Nos propositions sont négociables.

Mordecai a fait observer que le rapport ne faisait pas allusion à des dommages-intérêts punitifs.

– Nous avons donc un riche avocat d'un gros cabinet qui fait délibérément exécuter une expul-

350

sion illégale dont la conséquence directe est la mort de mes clients jetés à la rue. Je pense, messieurs, qu'il y a de quoi demander et obtenir de gros dommages-intérêts punitifs, surtout ici, à Washington.

« Ici, à Washington » signifiait une seule chose : un jury à majorité noir.

– Nous pouvons négocier, répéta Arthur. Avez-vous un chiffre en tête ?

Nous en avions longuement parlé. Nous réclamions dix millions de dollars, mais le chiffre était pris au hasard. Cela aurait aussi bien pu être quarante, cinquante ou cent millions.

– Un million pour chacun, lâcha Mordecai.

Le chiffre est tombé lourdement sur la table d'acajou. Les autres ont mis plusieurs secondes avant de réagir.

– Cinq millions ? répéta Rafter d'une voix à peine audible.

– Cinq millions ! rugit Mordecai. Un pour chaque victime.

Tout le monde a baissé le nez sur son bloc pour griffonner des chiffres.

Au bout d'un moment, Arthur est revenu à la charge en expliquant que notre hypothèse de la responsabilité n'était pas irréfutable. Un phénomène naturel fortuit – la tempête de neige – était en partie responsable du drame. Cet argument a provoqué une longue discussion sur les conditions climatiques ; le dernier mot est resté à Mordecai.

– Les jurés sauront établir qu'il neige en février, qu'il fait froid en février, qu'il y a des tempêtes de neige en février.

Toute allusion à un jury ou à des jurés était suivie de plusieurs secondes de silence dans le camp adverse. La perspective d'un procès les mettait dans tous leurs états.

Mordecai a expliqué que notre hypothèse était assez solide pour résister à leurs attaques. Que ce fût par des actes intentionnels ou par négligence coupable l'expulsion avait bel et bien eu lieu. Il était prévisible que nos clients seraient contraints de dormir dans la rue, en plein mois de février. Un raisonnement d'une merveilleuse simplicité qui ne pouvait que séduire un jury.

Las d'ergoter sur la responsabilité, Arthur a abattu sa meilleure carte : moi. Plus précisément, le vol du dossier dans le bureau de Chance après qu'il eut refusé de me le montrer. Leur position n'était pas négociable. Ils accepteraient de renoncer aux poursuites si nous trouvions un terrain d'entente sur la procédure civile. Mais ils exigeaient une sanction disciplinaire.

– Que veulent-ils ? demandai-je à Mordecai.

– Une suspension de deux ans, répondit-il d'un ton grave.

J'en suis resté coi. Deux ans, non négociables.

– Je leur ai dit qu'ils étaient cinglés, poursuivit Mordecai avec moins de conviction que je ne l'aurais souhaité. Rien à faire.

J'ai gardé le silence ; c'était plus facile. *Deux ans. Deux ans. Deux ans.*

Ils ont recommencé à discuter du montant des dommages-intérêts sans trouver un accord. En fait, ils n'ont rien décidé d'autre qu'un nouveau rendez-vous dans les meilleurs délais.

Avant de partir, Mordecai leur a remis une copie de la plainte de Marquis Deese, qui n'avait pas encore été déposée. Les défendeurs étaient les trois mêmes ; le plaignant demandait la somme modique de cinquante mille dollars pour l'expulsion illégale. Mordecai leur a promis que d'autres allaient suivre. Nous avions prévu d'en déposer deux par semaine jusqu'à ce que tous les expulsés aient été retrouvés.

– Vous voulez envoyer une copie de ça aux journaux ? lança Rafter.

– Pourquoi pas ? Dès que la plainte a été enregistrée, elle est portée à la connaissance du public.

– C'est que... euh... nous commençons à en avoir assez de la presse.

– Messieurs, vous avez tiré les premiers.

– Quoi ?

– Vous avez communiqué à un journaliste la nouvelle de l'arrestation de Michael.

– Pas du tout !

– Alors, comment se fait-il que le *Washington Post* ait publié sa photo ?

Arthur a demandé à Rafter de la boucler.

Enfermé dans mon bureau, j'ai regardé fixement les murs pendant une heure avant que la lumière se fasse dans mon esprit. Drake & Sweeney était disposé à payer cher pour éviter deux choses : de nouvelles humiliations et le spectacle d'un procès qui risquait de leur faire énormément de tort. Si je rendais le dossier, ils retireraient leur plainte et tout redeviendrait normal. Mais le cabinet demandait réparation du tort que je lui avais causé.

Non seulement j'étais un renégat, mais à leurs yeux je portais l'entière responsabilité du pétrin dans lequel ils se trouvaient. J'étais le lien entre leurs secrets honteux et les projecteurs braqués sur eux depuis le dépôt de ma plainte. L'opprobre jeté sur le cabinet constituait une raison suffisante pour me haïr ; la perspective de débourser des sommes considérables alimentait leur désir de vengeance.

Et j'avais accompli tout cela grâce à des documents qui leur appartenaient. Ils ignoraient apparemment le rôle joué par Hector. J'avais volé le dossier, trouvé ce que je cherchais et reconstitué les événements me permettant d'engager une procédure.

J'étais un Judas. On pouvait comprendre leur point de vue.

36.

Je suis resté assis dans la pénombre de mon bureau bien après le départ de Sofia et d'Abraham. Mordecai est entré, s'est installé dans un des deux robustes fauteuils pliants achetés six dollars aux puces. Un ancien propriétaire les avait peints en bordeaux ; ils étaient laids, mais je ne redoutais plus de voir un client ou un visiteur s'écrouler au beau milieu d'une phrase.

Je savais qu'il avait passé l'après-midi au téléphone, mais je n'avais pas mis les pieds dans son bureau.

— J'ai donné des tas de coups de fil, commença-t-il. Les choses avancent plus vite que nous ne l'avions imaginé.

J'ai écouté ; je n'avais rien à dire.

— J'ai eu plusieurs conversations avec Arthur, plusieurs avec le juge DeOrio. Connaissez-vous DeOrio ?

— Non.

— C'est un dur, mais un homme bon et droit. Il a commencé sa carrière dans un gros cabinet, il y a longtemps, avant de décider qu'il voulait devenir juge. Adieu la fortune ! Il prend plus d'affaires que n'importe qui à Washington ; il a de la poigne, il est autoritaire. DeOrio cherche à régler toutes les affaires à l'amiable ; quand c'est impossible, il fait en sorte que le procès commence au plus tôt. Il a une obsession : ne pas faire traîner les choses.

– Je crois avoir entendu son nom.

– J'espère bien. Vous êtes de la partie depuis sept ans.

– La législation antitrust, dans un gros cabinet.

– Peu importe. Voici le résultat de mes coups de fil : nous avons rendez-vous demain à 13 heures dans la salle d'audience de DeOrio. Tout le monde sera là : les trois défendeurs et leurs avocats, vous, moi, notre curatrice, tous ceux qui, de près ou de loin, sont intéressés à cette affaire.

– Moi aussi ?

– Oui. Le juge tient à votre présence. Vous pourrez prendre place au banc des jurés et écouter, mais il veut que vous soyez là. Et il veut le dossier volé.

– Avec joie.

– Il est de notoriété publique que DeOrio déteste la presse. Il a l'habitude de chasser les journalistes de sa salle et ne veut pas voir une caméra à moins de trente mètres. Le retentissement médiatique de notre affaire l'exaspère ; il est déterminé à mettre fin aux indiscrétions.

– Quand la plainte est déposée, tout le monde peut en avoir connaissance.

– Il est en droit d'ordonner le secret si cela lui chante. Je ne crois pas qu'il le fera, mais il aime élever la voix.

– Il veut donc arriver à un règlement ?

– Naturellement. Comme tous les juges ; cela leur laisse plus de temps pour jouer au golf.

– Quelle est son opinion sur notre affaire ?

– Il n'en a rien laissé deviner, mais a exigé que les trois défendeurs soient présents, pas des sous-fifres. Il veut avoir sous la main ceux qui sont en mesure de prendre des décisions.

– Gantry ?

– Gantry y sera. J'ai parlé à son avocat.

– Sait-il qu'il y a un détecteur de métal à l'entrée ?

– Sans doute ; ce ne sera pas sa première visite au tribunal. Nous avons parlé au juge, Arthur et moi, de la proposition de Drake & Sweeney. DeOrio n'a pas réagi, mais il n'a pas eu l'air impressionné. Il a vu des jurys accorder de gros dommages-intérêts ; il connaît ses jurés.

– Et moi ?

Un long silence a suivi pendant que mon ami choisissait les mots qui lui permettraient d'être en même temps sincère et rassurant.

– Il sera dur avec vous.

Voilà qui était sincère, mais n'avait rien de rassurant.

– Cela vous paraît juste, Mordecai ? Mon avenir est en jeu ; je ne sais plus où j'en suis.

– Vous avez dérobé ce dossier pour réparer une injustice, Michael. Vous n'aviez pas l'intention de le voler, seulement de l'emprunter une ou deux heures. Vos motivations étaient honorables, mais ce n'en est pas moins un vol.

– DeOrio a-t-il employé le mot vol ?

– Oui. Une fois.

Le juge me considérait donc comme un voleur ; la condamnation semblait unanime. Je n'ai pas eu le cran de demander son opinion à Mordecai. Il aurait pu me dire la vérité ; je ne tenais pas à l'entendre.

Il a changé de position ; le fauteuil a gémi sans céder.

– Je veux que vous sachiez quelque chose, a-t-il repris posément. Il vous suffit de dire un mot et nous laissons instantanément tomber cette affaire. Nous n'avons pas besoin d'un arrangement ; personne n'en a besoin. Les victimes sont mortes, les héritiers sont inconnus ou derrière les barreaux. C'est votre affaire ; à vous de décider.

– Ce n'est pas si simple, Mordecai.

– Pourquoi ?

– J'ai peur des charges qui pèsent sur moi.

– Naturellement. Mais ils y renonceront, ils retireront leur plainte auprès du barreau. Si vous voulez, j'appelle Arthur pour lui dire que nous retirons notre plainte s'il retire la sienne. Il sautera sur cette proposition. C'est gagné d'avance.

– La presse nous descendrait en flammes.

– Et alors ? Nous ne risquons rien. Croyez-vous que nos clients se soucient de ce qu'on dit de nous dans le *Washington Post* ?

Il se faisait l'avocat du diable, présentait des arguments auxquels il ne croyait pas vraiment. Mordecai voulait me protéger ; il voulait aussi la peau de Drake & Sweeney.

– D'accord, fis-je, admettons que nous laissions tomber. Qu'aurions-nous accompli ? Les morts resteraient impunies ! Ils ont jeté tous ces gens à la rue, ils portent l'entière responsabilité des expulsions et de la mort de nos clients. Et nous les laisserions s'en sortir à si bon compte ? C'est ce que vous proposez, Mordecai ?

– C'est le seul moyen de conserver votre autorisation d'exercer.

– La pression, Mordecai, il n'y a rien de tel.

Mais il avait raison. J'avais créé cette situation, la décision m'appartenait.

Si je me dégonflais maintenant, Mordecai serait catastrophé. Il consacrait sa vie à la lutte contre l'exclusion, aux pauvres gens qui n'avaient plus ni toit ni espoir, à ceux qui n'avaient rien reçu en partage et n'aspiraient qu'à satisfaire des besoins élémentaires : un repas, un lit, un honnête gagne-pain, un modeste logement. L'occasion lui était rarement donnée de pouvoir imputer directement à une grosse entreprise privée les problèmes de ses clients.

L'argent ne signifiait rien pour Mordecai, de gros dommages-intérêts seraient sans incidence sur sa vie. Comme les clients étaient morts, inconnus ou incarcérés, jamais il ne consentirait à un arrangement. Mordecai voulait un procès pour l'exemple, un procès retentissant, les projecteurs braqués non sur lui mais sur la situation désespérée du peuple de la rue. Un procès ne vise pas toujours à réparer des torts individuels ; il peut aussi servir de tribune.

Ma présence ne faisait que compliquer les choses. Le Blanc risquait de se retrouver derrière les barreaux ; il risquait de perdre son autorisation d'exercer et donc celle de gagner sa vie.

— Je ne déserte pas le navire, Mordecai.

— Je n'en attendais pas moins de vous.

— Envisageons l'hypothèse où ils consentent à verser de gros dommages-intérêts et à retirer leur plainte. Il ne reste plus en jeu que mon autorisation d'exercer. Que se passe-t-il si j'accepte d'y renoncer un certain temps ?

— Vous subissez l'indignité d'une sanction disciplinaire.

— Aussi déplaisant que cela paraisse, ce ne sera pas la fin du monde.

Malgré l'air résolu que je m'efforçais de prendre, la perspective d'un tel déshonneur m'horrifiait. Warner, mes parents, mes amis, Claire et mes confrères de chez Drake & Sweeney ; j'imaginais leur réaction quand ils apprendraient la nouvelle.

— La seconde conséquence est qu'il vous sera interdit d'exercer pendant la période de suspension.

— Je perdrais mon boulot ?

— Bien sûr que non.

— Qu'est-ce que je ferai ?

— Vous vous occuperez des bureaux. Vous donnerez des consultations à la CCNV et dans les missions où vous êtes déjà allé. Vous conserverez votre statut d'associé, mais vous n'aurez plus le titre d'avocat.

– Alors, rien ne changera ?

– Pas grand-chose. Regardez Sofia : elle reçoit plus de clients que nous tous réunis et tout le monde croit qu'elle est avocate. Si la justice s'en mêle, j'en fais mon affaire. Il en ira de même pour vous.

Les règles régissant le droit d'intérêt public étaient écrites par ceux qui l'exerçaient.

– Et si je me fais prendre ?

– Tout le monde s'en fiche. La ligne de démarcation n'est pas toujours nette.

– C'est long, deux ans.

– Pas tant que ça. D'ailleurs, rien ne nous oblige à accepter une suspension de deux ans.

– Je croyais que ce n'était pas négociable.

– Demain, tout sera négociable. Mais il vous faudra faire des recherches, trouver des circonstances similaires, s'il y en a. Voir ce que d'autres juridictions ont décidé en pareil cas.

– Vous pensez que cela s'est déjà produit ?

– Peut-être ; nous sommes un million aujourd'hui. Les avocats font preuve d'ingéniosité pour foutre leur vie en l'air.

Il avait un rendez-vous, il était en retard. Nous sommes sortis ensemble.

Je me suis rendu à la faculté de droit de l'université de Georgetown, près du Capitole. La bibliothèque restait ouverte jusqu'à minuit. C'était l'endroit idéal pour se cacher et réfléchir aux vicissitudes de la vie d'un avocat rebelle.

37.

La salle d'audience de DeOrio se trouvait au premier étage du tribunal. Pour y arriver, il nous a fallu passer près de celle du juge Kisner où attendait mon affaire pour vol qualifié. Dans les couloirs circulaient des confrères, ces avocats sans envergure qui font de la publicité sur les chaînes de télévision locales et sur les arrêts de bus. Ils chuchotaient avec leurs clients qui tous avaient une tête de coupable ; je refusais de croire que ma cause était portée sur le même rang que celle de ces truands.

L'heure de notre arrivée était importante pour moi, accessoire pour Mordecai. Nous n'allions certainement pas nous présenter en retard ; DeOrio était intraitable sur la ponctualité. Mais la perspective d'arriver dix minutes en avance et de devoir supporter les regards, les murmures, voire les banalités d'usage de Donald Rafter, Arthur Jacobs et consorts m'était intolérable. Je n'avais pas non plus envie de me trouver sans le juge dans la même pièce que Tillman Gantry.

Je voulais simplement m'asseoir au banc des jurés et écouter ce qui se disait. Nous sommes entrés à 12 h 58.

L'assistante de DeOrio a distribué des copies de l'ordre du jour et nous a indiqué nos sièges. Mor-

360

decai a pris place à la table des plaignants où l'attendait notre curatrice, Wilma Phelan, qui s'ennuyait ferme et savait qu'elle n'aurait pas à prendre part à la discussion.

Les représentants de Drake & Sweeney étaient groupés à un bout de la table de la défense, Tillman Gantry et ses deux avocats à l'autre. Au centre, faisant office de tampon, se trouvaient deux délégués de RiverOaks et trois avocats. Ils étaient onze en tout.

Je m'attendais à voir l'ex-proxénète avec des bagouses aux doigts, des boucles d'oreilles et une tenue tapageuse. Il n'en était rien. Vêtu d'un sobre complet marine, Gantry était plus élégant que ses avocats. Plongé dans la lecture de documents, il n'accordait aucune attention à ce qui se passait autour de lui.

Aux côtés d'Arthur, Rafter et Nathan Malamud était assis Barry Nuzzo. Je m'attendais à tout mais certainement pas à voir Barry. En déléguant trois des otages, le cabinet envoyait un message subtil ; les autres aussi avaient été terrorisés par DeVon Hardy, mais ils n'avaient pas craqué. Que m'était-il arrivé ? Pourquoi étais-je devenu le mouton noir ?

Le cinquième membre du groupe était L. James Suber, un avocat de la compagnie assurant Drake & Sweeney contre les conséquences des fautes professionnelles. Mais la police ne couvrait ni les fautes intentionnelles ni les manquements délibérés à un code de conduite. Braden Chance avait décidé sciemment de poursuivre la procédure d'expulsion en sachant que les squatters étaient en réalité des locataires.

À 13 heures tapantes, le juge DeOrio a fait son entrée.

— Bonjour, fit-il avec brusquerie en prenant son siège sur l'estrade.

Il avait revêtu sa robe, ce qui m'a étonné. Il ne s'agissait pas d'une audience officielle, mais d'une simple réunion visant à trouver un arrangement.

– Monsieur Burdick, poursuivit-il après avoir réglé son micro, veuillez fermer les portes.

Burdick était un adjoint du shérif, un policier en uniforme chargé de surveiller la salle où pas un seul siège n'était occupé. La réunion allait se tenir à huis clos.

– Mon assistante m'a informé que toutes les parties et leurs représentants sont présents, commença DeOrio en me lançant le regard que l'on réserve à un violeur. Le but de cette réunion est d'essayer de parvenir à un arrangement. Après de multiples conversations téléphoniques avec les principaux avocats, il m'est apparu qu'une réunion comme celle-ci pouvait porter des fruits. Je n'en ai jamais organisé si peu de temps après le dépôt d'une plainte, mais toutes les parties ont donné leur accord. Le premier point à aborder est celui du secret des débats. Rien de ce qui se dira dans cette salle ne devra être répété à la presse, en aucune circonstance.

Il nous a successivement regardés, Mordecai, puis moi. À la table de la défense, toutes les têtes se sont tournées dans notre direction.

L'assistante a remis à chacun de nous un accord de non-divulgation que nous avons signé.

– Nous allons suivre l'ordre du jour, reprit le juge. Nous commencerons donc par le rappel des faits et la recherche des responsabilités. La parole est à vous, maître Green. Vous avez cinq minutes.

Mordecai s'est levé, sans notes, les mains dans les poches, parfaitement à l'aise. Deux minutes lui ont suffi pour exposer nos arguments. DeOrio appréciait la concision.

Arthur a pris la parole au nom des défendeurs. Il a contesté la notion de responsabilité en incriminant la tempête de neige qui avait paralysé la ville et créé des conditions pénibles pour tout le monde. Il s'en est aussi pris à Lontae Burton.

– Elle aurait pu se mettre à l'abri; des centres d'urgence étaient ouverts. Elle avait passé la nuit précédente dans le sous-sol d'une église. Pourquoi n'y est-elle pas restée ? Je l'ignore, mais, autant que nous sachions, nul ne l'a obligée à partir. Je rappelle en outre que sa grand-mère occupe un appartement dans le Nord-Est. Lontae Burton ne porte-t-elle pas une part de la responsabilité ? N'aurait-elle pas dû faire plus pour protéger ses enfants ?

Arthur n'aurait pas d'autre occasion d'adresser des reproches à une morte. Quand le procès aurait lieu, ni Arthur ni aucun avocat sain d'esprit n'oserait insinuer devant le jury que Lontae Burton était en partie responsable de la mort de ses enfants.

— Expliquez-moi d'abord pourquoi elle vivait dans la rue, fit sèchement DeOrio.

— Dans l'intérêt de cette réunion, répondit imperturbablement Arthur, nous consentons à reconnaître que l'expulsion était illégale.

— Merci.

— Je vous en prie. Nous cherchons seulement à établir que la mère est en partie responsable.

— Dans quelle mesure ?

— Au moins à cinquante pour cent.

— C'est trop.

— Nous ne le pensons pas, Votre Honneur. Nous l'avons peut-être jetée à la rue, mais elle y avait déjà passé plus d'une semaine quand le drame s'est produit.

— Maître Green ?

Mordecai s'est levé en secouant la tête comme si Arthur était un étudiant de première année aux prises avec des raisonnements élémentaires.

— Ces gens-là n'ont pas aisément accès à un logement ; c'est la raison pour laquelle on parle de sans domicile fixe. Vous reconnaissez les avoir jetés sur le pavé, là où ils ont trouvé la mort. J'aimerais beaucoup en parler à un jury.

Les épaules d'Arthur se sont affaissées. Rafter, Malamud et Barry Nuzzo écoutaient attentivement, le visage défait à l'idée de Mordecai s'adressant à un jury de couleur.

– La responsabilité est claire, maître Jacobs, déclara DeOrio. Vous pouvez tirer argument de la négligence de la mère si cela vous chante, mais je ne vous le conseille pas.

Si la responsabilité des défendeurs était prouvée, le jury se pencherait sur la question des dommages-intérêts. La parole a été donnée à Rafter qui a présenté son étude sur les compensations accordées aux enfants d'âge préscolaire. Il est rapidement devenu barbant. Après avoir détaillé l'estimation des manques à gagner de Lontae Burton, il est arrivé au même chiffre que la veille, soit sept cent soixante-dix mille dollars.

– J'espère, maître Rafter, que cette offre n'est pas définitive, lança DeOrio d'un ton de défi.

– Non, Votre Honneur.

– À vous, maître Green.

Mordecai s'est encore levé.

– Nous rejetons cette offre, Votre Honneur. Cette étude n'a aucune valeur pour moi. La seule chose qui m'intéresse est de savoir combien un jury pourra m'accorder. Avec tout le respect dû à mon confrère, ce sera infiniment plus que ce qu'il propose.

Il ne se trouvait pas dans la salle une seule personne pour en douter.

Mordecai a contesté la position selon laquelle la vie d'un enfant ne valait pas plus de cinquante mille dollars. Il a clairement donné à entendre qu'une estimation si basse résultait d'un préjugé contre des enfants de la rue qui se trouvaient être de race noire.

À la table de la défense, Gantry était le seul à ne pas se tortiller sur son siège.

– Vous avez un fils à St. Alban, maître Rafter, poursuivit Mordecai. Estimez-vous sa vie à cinquante mille dollars ?

Rafter baissa le nez à toucher son calepin.

– Je pourrai convaincre un jury, ajouta Mordecai, que la vie de chacun de ces petits enfants valait
au moins un million de dollars, autant que celle
d'un élève d'une école privée de la Virginie ou du
Maryland.

C'était un coup vicieux et douloureux. Il ne pouvait y avoir aucun doute sur les écoles fréquentées
par leurs enfants.

Le rapport de Rafter ne faisait pas état des douleurs et des souffrances des victimes, ce qui impli-
quait qu'ils étaient morts paisiblement en inhalant
des vapeurs inodores.

Rafter a payé cher son omission. Mordecai s'est
lancé dans un récit détaillé des dernières heures de
Lontae et des enfants. La recherche de nourriture
et de chaleur, la neige qui s'amoncelait, la peur de
mourir de froid, les efforts désespérés pour rester
ensemble, l'horreur d'être pris dans la tempête de
neige, coincés dans la voiture, les yeux rivés sur la
jauge d'essence.

Une prestation éblouissante, réalisée au pied
levé par un orateur de talent. Si j'avais été un juré,
je l'aurais suivi les yeux fermés.

– Ne parlez pas de douleurs et de souffrances,
lança-t-il aux avocats de Drake & Sweeney. Vous
ne savez pas ce que c'est !

Il a parlé de Lontae comme s'il la connaissait
depuis des années. Il a évoqué son enfance et les
erreurs auxquelles elle n'avait su échapper ; il
a insisté sur la mère passionnément attachée à
ses enfants et cherchant désespérément à s'en
sortir. Elle avait pris sa vie à bras-le-corps,
elle était en passe de gagner le combat contre la
dépendance quand on l'avait rejetée à la rue. Sa
voix enflait sous l'effet de l'indignation, redescen-
dait quand la honte et la mauvaise conscience
l'emportaient. Pas une syllabe n'était avalée, pas
un mot n'était de trop. Il leur donnait un aperçu

impressionnant de ce qu'il serait capable de faire devant un jury.

Mordecai a gardé le meilleur pour la fin. Il a expliqué l'objet des dommages-intérêts punitifs : frapper d'une sanction les actes répréhensibles, faire des exemples afin que leurs auteurs ne puissent continuer à nuire. Il a dénoncé avec force les méfaits commis par ces nantis qui manquaient du respect le plus élémentaire pour les moins favorisés. « Ce n'est qu'une bande de squatters ! Il n'y a qu'à les foutre dehors ! » lança-t-il d'une voix tonnante.

L'appât du gain les avait poussés à enfreindre la loi. C'était l'occasion ou jamais d'infliger des dommages-intérêts punitifs. Il ne faisait aucun doute pour lui qu'un jury l'entendrait ainsi.

– Nous demandons cinq millions de dollars, déclara Mordecai en conclusion. Pas un sou de moins.

Dans le silence qui a suivi, DeOrio a pris quelques notes, regardé l'ordre du jour. Le point suivant était le dossier disparu.

– L'avez-vous ? me demanda le juge.

– Oui, Votre Honneur.

– Acceptez-vous de le rendre ?

– Oui.

Mordecai a ouvert sa serviette cabossée pour prendre le dossier. Il l'a tendu à l'assistante qui l'a passé au magistrat. Nous avons regardé dix longues minutes DeOrio tourner les pages du document.

J'ai surpris des regards en coin de Rafter ; ils étaient tellement impatients de récupérer leur dossier.

– Le dossier a été rendu, maître Jacobs, déclara le juge quand il eut terminé. Une affaire est en instance dans ce tribunal ; j'ai parlé au juge Kisner. Que souhaitez-vous faire ?

– Si nous pouvons trouver un accord sur les autres questions, Votre Honneur, nous cesserons les poursuites.

– Je suppose que cela vous convient, maître Brock.

– Oui, Votre Honneur.

– Passons au point suivant. Nous abordons maintenant l'action intentée par Drake & Sweeney contre Michael Brock pour manquement à la déontologie. Je vous laisse la parole, maître Jacobs.

Arthur s'est levé pour condamner mon comportement. Il ne s'est pas montré trop dur, ne s'est pas étendu sur le sujet ; il ne semblait pas y prendre de plaisir. Arthur était l'archétype de l'avocat, un juriste chevronné qui se faisait le chantre de la rigueur morale et la mettait assurément en pratique. Il ne me pardonnerait jamais les degâts que j'avais causés, mais n'oubliait pas que j'avais fait partie de la maison.

Il a estimé en conclusion que je ne pouvais échapper à une sanction pour cette grave violation du secret professionnel. Il ne leur serait pas difficile de retirer l'accusation de vol qualifié mais j'étais avocat – un bon avocat – et, à ce titre, je devais assumer mes responsabilités.

En aucun cas ils ne retireraient leur plainte. Les arguments d'Arthur étaient solides, bien présentés ; je les ai trouvés convaincants. La mine revêche, les représentants de RiverOaks semblaient intraitables.

– Maître Brock, demanda DeOrio, avez-vous quelque chose à déclarer ?

Je n'avais rien préparé, mais je n'avais pas peur de donner mon sentiment. J'ai regardé Arthur droit dans les yeux.

– Maître Jacobs, j'ai toujours eu pour vous le plus grand respect, et cela n'a pas changé. Je n'ai rien à dire pour ma défense. J'ai eu tort de dérober ce dossier et j'ai amèrement regretté de l'avoir fait. Je cherchais des renseignements que je savais avoir été dissimulés, ce qui ne justifie pas mon geste. Je vous présente mes excuses, ainsi qu'à votre client, RiverOaks.

Je me suis rassis, incapable de regarder la table de la défense. Mordecai m'a confié par la suite que mon humilité avait fait très bon effet.

DeOrio a pris une décision d'une grande habileté en passant à la procédure que nous n'avions pas encore engagée. Notre intention était de déposer deux plaintes au nom de Marquis Deese et de Kelvin Lam en attendant d'avoir retrouvé les autres expulsés. DeVon Hardy et Lontae Burton n'étant plus de ce monde, il restait quinze plaignants potentiels.

– Puisque vous reconnaissez votre responsabilité, maître Jacobs, fit le juge, il convient d'aborder la question des dommages-intérêts. Combien proposez-vous pour dédommager ces plaignants ?

Arthur a murmuré quelque chose à Rafter et Malamud avant de se lever.

– Nous estimons, Votre Honneur, que ces personnes ont été privées de leur logement pendant un mois. Si nous leur donnons cinq mille dollars chacune, elles pourront trouver autre chose, probablement mieux que ce qu'elles avaient.

– C'est une somme modeste, fit DeOrio. Maître Green ?

– Beaucoup trop modeste, approuva Mordecai. Cette fois encore, mon évaluation repose sur ce qu'un jury pourrait accorder. Mêmes défendeurs, même décision arbitraire, même jury. Je pourrais aisément obtenir cinquante mille dollars.

– Combien accepterez-vous ?

– Vingt-cinq mille.

– Je pense que vous devriez payer, fit le juge en se tournant vers Arthur. Ce n'est pas déraisonnable.

– Vingt-cinq mille dollars chacun ? lança Arthur dont la façade d'impassibilité commençait à se fissurer sous les assauts conjugués de la partie adverse et du magistrat.

– Exactement.

Un conciliabule agité a eu lieu entre les représentants de Drake & Sweeney. Ils n'ont pas consulté les avocats des deux autres défendeurs. À l'évidence, il incomberait au cabinet de régler la note. Gantry semblait totalement indifférent ; il n'avait pas d'argent à perdre dans l'histoire. River-Oaks avait dû menacer les avocats de poursuites si l'affaire n'était pas réglée.

– D'accord pour vingt-cinq mille, annonça calmement Arthur.

Trois cent soixante-quinze mille dollars allaient sortir des coffres de Drake & Sweeney.

DeOrio avait eu l'habileté de commencer par les dédommagements les plus modestes. Le premier pas était fait ; il ne s'arrêterait pas en si bon chemin.

– Messieurs, reprit le juge, il nous reste deux questions à régler. La première est le montant du dédommagement accordé aux héritiers de Lontae Burton, le second les poursuites contre Me Brock. Il semble que l'une dépende de l'autre. Je pense que le moment est venu de m'entretenir en privé avec chaque partie. Je commencerai par les plaignants. Maître Green, maître Brock, voulez-vous me suivre dans mon bureau ?

L'assistante nous a précédés dans le couloir et nous a conduits dans un magnifique bureau lambrissé d'une boiserie de chêne où le juge retirait sa robe. Il a demandé à une secrétaire de lui préparer un thé, nous en a proposé un ; nous avons refusé. L'assistante s'est retirée, nous laissant seuls avec DeOrio.

– Nous avons bien avancé, commença le juge, mais je ne vous cache pas, maître Brock, que la plainte pour manquement à la déontologie est ennuyeuse. Avez-vous conscience de la gravité de la situation ?

– Je crois, Votre Honneur.

Il s'est mis à marcher de long en large, en faisant craquer ses jointures.

– Il y a sept ou huit ans, un avocat a trouvé une combine du même genre. Il a quitté le cabinet qui l'employait en emportant un tas de documents mystérieusement retrouvés dans un cabinet concurrent qui, par le plus grand des hasards, offrait un poste de choix à notre avocat. Son nom m'échappe.

– Makovek. Brad Makovek.

– Merci, maître Brock. Savez-vous ce qui lui est arrivé ?

– Deux ans de suspension.

– Précisément la sanction que l'on veut vous infliger.

– Pas question, Votre Honneur, coupa Mordecai. Il n'est pas question d'accepter une suspension de deux ans.

– Quelle durée accepteriez-vous ?

– Six mois maximum. Non négociable. Vous avez vu comme moi, monsieur le juge, que ces gens-là sont morts de trouille. Ils ont peur, pas nous. Pourquoi chercher un compromis ; je préfère m'en remettre à un jury.

– Il n'y aura pas de jury.

Le juge s'est approché de moi, m'a regardé au fond des yeux.

– Vous seriez d'accord pour une suspension de six mois ?

– Oui, Votre Honneur. À la condition qu'ils paient les dommages-intérêts.

– Combien ? demanda DeOrio en se tournant vers Mordecai.

– Cinq millions. Je pourrais obtenir plus d'un jury.

Le magistrat s'est avancé vers la fenêtre en se grattant le menton.

– Je pense qu'un jury accorderait cinq millions, fit-il sans se retourner. À qui ira l'argent ?

– Ce sera un véritable casse-tête, reconnut Mordecai.

— Quel est le montant de vos honoraires ?

— Vingt pour cent. La moitié ira à une fondation, à New York.

Le juge a pivoté sur ses talons et s'est remis à marcher, les mains jointes derrière la tête.

— Six mois est une peine légère.

— Nous n'irons pas au-delà, riposta Mordecai.

— Très bien. Laissez-moi parler à la partie adverse.

Notre entretien avec DeOrio n'avait pas duré un quart d'heure ; il est resté une heure avec les méchants. Il est vrai qu'ils allaient casquer.

Nous avons bu un Coca en silence, sur un banc de la salle des pas perdus, en observant les nuées d'avocats en quête de clients.

Nous avons parcouru des couloirs en regardant les yeux effrayés de ceux qui allaient passer devant un juge. Mordecai a échangé quelques mots avec deux confrères de sa connaissance. Pas un visage ne m'était familier. Les avocats des gros cabinets ne fréquentent pas les tribunaux.

L'assistante est venue nous chercher. Dans la salle d'audience, chacun avait repris sa place ; la tension était perceptible. DeOrio était nerveux, Arthur et sa troupe avaient l'air épuisé.

— Maître Green, commença le juge, je me suis entretenu avec les avocats des défendeurs. Voici ce qu'ils proposent : la somme de trois millions de dollars en dommages-intérêts et une suspension d'un an pour Me Brock.

Mordecai venait à peine de s'installer dans son siège ; il s'est redressé d'un bond.

— Dans ce cas, nous perdons notre temps, déclara-t-il en saisissant sa serviette.

Je me suis levé pour lui emboîter le pas.

— Veuillez nous excuser, Votre Honneur, nous avons mieux à faire.

— Vous êtes excusés, grogna DeOrio, furieux.

Nous avons quitté la salle d'audience à grands pas.

38.

J'ouvrais la portière de la voiture, quand le portable a sonné dans ma poche. C'était DeOrio. Mordecai a éclaté de rire en m'entendant dire : « Bien, monsieur le juge. Nous sommes là dans cinq minutes. » Nous en avons pris dix, en faisant un arrêt aux toilettes, en marchant lentement, en utilisant l'escalier, pour laisser à DeOrio le temps de s'acharner sur les défendeurs.

En pénétrant dans la salle d'audience, j'ai vu Jack Bolling, un des trois avocats de RiverOaks, en bras de chemise, les manches retroussées, qui s'écartait de la bande de chez Drake & Sweeney. J'ignorais s'il avait réellement distribué des gifles ; il en paraissait tout à fait capable.

À l'évidence, RiverOaks avait été effrayé par le déroulement de la réunion. Des menaces avaient été proférées ; la société immobilière avait peut-être décidé de participer aux frais. Nous ne le saurions jamais.

J'ai pris place aux côtés de Mordecai ; Wilma Phelan avait disparu.

– Nous sommes près du but, affirma DeOrio.

– Nous envisageons de retirer notre proposition, déclara Mordecai de son ton le plus mordant.

Nous n'en avions pas parlé ; ce n'était venu à

l'esprit ni des avocats de la partie adverse ni du magistrat.

– Calmez-vous, fit DeOrio.

– Je parle sérieusement, Votre Honneur. Plus je passe de temps dans cette salle, plus je suis convaincu que cette mascarade doit être dénoncée. Pour ce qui est de Michael Brock, ses anciens employeurs auront beau le charger, cela ne portera pas à conséquence. Ils ont récupéré leur dossier ; il n'a pas d'antécédents judiciaires. Les prisons sont surchargées de trafiquants de drogue et de criminels ; il ne sera pas condamné. Quant à la plainte adressée au barreau, qu'elle aille à son terme. J'en déposerai une contre Braden Chance, peut-être contre quelques autres confrères mouillés dans cette affaire. Si vous allez voir la presse, ajouta-t-il, le doigt pointé sur Arthur, nous irons aussi voir la presse.

Le centre d'assistance juridique de la 14ᵉ Rue se contrefichait de ce qu'on pouvait écrire sur lui. Si Gantry s'en souciait, il ne le montrait pas. River-Oaks pouvait continuer à gagner de l'argent en ayant mauvaise presse. Mais Drake & Sweeney n'avait que sa réputation à vendre.

La tirade de Mordecai a pris tout le monde de court.

– Avez-vous terminé ? demanda DeOrio.

– Je pense.

– Bien. La dernière proposition est de quatre millions.

– S'ils peuvent débourser quatre millions, ils peuvent certainement en débourser cinq. Le chiffre d'affaires du cabinet Drake &Sweeney s'est élevé l'an dernier à près de sept cents millions de dollars.

Il s'interrompit, laissant aux chiffres le temps de se répercuter aux quatre coins de la salle d'audience.

– Quant à la société RiverOaks, reprit-il, la valeur de ses biens immobiliers s'élève à trois cent cinquante millions de dollars. Qu'on me donne un jury !

– Avez-vous terminé ? demanda derechef De-Orio.

– Non, Votre Honneur, répondit Mordecai d'une voix infiniment plus calme. Nous demandons deux millions tout de suite, la moitié pour nos honoraires, l'autre pour les héritiers. Le versement des trois millions restants pourra être étalé sur dix ans ; les défendeurs peuvent certainement débourser trois cent mille dollars par an.

En raison de l'instabilité des héritiers et du fait que l'identité de tous n'était pas encore connue, il paraissait plus prudent de laisser l'argent à la garde de la justice.

Un soulagement marqué s'est fait sentir dans les rangs de Drake & Sweeney ; Mordecai avait ouvert une porte de sortie.

Jack Bolling est allé s'entretenir à voix basse avec eux ; les avocats de Gantry ne perdaient rien de ce qui se passait, mais ils donnaient l'impression de s'ennuyer autant que leur client.

– Nous pouvons accepter cela, annonça Arthur, mais nous restons inflexibles en ce qui concerne Me Brock. Une suspension d'un an ou il n'y aura pas d'accord.

J'ai senti une bouffée de haine monter en moi. J'étais leur dernière carte ; s'ils voulaient sauver la face, ils devaient me faire tout le mal possible.

Mais le pauvre Arthur n'était pas en position de force pour négocier. Il était aux abois ; cela se voyait.

– Qu'est-ce que ça change pour vous ? rugit Mordecai. Il a accepté le principe de la sanction ; que vous apporteront six mois de plus ? C'est absurde !

Les deux représentants de RiverOaks n'en pouvaient plus. La peur naturelle qu'ils avaient de la justice s'était muée en terreur après trois heures passées en compagnie de Mordecai. Pour rien au monde, ils ne l'auraient supporté au long des quinze jours d'un procès. Ils ont commencé à chuchoter en secouant la tête.

Tillman Gantry aussi en avait sa claque. L'accord était à portée de main. Qu'on en finisse !

Mordecai avait raison de dire que cela ne changerait rien. Surtout pour l'avocat des pauvres que j'étais devenu, dont le travail, le salaire et la position sociale ne seraient aucunement affectés par une suspension.

– Si nous coupions la poire en deux, Votre Honneur, proposai-je en me levant. Nous avons accepté six, ils en veulent douze. Je suis d'accord pour neuf.

En prononçant ces derniers mots, je me suis tourné vers Barry Nuzzo ; j'ai vu qu'il me souriait.

Si Arthur avait ouvert la bouche, il se serait fait rouer de coups. Tout le monde a respiré, y compris le juge.

– Dans ce cas, l'affaire est réglée, déclara-t-il sans attendre la confirmation des défendeurs.

Il n'y avait pas de champagne au bureau. Sofia accomplissait sa tâche quotidienne ; Abraham participait à un séminaire à New York.

Si un cabinet juridique pouvait encaisser cinq cent mille dollars sans que rien en paraisse, c'était le centre d'assistance de la 14e Rue. Mordecai voulait changer les ordinateurs et les téléphones, mais aussi refaire le chauffage. Le reste de l'argent serait placé et rapporterait des intérêts dans l'attente des vaches maigres. Nos maigres salaires étaient assurés pour quelques années.

Mordecai était déçu de devoir reverser la même somme à la fondation Cohen ; il ne le montra pas. Il n'était pas homme à se prendre la tête pour ce qu'il ne pouvait changer ; son bureau était couvert de batailles qu'il pouvait remporter.

Il faudrait au moins neuf mois de travail acharné pour y voir clair dans l'affaire Burton ; c'est ce à quoi j'allais employer le plus clair de mon temps. Il fallait établir l'identité des héritiers, les retrouver et avoir l'œil quand ils comprendraient qu'il y avait gros à gagner. Il faudrait peut-être demander l'exhumation des corps de Kito Spires et des trois plus jeunes enfants pour pratiquer des tests ADN. Si Kito était bien le père, il hériterait des enfants, décédés avant lui. Comme il était mort lui aussi, il faudrait retrouver ses propres héritiers.

La mère et les frères de Lontae posaient un sérieux problème. Ils avaient gardé des contacts dans la rue. Dès qu'ils seraient mis en liberté conditionnelle, ils chercheraient à récupérer leur part du butin.

Deux projets intéressaient particulièrement Mordecai. Le premier était un programme de bénévolat qu'il avait mis sur pied quelques années auparavant et auquel il avait dû renoncer, faute de crédits. Il y avait eu jusqu'à une centaine d'avocats consacrant quelques heures par semaine à la défense des sans-abri. Il m'a demandé si je voulais me charger de le relancer ; l'idée me plaisait. Nous pourrions toucher plus de monde, approfondir les contacts avec le barreau.

Réunir des fonds plus importants, tel était le second projet. Sofia et Abraham étaient incapables de demander de l'argent à quiconque. Mordecai pouvait convaincre les gens de lui donner leur chemise, mais jamais il n'aurait tendu la main. J'étais blanc, j'étais jeune, j'étais bien placé pour fréquenter de riches professionnels libéraux.

– En vous débrouillant bien, dit Mordecai, vous pourrez arriver à deux cent mille dollars par an.

– Qu'en ferons-nous ?

– Cela nous permettrait de recruter deux secrétaires, deux assistants, peut-être un autre avocat.

Sofia venait de partir ; nous étions assis dans la grande pièce. Nous avons regardé la nuit tomber ;

Mordecai s'est mis à rêver. Il avait la nostagie du temps où sept avocats se marchaient sur les pieds dans les bureaux exigus. C'était le bazar, mais le petit cabinet aidait des milliers de sans-abri.

— Nous allons en déclinant depuis cinq ans et on souffre de plus en plus dans la rue. Nous avons une occasion en or de renverser cette tendance.

Cette tâche m'incombait. J'étais le sang neuf, celui qui allait apporter une nouvelle vigueur et une nouvelle dimension à nos activités. J'animerais les bureaux en faisant venir les bénévoles par dizaines. Nous allions donner de l'extension à notre centre, peut-être dégager les pièces de rangement du premier étage et les remplir d'avocats talentueux.

Les droits des sans-abri seraient protégés. Ils feraient entendre leur voix par l'intermédiaire de la nôtre.

39.

Le vendredi de bonne heure, j'étais à mon bureau quand Drake & Sweeney, en la personne d'Arthur Jacobs, s'est présenté à la porte. Je l'ai accueilli courtoisement, avec une pointe de méfiance, l'ai invité à prendre place dans un des fauteuils bordeaux. Il n'avait pas envie d'un café ; il voulait juste parler.

Arthur était préoccupé ; je l'ai écouté avec attention.

Les semaines qui venaient de s'écouler avaient été les plus pénibles d'une carrière longue de cinquante-six ans. L'accord que nous avions trouvé n'avait été qu'un mince réconfort. Les affaires avaient repris après un léger ralentissement, mais Arthur dormait mal. Un de ses associés avait commis une grosse faute à l'origine de la mort de plusieurs innocents. Drake & Sweeney ne pourrait jamais payer sa dette envers Lontae et ses enfants ; ce n'était pas une question d'argent. Et Arthur n'était pas sûr de pouvoir s'en remettre.

J'étais trop surpris pour trouver quelque chose à dire ; j'aurais aimé que Mordecai l'entende.

Arthur souffrait ; j'étais peiné pour lui. Il songeait à la retraite depuis deux ou trois ans, mais maintenant il ne savait plus que faire. Il en avait assez d'amasser de l'argent. Il a affirmé en soupirant qu'il ne lui restait plus beaucoup de temps ; j'étais pourtant sûr qu'il serait à mon enterrement.

Le centre d'assistance juridique le fascinait ; je lui ai expliqué comment je l'avais trouvé. Il voulait savoir depuis combien de temps il existait, combien de personnes y travaillaient, d'où provenait le financement, comment il était géré.

J'ai expliqué qu'étant dans l'incapacité d'exercer pendant neuf mois, on m'avait confié le soin de mettre sur pied un programme de volontariat faisant appel à des avocats employés par de gros cabinets. Drake & Sweeney étant le plus important, j'avais pensé commencer par eux. Les bénévoles ne travailleraient que quelques heures par semaine, sous ma supervision, et nous pourrions venir en aide à des milliers de démunis.

Arthur avait vaguement entendu parler de ces programmes. Il a reconnu, avec une pointe de tristesse, ne pas avoir travaillé à titre gracieux depuis deux décennies. Les jeunes collaborateurs avaient l'apanage du bénévolat.

Mais l'idée lui plaisait. Au fil de la discussion, le projet a pris de l'ampleur. Au bout de quelques minutes, il a lancé l'idée de demander aux quatre cents avocats de ses bureaux de Washington de consacrer quelques heures hebdomadaires à la défense des indigents. Cela lui semblait juste.

– Pourriez-vous superviser le travail de quatre cents avocats ?

– Naturellement, répondis-je, sans avoir la moindre idée de ce que représentait une telle tâche. Mais il me faudra de l'aide.

– Sous quelle forme ? demanda Arthur.

– Drake & Sweeney pourrait déléguer quelqu'un à la coordination du travail des bénévoles ; nous agirions en étroite collaboration. Sincèrement, avec quatre cents avocats, nous aurons besoin de quelqu'un de chez vous.

Il a pris le temps de réfléchir. Tout était nouveau

pour lui, tout était tentant. Je ne voulais pas en rester là.

– Je connais quelqu'un qui ferait l'affaire. Il n'est pas nécessaire de choisir un avocat ; un bon assistant s'en sortira très bien.

– À qui pensez-vous ?

– Le nom d'Hector Palma vous dit quelque chose ?

– Vaguement.

– Il est aujourd'hui à Chicago, mais il vient de Washington. Il travaillait avec Braden Chance. Il habitait à Bethesda ; il y a trois semaines, il a déménagé en pleine nuit. Une mutation éclair à Chicago. Il savait tout sur les expulsions ; je soupçonne Chance d'avoir voulu se débarrasser de lui.

Je surveillais mes paroles ; pas question de violer la promesse faite à Hector.

Je n'ai pas eu à le faire. Arthur savait lire entre les lignes.

– Il est de Washington ?

– Oui. Sa femme aussi ; ils ont quatre gosses. Je suis sûr qu'il serait heureux de revenir.

– Et il s'intéresse au sort des sans-abri ?

– Vous pouvez lui poser la question.

– Je n'y manquerai pas. C'est une excellente idée.

Si Arthur décidait qu'Hector Palma était l'homme de la situation, il serait de retour dans moins d'une semaine.

Le projet a pris forme sous nos yeux. Tous les avocats du cabinet se chargeraient d'une affaire par semaine. Les jeunes collaborateurs assureraient les consultations sous ma supervision ; Hector répartirait les affaires à traiter entre les autres. J'ai expliqué à Arthur qu'un quart d'heure suffirait pour certaines, que d'autres demanderaient plusieurs heures de travail par mois.

J'ai eu une pensée émue pour les politiciens et les fonctionnaires qui allaient devoir faire face aux quatre cents avocats de chez Drake & Sweeney.

Arthur est resté près de deux heures. Il s'est excusé en partant de m'avoir fait perdre tout ce temps. Mais il avait l'air plus heureux, comme quelqu'un qui a trouvé sa voie. Après l'avoir raccompagné à sa voiture, je me suis empressé de tout raconter à Mordecai.

L'oncle de Megan possédait une maison sur la côte du Delaware, près de l'île Fenwick. Une vieille maison pittoresque, deux niveaux, un vaste porche qui s'étendait presque jusqu'à la plage et trois chambres ; l'endroit idéal pour un week-end. À la mi-mars, il faisait encore froid ; nous pourrions lire au coin du feu.

Elle avait légèrement insisté sur les trois chambres, pour bien me faire comprendre que chacun aurait son espace et son intimité, afin d'éviter les complications. Elle savait que je pansais les blessures d'un mariage raté. Au bout de deux semaines de flirt discret, nous avions tous deux compris qu'il faudrait donner du temps au temps. Mais il y avait une autre raison à son insistance à propos des trois chambres.

Nous avons quitté Washington le vendredi après-midi. Je conduisais, Megan était la navigatrice. À l'arrière Ruby grignotait des cookies aux flocons d'avoine, tout excitée à la perspective de passer quelques jours loin de la ville, loin de la rue, sur une plage, sans prendre de saloperies.

Elle n'avait rien pris la veille au soir. Avec les trois nuits dans le Delaware, cela ferait quatre. Le lundi après-midi, nous devions l'accompagner à Easterwood, un centre de désintoxication réservé aux femmes. Mordecai avait lourdement insisté auprès d'un médecin de sa connaissance ; Ruby aurait une petite chambre pour trois mois minimum.

Avant de partir, elle s'était douchée et changée chez Naomi. Megan avait fouillé ses affaires et son sac ; elle n'avait rien trouvé. C'était une atteinte à la vie privée mais avec les toxicos, les règles sont différentes.

Nous avons découvert la maison au crépuscule. Megan l'utilisait une ou deux fois par an ; la clé était sous le paillasson.

Elle m'a donné la chambre du bas, ce que Ruby a trouvé curieux. Les deux autres étaient à l'étage ; Megan voulait être près de Ruby pendant la nuit.

Il a plu le samedi, des bourrasque glaciales venant de la mer. Seul sous le porche, enveloppé dans une grosse couverture, je m'abandonnais au mouvement d'une balancelle, perdu dans des rêveries, écoutant le bruit des vagues qui se fracassaient au pied de la maison. J'ai entendu la porte claquer ; Megan s'est approchée. Elle a soulevé la couverture, est venue se nicher contre moi. Je l'ai serrée dans mes bras, pour éviter qu'elle ne tombe.

C'était agréable de l'avoir contre moi.

– Où est notre cliente ?

– Devant la télé.

Une rafale de pluie nous a fouetté le visage ; nous nous sommes serrés un peu plus fort. Les chaînes retenant la balancelle se sont mises à grincer. Nous avons observé les nuages tourbillonnant au-dessus de l'océan. Nous étions hors du temps.

– À quoi penses-tu ? demanda-t-elle doucement.

À tout et à rien. Loin de la ville, l'occasion m'était enfin donnée de regarder derrière moi et d'essayer de trouver un sens à tout ce qui s'était passé. Trente-deux jours plus tôt, j'étais marié avec quelqu'un d'autre, je vivais dans un autre appartement, je travaillais dans d'autres bureaux. Je ne connaissais pas la femme que je tenais aujourd'hui dans mes bras. Comment la vie pouvait-elle changer du tout au tout en un mois ?

Je n'osais penser à l'avenir ; le passé était toujours présent.

"Manipulations"

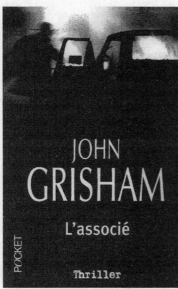

JOHN
GRISHAM

L'associé

POCKET

Thriller

(Pocket n°10288)

Espérait-il faire disparaître impunément 90 millions de dollars de la poche de ses associés ? Pensait-il qu'il suffirait de simuler la mort pour qu'on le laisse tranquille ? Laningan, avocat en fuite au Brésil, est traqué, débusqué, torturé. Pour finir, repêché dans un sale état par le FBI et rapatrié aux États-Unis où l'attend un procès qui peut lui coûter la vie. Une seule chose est claire : il avait tout prévu...

Il y a toujours un Pocket à découvrir

Impression réalisée sur Presse Offset par

BRODARD & TAUPIN

GROUPE CPI

36582 – La Flèche (Sarthe), le 21-07-2006
Dépôt légal : avril 2001
Suite du premier tirage : juillet 2006

POCKET – 12, avenue d'Italie - 75627 Paris cedex 13

Imprimé en France

Elle ne savait pas ; elle irait à droite et à gauche, comme d'habitude. Elle cherchait du travail ; si elle trouvait un boulot, elle ne savait pas ce qui se passerait. Elle se ferait héberger chez quelqu'un ou elle dénicherait un petit logement pour être chez elle.

— Je récupérerai ce qu'on vous doit, fit Mordecai en lui tendant sa carte. Les chèques seront envoyés à mon bureau ; téléphonez à ce numéro dans une semaine.

Elle prit la carte, nous remercia et se retira rapidement.

— Appelez le restaurant mexicain, me dit Mordecai, en vous présentant comme son avocat. Soyez courtois pour commencer mais n'hésitez pas à hausser le ton s'ils font la sourde oreille. Si nécessaire, passez prendre les chèques.

J'ai soigneusement noté ses instructions. On devait deux cent dix dollars à Waylene ; dans la dernière affaire dont je m'étais occupé chez Drake & Sweeney, neuf cents millions étaient en jeu.

Le client suivant fut incapable d'exprimer une demande précise de nature juridique ; il avait simplement envie de parler à quelqu'un. Il était ivre ou déséquilibré, probablement les deux ; Mordecai le conduisit dans la cuisine et lui servit un café.

— Certains de ces pauvres bougres ne peuvent résister à l'envie de prendre leur place dans une file d'attente, expliqua-t-il.

Vint ensuite une cliente hébergée dans le foyer depuis deux mois, ce qui simplifiait le problème du domicile. Cette veuve d'un vétéran du Viêt-nam, soignée de sa personne, avait cinquante-huit ans. À en croire les documents que je parcourais tandis que mon confrère s'entretenait avec elle, notre cliente avait droit à une pension de veuve de guerre, mais les chèques étaient virés sur un compte bancaire du Maryland auquel elle n'avait pas accès. Ses explications le confirmèrent.

– Nous allons faire en sorte, dit Mordecai, que les chèques soient envoyés au ministère des Anciens combattants.

La file d'attente s'allongea tandis que les clients se succédaient. Interruption de l'attribution des coupons alimentaires faute d'adresse permanente ; refus d'un propriétaire de rembourser une caution ; pension alimentaire impayée ; mandat de comparution pour émission de chèques sans provision ; demande de pension d'invalidité. Au bout de deux heures et dix clients, je me suis glissé au bout de la table pour commencer à les interroger moi-même. Dès le premier jour à mon nouveau poste, je volais de mes propres ailes.

Marvis fut le premier dont je m'occupai seul. Il voulait divorcer ; moi aussi. Après avoir écouté sa triste histoire, l'envie me prit de rentrer illico à la maison pour me jeter aux pieds de Claire. L'épouse de Marvis se prostituait depuis qu'elle avait découvert le crack. La dépendance à la drogue l'avait jetée dans les bras d'un dealer, puis d'un maquereau avant de la pousser sur le trottoir. Elle avait entre-temps dérobé et vendu tout ce qu'ils possédaient et accumulé des dettes dont Marvis ne pouvait s'acquitter. Il avait fait une déclaration de faillite personnelle ; elle avait embarqué leurs deux enfants et vivait à la colle avec le maquereau.

Marvis avait des questions d'ordre général sur la procédure de divorce ; ignorant les détails, j'ai improvisé de mon mieux. Tandis que je prenais gravement des notes, j'ai eu une vision de Claire assise au même moment dans l'élégant bureau de son avocate pour mettre la dernière main à ses desseins de dissolution de notre mariage.

– Combien de temps ça prendra ?

La question me tira de ma rêverie passagère.

– Six mois. Pensez-vous qu'elle fera opposition ?

– Qu'est-ce que ça veut dire ?

– Acceptera-t-elle de divorcer ?

– On n'en a jamais parlé.

Sa femme était partie depuis un an ; il était en position de demander le divorce pour rupture de la vie commune. En ajoutant l'adultère, j'ai estimé que l'affaire était dans la poche.

Marvis vivait au foyer depuis une semaine ; il était propre, sérieux et cherchait du travail. Je venais de passer une agréable demi-heure en sa compagnie et me suis juré d'obtenir le divorce pour mon client.

La matinée passa rapidement ; ma nervosité se dissipa. Je m'efforçais d'aider des individus en chair et en os qui avaient de vrais problèmes, des petites gens qui ne savaient où s'adresser pour se faire représenter en justice. Ils étaient intimidés moins par ma personne que par l'univers insondable des lois et des règlements, de la bureaucratie et des tribunaux. J'apprenais à sourire, à les mettre en confiance. Certains s'excusaient de ne pas être en mesure de me payer ; je les assurais que l'argent n'était pas important.

À midi, notre table devait être libérée pour le déjeuner. Le réfectoire était bondé, la soupe allait être servie.

Comme nous n'étions pas loin, nous sommes allés déjeuner au grill de Florida Avenue, qui proposait des plats traditionnels des Noirs du Sud. J'étais le seul Blanc dans la salle bourrée à craquer, mais je commençais à me faire à la couleur de ma peau. Personne n'avait encore essayé de m'assassiner ; personne ne semblait s'occuper de moi.

Sofia trouva un téléphone qui fonctionnait. L'appareil était caché sous une pile de dossiers, sur le bureau le plus proche de la porte. Avant de me retirer dans mon bureau, j'ai compté huit personnes attendant patiemment pour prendre conseil de Sofia, la non-avocate. Mordecai me proposa de travailler sur les affaires qui nous avaient été soumises au foyer ; il y en avait dix-neuf en tout. Il laissa aussi entendre que je devais faire diligence pour être en mesure d'aider Sofia à recevoir les clients de passage.

Si je m'étais imaginé que le rythme de travail serait moins soutenu que chez Drake & Sweeney, je m'étais mis le doigt dans l'œil. D'entrée de jeu, j'étais plongé jusqu'au cou dans des problèmes humains. Fort heureusement, avec mon expérience de bourreau de travail, j'étais à la hauteur de la tâche.

Mon premier coup de téléphone fut pour le service immobilier de Drake & Sweeney. Je demandai à parler à Hector Palma ; on me mit en attente. J'ai raccroché au bout de cinq minutes, rappelé aussitôt. Une secrétaire a fini par répondre en me demandant de nouveau de patienter.

— Que puis-je faire pour vous ?

En reconnaissant la voix grinçante de Braden Chance, ma gorge se serra. Je me suis efforcé de prendre un ton plein d'assurance.

— J'aurais voulu parler à Hector Palma.

— De la part de qui ?

— Rick Hamilton, un vieux copain de fac.

— Désolé, il ne travaille plus ici.

Il raccrocha ; j'ai regardé l'appareil d'un air interdit. J'ai failli appeler Polly pour lui demander de se renseigner, de savoir ce qui était arrivé à Hector ; cela ne lui aurait pas pris beaucoup de temps. Je pensais aussi à Rudolph, à Barry Nuzzo ou à mon propre assistant, un homme de confiance. Mais ils n'étaient plus des amis ; j'avais quitté leurs rangs, j'étais le paria, l'ennemi.

J'ai trouvé trois Hector Palma dans l'annuaire. J'aurais voulu les appeler, mais les lignes étaient occupées. Nous n'en avions que deux pour quatre avocats.